DIALOGUES ET RÉSEAUX

Monographies de la recherche jeunesse, Vol. 2, Série ScientiPHIc
Sous la direction de Charles Berg et Marianne Milmeister

Cette publication a été soutenue par
le Ministère de la Famille et de l'Intégration, Luxembourg

Traduction de Jean-Marie Vacchiani

Première édition : Octobre 2006
© Éditions Phi
Mise en page : Francis Van Maele
Impression : Polyprint, Esch-sur-Alzette

ISBN 2-87962-217-4

Diffusion : Éditions Phi
B.P. 321, L-4004 Esch-sur-Alzette
www.phi.lu

MARIANNE MILMEISTER, HOWARD WILLIAMSON
(S.L.D.)

Dialogues et réseaux

Organiser les échanges entre les acteurs
du secteur jeunesse

Version française

ESCH/ALZETTE 2006

ÉDITIONS PHI

CENTRE D'ÉTUDES SUR LA SITUATION DES JEUNES
EN EUROPE (CESIJE) ET L'UNIVERSITÉ DU LUXEMBOURG

Table des matières

Introduction

par Marianne Milmeister

Depuis des années, le triangle métaphorique des relations entre a) les organisations de jeunesse et de travail de la jeunesse, b) la politique de la jeunesse et c) la recherche sur la jeunesse est un concept courant du discours européen dans le domaine de la politique de la jeunesse. Avec une société de la connaissance pour toile de fond, « faciliter et promouvoir les échanges, le dialogue et la création de réseaux pour garantir la visibilité de la connaissance dans le domaine de la jeunesse et anticiper les besoins »[1] est devenu aujourd'hui un objectif prioritaire. Cette thématique, présente aux niveaux local, national et européen, est le résultat des politiques de la jeunesse européennes : à savoir des efforts poursuivis dans le but de créer des réseaux dans le domaine de la connaissance de la jeunesse au Conseil de l'Europe, ainsi que des discussions autour du Livre blanc de l'Union européenne intitulé *Un nouvel élan pour la jeunesse européenne*[2].

Ce livre représente une étape importante dans le travail de suivi du Livre blanc sur la jeunesse. La résolution du Conseil du 27 juin 2002 a jeté les bases d'un nouveau cadre de collaboration dans le domaine de la jeunesse. Le Conseil appelait notamment à l'application de la Méthode ouverte de coordination (MOC)[3] avec ses quatre priorités : la participation des jeunes, l'information des jeunes, les activités de volontariat des jeunes et une meilleure compréhension et connaissance de la jeunesse. Dans sa communication du 30 avril 2004, que le Conseil européen des ministres de la jeunesse a adoptée en novembre 2004, la Commission proposait des objectifs communs pour une meilleure compréhension et connaissance de la jeunesse :

(1) Identifier les connaissances existantes se rapportant à des thèmes prioritaires du domaine de la jeunesse (à savoir la participation, l'information et les activités volontaires) et prendre toutes les mesures utiles pour les compléter, les actualiser et en faciliter l'accès.

(2) Identifier les connaissances existantes se rapportant à d'autres thèmes prioritaires qui présentent un intérêt pour le domaine de la jeunesse et prendre toutes les mesures utiles pour les compléter, les actualiser et en faciliter l'accès.

(3) Veiller à la qualité, à la comparabilité et à la pertinence des connaissances dans le domaine de la jeunesse grâce à des méthodes et des outils adéquats.

(4) Faciliter et promouvoir les échanges, le dialogue et la création de réseaux pour garantir la visibilité de la connaissance dans le domaine de la jeunesse et anticiper les besoins.[4]

S'inscrivant dans le cadre du processus politique qui se déroule actuellement dans l'UE, le sujet de ce livre correspond à l'objectif commun 4, à savoir faciliter et promouvoir les échanges, le dialogue et la création de réseaux. Il puise dans les contributions présentées lors de la conférence organisée sous la présidence luxembourgeoise[5] sur le thème « Organiser des dialogues entre les acteurs du domaine de la jeunesse au moyen du réseautage et de la collaboration transsectorielle », qui s'est déroulée à Luxembourg du 16 au 18 juin 2005. La conférence, projetée comme un forum interdisciplinaire et international, réunissait des représentants des trois différents secteurs du domaine de la jeunesse (organisations de jeunesse et de travail de la jeunesse; politique de la jeunesse; recherche sur la jeunesse) du Luxembourg et de tous les États membres de l'Union européenne. L'objectif de la conférence consistait à apporter une contribution significative sous forme de recommandations précises – notamment sur la mise en œuvre de l'objectif commun 4 en pratique durable – aux acteurs du domaine de la jeunesse. Le groupe directeur avait préparé la conférence avec l'intention de présenter des exemples concluants de pratiques locales, nationales et européennes d'échanges structurés entre les différents acteurs du domaine de la jeunesse, dans le contexte de l'élaboration d'une politique axée sur la connaissance et fondée sur des données probantes.

La structure du livre suit le programme de la conférence : les discours d'ouverture (chapitre 1) et les allocutions-cadres (chapitre 2) de la séance inaugurale du 16 juin, les communications et les rapports des séances de travail (chapitre 3) du 17 juin ainsi que le discours présenté à l'occasion du lancement du Centre européen de connaissance pour la politique de la jeunesse – « *European Knowledge Centre for Youth Policy* (EKCYP) » –, les conclusions (chapitre 4) de la séance de clôture du 18 juin 2005. Le premier chapitre résume les raisons pour lesquelles il est indispensable d'organiser un dialogue et un échange de connaissances de différents points de vue. Le deuxième chapitre montre l'évolution simultanée de la politique de la jeunesse et de la recherche sur la jeunesse, au niveau européen ainsi qu'au niveau local, en donnant la parole aux chercheurs, tels que Lynne Chisholm de l'Université Leopold-Franzens d'Innsbruck et Helmut Willems de l'Université du Luxembourg, à un décideur local, Georg Bernarding, maire de Trèves, et au représentant d'une organisation de jeunesse, Renaldas Vaisbrodas du Forum européen de la jeunesse. Le troisième chapitre aborde l'organisation de l'échange de connaissances dans différents secteurs du domaine de la jeunesse, notamment en rapport avec l'apprentissage non-formel, l'élaboration d'une politique de la jeunesse, la mise en réseau nationale et la coproduction sociale de connaissances. Le dernier chapitre s'emploie à tirer les conclusions et à évoquer des perspectives. Le lancement du « *European Knowledge Centre for Youth Policy* » est particulièrement mis en exergue.

Nous sommes fortement redevables, pour la réalisation de ce volume, à toutes les personnes qui ont apporté une contribution à la conférence : les organisateurs, en l'occurrence le gouvernement du Luxembourg (tout particulièrement le Ministère de la Famille et de l'Intégration), en collaboration avec le Centre d'études sur la situation des jeunes en Europe (CESIJE) et l'Université du Luxembourg ; le groupe directeur international, qui a préparé la conférence, composé de Pierre Mairesse, Nathalie Stockwell, Hans-Joachim Schild (Commission de l'UE), Peter Lauritzen, Bryony Hoskins (Conseil de l'Europe), Anthony Azzopardi (Réseau européen de chercheurs sur la jeunesse), Johanna Tzanidaki (Forum européen de la jeunesse), Charles Berg, Helmut Willems (CESIJE /Université du Luxembourg), Charles Schmit, Théo Tibessart, Tania Matias (CGJL, Luxembourg), Nico Meisch, Ralph Schroeder (Ministère de la Famille et de l'Intégration, Luxembourg), Claude Bodeving (SNJ, Luxembourg), Gert-Jan Rietveld (« *Ministerie van Volksgezondheid, Welzijn en Sport* », Pays-Bas) et Steve Leman (« *Department for Education and Skills* », Royaume-Uni); l'équipe du Ministère de la Famille et de l'Intégration et du CESIJE, qui a organisé la conférence, et qui était composée de Pia David, Jos Graas, Frédéric Hengen, Gerry Neuman, Jacques Wenner, Sandy Zoller (Ministère de la Famille et de l'Intégration), Yvonne Fricke, Claudine

Reichert, Carla Rocha (CESIJE) et enfin, et non des moindres, le rapporteur général Howard Williamson, tous les conférenciers ainsi que tous les présidents, adjoints aux présidents, intervenants et rapporteurs des groupes de travail. Enfin, un grand merci à Alexandra Fixmer des éditions phi pour son ouverture d'esprit, sa gentillesse et sa patience; elle a apporté son appui au projet dès les premiers instants et n'a pas hésité à prendre le risque d'une publication bilingue.

1. La nécessaire organisation de l'échange de connaissances entre les acteurs du domaine de la jeunesse

Dans leurs discours d'ouverture, Marie-Josée Jacobs, Nathalie Stockwell, Peter Lauritzen, Adelheid Ehmke et Charles Berg ont souhaité la bienvenue aux participants de la conférence luxembourgeoise. De leurs différents points de vue, ils ont insisté sur la nécessité du dialogue et de l'échange de savoirs entre les acteurs du domaine de la jeunesse.

1.1. Point de vue de la politique nationale sur la jeunesse

par Marie-Josée Jacobs

Je tiens à tous vous remercier d'avoir accepté l'invitation de la présidence luxembourgeoise à participer à cette conférence à laquelle nous attachons une très grande importance.

L'Union européenne a reconnu, par l'adoption d'une priorité commune dans le cadre de la Méthode ouverte de coordination, le besoin de développer une meilleure connaissance des jeunes et de l'environnement dans lequel s'opère leur intégration sociale.

Au Grand-Duché aussi, nous nous devons d'accorder une attention toute particulière aux conditions de vie des jeunes. Vous savez tous que le Luxembourg connaît depuis les années 70 une importante immigration, avec pour conséquences, dans certaines communes, une présence majoritaire de cette population par rapport aux habitants d'origine luxembourgeoise et, au niveau national, un taux d'immigration se situant aux alentours de 39%. L'élément particulièrement important, c'est la rapidité de cette évolution qui fera prochainement du Luxembourg l'un des pays européens ayant une des populations les plus jeunes d'Europe, caractérisée notamment par sa multiculturalité. De grands défis sont donc à relever pour réussir ensemble la construction de cette nouvelle société. Se posent notamment des questions scolaires, des questions de formation professionnelle mais aussi, plus globalement, d'intégration sociale. En effet, nous constatons que, pour les jeunes issus de l'immigration par exemple, une intégration sociale à travers les organisations de jeunesse ne se fait pour le moment que très difficilement.

Nous nous devons de réussir la construction de notre société de demain. Pour cela, il nous faut développer les structures, infrastructures, programmes et politiques, qui pourront faciliter l'intégration sociale des jeunes. Pour ce faire, nous avons adopté fin 2004 – après consultation de tous les acteurs du domaine de la jeunesse – les deuxièmes lignes directrices de la politique de la jeunesse qui confirment, entre autres, le principe d'une politique fondée sur les faits et la nécessité de se doter de moyens d'évaluation et de recherche. Des initiatives comme le Pacte européen pour la jeunesse viennent en temps utile pour confirmer et développer l'importance des aspects transversaux de la politique de la jeunesse.

C'est aussi pourquoi j'aimerais exprimer mes très vifs remerciements à la toute récente Université du Luxembourg, qui s'est jointe à nous pour relever ces défis de la société luxembourgeoise, en se dotant notamment d'un nouveau poste de professeur appelé explicitement à suivre, entre autres, les politiques de la jeunesse. L'université sera le garant de l'indépendance de cette recherche, nécessaire au débat démocratique, nécessaire aussi pour que cette recherche soit reconnue par tous les acteurs. La présence de l'université en tant que nouveau partenaire permettra de participer aux réseaux internationaux de recherche et de formation, un contact d'une importance vitale pour un petit pays comme le Luxembourg. La nouvelle coopération avec l'Université du Luxembourg constitue un premier pas auquel j'attache beaucoup d'importance. Je souhaite d'ores et déjà beaucoup de succès à cette collaboration et j'espère que perdureront le dynamisme et la qualité du dialogue qui a marqué notre collaboration tout au long des dernières années.

J'aimerais remercier les responsables du CESIJE, qui ont tellement œuvré ces dernières années pour une reconnaissance de la recherche sur la jeunesse au Luxembourg. Le travail accompli a été impressionnant : parmi les nombreux projets de recherche, je ne citerai que le rapport national sur la jeunesse, les plans communaux jeunesse, la recherche sur les jeunes défavorisés en milieu urbain. La reconnaissance acquise au niveau national, régional et européen, pourra certainement encore se développer dans le cadre de la nouvelle coopération avec l'Université du Luxembourg.

J'aimerais tout particulièrement saluer ce même esprit de collaboration entre le Conseil de l'Europe et la Commission européenne – dans le cadre de leur accord de coopération –, qui a permis de développer un outil européen, une base de données permettant aux chercheurs un échange d'informations rapide et efficace. Je voudrais tout particulièrement remercier les responsables qui, ici même, durant cette conférence, donnent la possibilité aux experts de découvrir cet outil, ce qui constitue, pour ainsi dire, un lancement en avant-première, avant la conférence des Ministres de la Jeunesse du Conseil de l'Europe en septembre. J'aimerais souligner tout particulièrement ma satisfaction de voir que l'Union européenne et le Conseil de l'Europe allient leurs compétences respectives d'une façon si efficace et exemplaire.

Un autre grand merci ira à notre voisin M. Bernarding, maire de Trèves, une ville tellement proche et tellement liée au Luxembourg que c'est un plaisir particulier d'accueillir son représentant aujourd'hui. Sa présence ici est aussi le signe qu'une politique de la jeunesse se doit d'être envisagée à un niveau régional qui dépasse les frontières, et il est vrai que nous avons développé une coopération désormais solidement établie dans notre région, que nous appelons la Grande Région.

Dans la création de réseaux, qui devraient nous permettre d'approfondir nos connaissances sur l'environnement des jeunes, le milieu local et communal sera le plus important. Alors que, au niveau européen et national, on parle souvent « des jeunes » ou « du jeune », une telle généralisation n'est plus permise au niveau local. Dans la mise en œuvre de sa politique, le niveau local se doit de considérer les jeunes dans toutes leurs caractéristiques : les jeunes étudiants ou élèves, les jeunes délinquants, les jeunes sportifs, les jeunes artistes, les jeunes toxicomanes, les jeunes mères, les jeunes chômeurs… Chaque groupe cible a besoin d'une attention particulière et les réponses sont souvent tout à fait transversales. C'est au niveau local qu'une politique transversale de la jeunesse a souvent plus de facilités pour s'exprimer. La connaissance sur les besoins des jeunes est d'ailleurs très riche au niveau local. Il sera primordial de réussir à faire profiter le plus de monde possible de ces connaissances, de ce savoir-faire. Un dialogue permanent entre les niveaux local, national et européen est nécessaire pour nous permettre de développer des outils de politique de la jeunesse qui répondent aux besoins des jeunes et qui soient cohérents à tous les niveaux.

C'est pourquoi je souhaite de tout cœur que vous réussissiez dans cette tâche, durant notre conférence, et je vous souhaite bon courage dans vos travaux des prochains jours.

1.2. *Point de vue de la Commission européenne*

par Nathalie Stockwell

La présidence luxembourgeoise a été exceptionnelle du point de vue de la jeunesse, non seulement sur le plan de la citoyenneté active des jeunes mais surtout avec l'adoption du Pacte européen pour la jeunesse.

Pierre Mairesse, que des impératifs professionnels ont retenu à Bruxelles, m'a chargé de remercier tout particulièrement Madame la Ministre au nom de la Commission pour son engagement personnel et politique sur ces dossiers. Mais la présidence n'est pas terminée et elle a souhaité compléter son plan de travail par cette conférence à laquelle nous accordons un très vif intérêt. Cette conférence représente en effet pour nous une impulsion pour la mise en œuvre des lignes d'action contenues dans la résolution sur les objectifs communs pour une meilleure connaissance du domaine de la jeunesse ; et plus particulièrement les lignes d'action pour le niveau national contenues dans le quatrième objectif commun, qui vise à faciliter et à promouvoir les échanges, le dialogue et la création de réseaux pour garantir la visibilité de la connaissance dans le domaine de la jeunesse et anticiper les besoins.

À cet égard, les groupes de travail de demain auront, entre autres, à réfléchir aux moyens de promouvoir la coopération transsectorielle, à savoir les échanges et le dialogue entre les différents secteurs et domaines qui intéressent la jeunesse. Ceci est primordial pour développer une connaissance plus représentative du monde de la jeunesse et non pas une connaissance compartimentée par secteurs d'intérêt.

Il leur reviendra également de se pencher sur la question de savoir comment mettre en place, dans chaque pays, un réseau national regroupant les responsables de l'élaboration des politiques, les chercheurs, les jeunes et leurs organisations. Cette dernière ligne d'action est fort probablement l'une des plus difficiles à mettre en place au niveau national, mais c'est également l'une des plus importantes pour répondre aux besoins exprimés par les différents acteurs du monde de la jeunesse d'un dialogue plus structuré et d'une meilleure transparence, ainsi que pour permettre aux politiques de la jeunesse d'être davantage en phase avec ceux qui travaillent dans le domaine de la jeunesse et avec les jeunes eux-mêmes.

Pour toutes les raisons qui précèdent, la Commission attache une vive importance à la réflexion qui sera menée à ce sujet dans le cadre de cette conférence. Je vous souhaite des réflexions et des échanges fructueux et j'espère très sincèrement qu'ils pourront déboucher sur des recommandations concrètes, de nature à faciliter la mise en œuvre, dans les États membres, des objectifs communs pour une meilleure connaissance du domaine de la jeunesse.

1.3. Point de vue du Conseil de l'Europe

par Peter Lauritzen

Ce séminaire est l'aboutissement d'un long processus historique au cours duquel la collaboration entre la recherche, la société civile et les pouvoirs publics n'a cessé de s'intensifier dans le secteur de la politique de la jeunesse à l'échelle européenne. L'Union européenne a, bien entendu, sa propre histoire dans ce domaine, même si elle recoupe et chevauche souvent celle du Conseil de l'Europe, qui est fort de plus de quarante ans d'expérience dans ce domaine. J'ai donc l'intention de vous ramener au siècle dernier.

Avant 1972, année où le Centre européen de la jeunesse et le Fonds européen pour la jeunesse sont entrés en service à Strasbourg, la « jeunesse » était aux yeux du Conseil de l'Europe un dossier exclusivement réservé aux experts. Les chercheurs et les experts, dont certains provenaient du secteur public, d'autres d'ONG, alors que d'autres encore étaient purement universitaires, se réunissaient pour parler de la jeunesse.

La création du Centre et du Fonds a modifié radicalement cette approche ; il s'agissait d'organismes cogérés établis pour la jeunesse, axés nettement sur un programme opérationnel. Il ne s'agissait plus de parler *de* la jeunesse; au lieu de cela, les jeunes gens prenaient la parole au sein du Conseil de l'Europe et s'adressaient à lui, parlaient avec les gouvernements et les experts. Ils étaient maîtres de l'ordre du jour et, par conséquent, les années 70 et le début des années 80 furent l'époque des ONG. Les chercheurs et les experts étaient pratiquement évincés parce que « il n'y a pas de meilleurs experts sur les jeunes que les jeunes eux-mêmes... », comme nous le laissait entendre le *Zeitgeist* de l'après 68. Les gouvernements se voyaient confier un rôle clairement défini dans la cogestion ; leur propre représentation était limitée à un comité ad hoc (CAHJE), la norme la plus basse possible pour une telle représentation au sein du Conseil de l'Europe.

Les choses ont changé en 1985. Le CAHJE est devenu un comité directeur, de hauts fonctionnaires ont préparé la première Conférence européenne des ministres responsables de la jeunesse à Strasbourg, le secteur des ONG et les organismes cogérés du Centre et du Fonds doivent faire face aux ambitions d'une collaboration intergouvernementale intégrale dans le domaine de la jeunesse, ce qui n'a pas l'heur de plaire à tout le monde.

Qu'en est-il de la recherche dans tout ceci ? De la connaissance de la jeunesse ? C'est toujours une denrée rare ; l'idée dominante qui persiste est que les jeunes utilisent le domaine de la jeunesse du Conseil de l'Europe principalement pour l'éducation et la représentation politiques, et que leur situation de membres de la jeunesse ne les intéresse pas particulièrement eux-mêmes en tant que jeunes gens. Ce qui importe, c'est ce qu'ils pensent et ce qu'ils veulent, non ce qu'ils sont. Souvenez-vous que nous sommes toujours à l'époque de la Guerre froide, de l'Europe des 21, d'une quasi-absence de compétence en matière de jeunesse au sein de l'UE, du faible chômage, de systèmes d'enseignement complaisants et d'idées tranchées au sujet des cycles de vie, de la génération et du besoin d'agir pour le changement social au moyen de conflits mesurés avec les parents, les autorités et les « systèmes ».

Toujours en 1985, année cruciale dans l'histoire du domaine de la jeunesse du Conseil de l'Europe, marquée par des événements tels l'« Année internationale de la jeunesse » des Nations Unies, la

« Semaine européenne de la jeunesse » à Strasbourg, le rapport sur la « Participation » de l'Assemblée parlementaire du Conseil de l'Europe, le colloque mondial « *Common Values for Humankind* » (valeurs communes pour l'humanité) au Centre européen de la jeunesse, et la Conférence européenne des ministres de la Jeunesse précédemment citée, nous parvenons enfin à lancer des invitations à un grand colloque réunissant 120 personnes sur la recherche jeunesse. Cette activité a pavé la voie au premier comité expert sur la recherche jeunesse mandaté par le CDEJ, qui est devenu par la suite la réunion régulière des correspondants en matière de recherche jeunesse, qui s'appelle aujourd'hui le réseau de chercheurs sur la jeunesse et fonctionne conjointement avec la Commission européenne ou dans le cadre de notre accord de partenariat sur la formation, la recherche et la collaboration Euromed. Les secteurs dans lesquels le travail a commencé sont la collaboration des bibliothèques et la cartographie sociale de l'Europe, auxquels viendront s'ajouter plus tard la reconstitution et la revalorisation de la recherche jeunesse en Europe centrale et en Europe de l'est, et quelques études choisies, notamment celle sur *Les jeunes et la vie associative*[6] ou tout un ensemble d'études sur la participation.

Rien ne pourrait démontrer de façon plus probante que la recherche a fait son retour dans ce domaine que le fait que c'est un chercheur sur la jeunesse, le regretté Benny Hendriksson de Suède, qui a ouvert la quatrième Conférence européenne des ministres responsables de la jeunesse en 1993. Désormais, chacun est représenté dans des compartiments bien distincts au sein du Conseil de l'Europe : les gouvernements au CDEJ, les chercheurs dans leur propre réseau et les ONG à la fois au sein de l'organe directeur et du Comité consultatif, qui sont les organismes de cogestion. Il s'agit bien de représentation et non de collaboration.

En 1997, nous avons commencé l'examen des politiques nationales sur la jeunesse et leur relation avec l'Europe. Le premier examen international des politiques jeunesse mis en chantier porte sur la Finlande ; l'équipe d'experts est composée d'un expert gouvernemental, d'un représentant d'ONG et de trois chercheurs, dont un assume le rôle de rapporteur général. Il s'agissait, dans le cas de la Finlande, de Howard Williamson. La méthode d'examen fait évoluer la représentation jusqu'à la transformer en coproduction sociale ; les chercheurs, les pouvoirs publics et les ONG produisent ces examens ensemble.

Quelques années plus tard, après le septième de ces rapports, nous nous retrouvons ici, à Luxembourg, nous analysons le processus d'examen, l'évaluons, faisons des propositions afin de l'améliorer. Tout ceci nous amène au rapport de synthèse de Howard Williamson intitulé *Soutenir les jeunes en Europe. Principes, politique et pratique.*

Nous apportons des changements et élaborons la méthode : les examens sont mieux préparés et avec plus de minutie, les indicateurs de la politique jeunesse servent à structurer à la fois le rapport national et l'examen international, le secrétariat assume un rôle de coordination bien plus fort, des audiences nationales se tiennent sur les résultats ; il y a, comme toujours, des audiences européennes, et une forte recommandation a été formulée pour un suivi et une révision de la pratique de l'équipe d'examen quelque temps plus tard.

Nous sommes sur le point de terminer l'examen de Chypre et de la Slovaquie. L'Arménie et la Hongrie sont en cours d'examen. Le temps est venu de marquer une nouvelle pause et d'examiner nos expériences communes après bientôt 14 rapports ; le temps est venu d'un « Williamson II ».

À quoi souhaitons-nous que ce processus aboutisse à l'avenir ? Pourquoi ne pas envisager sérieusement une « Convention-cadre du Conseil de l'Europe sur les politiques jeunesse » ? Il ne devrait pas s'agir d'un mécanisme de notification et de contrôle serré sur la politique jeunesse ; à cet égard, il reste trop de chemin à parcourir pour que les conditions de vie des jeunes dans les divers pays membres soient comparables, et les conditions de gouvernance de la politique jeunesse sont trop hétéroclites. Ce que nous pourrions faire, cependant, serait de convenir des éléments essentiels d'une politique jeunesse – son caractère transsectoriel, sa fonction consistant à garantir l'accès et l'inclusion aux jeunes, son programme garantissant la transition de l'école au travail, le bien-être de la jeunesse, l'implication dans la prise de décision, la participation, l'information et le développement de la société civile, des défis tels que les sociétés vieillissantes, la modernisation, les modifications de l'approche du cycle de vie et les incidences de l'économie de la connaissance – et d'entamer un processus de Livre blanc au niveau du Conseil de l'Europe, en insistant sur les valeurs fondamentales du Conseil en matière de droits de la personne humaine, de démocratie et de règles du droit. Il pourrait s'agir d'un processus qui compléterait la nouvelle politique dont l'élaboration a été stimulée par le *Livre blanc sur la jeunesse* à la Commission européenne, et aux mécanismes mis en place pour exécuter le « Pacte européen pour la jeunesse ». Nous convoquerons une grande conférence consultative sur ce sujet à Strasbourg en 2006 et nous réunirons le triangle de chercheurs, d'ONG et de pouvoirs publics afin de préparer l'avenir de ce secteur au Conseil de l'Europe.

Nous avons fait bien du chemin. Au cours de cet événement, le « *European Knowledge Centre for Youth Policy* » sera lancé dans le cadre de notre entente de partenariat avec l'UE. Nous avons réussi à travailler avec ce que les gens commencent à appeler le triangle magique dans tous les secteurs : formation, recherche et collaboration Euromed. L'événement d'aujourd'hui est un autre grand pas en avant. En fait, ce séminaire tombe à pic, car la politique jeunesse semble répondre à une conjoncture. Madame la Ministre, mesdames et messieurs, je vous remercie de nous donner cette occasion exceptionnelle d'échanger des points de vue, d'élaborer des propositions et de nous rapprocher davantage de la mise sur pied d'un programme encore plus ambitieux de coproduction sociale dans le domaine de la jeunesse que celui que nous avons déjà. Je souhaite bon succès à notre séminaire.

1.4. Point de vue de l'Université

par Adelheid Ehmke

Je me félicite de pouvoir vous souhaiter la bienvenue au nom de l'Université du Luxembourg.

L'Université du Luxembourg est un nouvel acteur dans le domaine de la recherche et de l'enseignement. Fondée en 2003, elle compte trois facultés : sciences, technologie et communication ; droit, économie et finance ; lettres, sciences humaines, arts et sciences de l'éducation. Pour l'instant, nous comptons près de 3 000 étudiants et 140 professeurs.

L'Université du Luxembourg s'est fixé comme mission centrale de se doter de compétences dans le domaine de la recherche. Dans ce contexte, elle accorde une grande importance à la collaboration avec les différentes institutions sociales du Luxembourg. Le secteur de la recherche sur la jeunesse en est un bon exemple : lorsque nous abordons la jeunesse et la politique de la jeunesse, l'évolution de la société et les rapports entre générations, notre intention n'est pas uniquement de contribuer, grâce à la recherche et au transfert de connaissances dans ce secteur, à mettre en avant des options d'intervention dans les secteurs problématiques. Nous voulons également identifier la jeunesse comme ressource positive pour l'avenir de notre société.

Dans le secteur de la recherche sur la jeunesse, l'université collabore étroitement avec le Centre d'études sur la situation des jeunes en Europe (CESIJE). Cette collaboration permet avant tout de faire en sorte que la recherche universitaire ne se déroule pas dans une tour d'ivoire et ne demeure pas purement théorique. Les échanges avec des professionnels travaillant dans des secteurs connexes et avec les organes de décision politiques créent un lien permanent avec la pratique, et la recherche puise sans cesse dans le savoir empirique.

La recherche sur la jeunesse est également un exemple de collaboration interdisciplinaire à laquelle notre université accorde une valeur particulière. L'un des secteurs prépondérants de la recherche à l'Université touche aux problèmes du vieillissement de la société, problème commun à presque tous les États de l'Europe occidentale ; il saute aux yeux que ces thèmes, s'ils servent de fondement à une politique de la société qui façonne l'avenir, sont l'avers et le revers d'une même médaille.

Permettez-moi de vous citer un autre exemple : dans le contexte de la politique de la jeunesse et de la recherche sur la jeunesse, le concept de la ville en tant qu'espace de vie et espace d'activité polyvalent acquiert une importance particulière. En conséquence, le thème de l'évolution urbaine sous ses différentes facettes, depuis l'évolution historique jusqu'à l'urbanisation, appartient aussi au domaine de la recherche sur le thème de la jeunesse.

Enfin, université d'un petit pays au cœur de l'Europe, nous sommes particulièrement tributaires de la coopération avec des partenaires régionaux et internationaux. C'est déjà le cas dans la Grande région (Sarre, Lorraine, Luxembourg, Trèves, Palatinat occidental et Province du Luxembourg belge).

De concert avec les universités de cette région (Nancy, Metz, Sarrebruck, Trèves, Liège), nous offrons un ensemble de parcours universitaires communs, par exemple en physique, dans le cadre des études franco-allemandes de premier et de deuxième cycle, en mathématiques et philosophie. Nous avons par conséquent conçu nos nouveaux parcours comme des cycles d'études sanctionnés par une licence et une maîtrise, et nous utilisons le système ECTS (« *European Credit Transfer System for Recognising Course Results* »), un nouveau système européen de transfert pour la reconnaissance des résultats d'études qui facilite la mobilité.

Nous pratiquons la collaboration internationale, notamment dans le secteur de l'éducation au multilinguisme, qui est, comme chacun le sait, une caractéristique de la société luxembourgeoise, mais aussi des pays comme le Canada et la Suisse – et bien entendu dans le secteur de la recherche.

À l'avenir, l'Université du Luxembourg ne souhaite pas rester simplement une associée minoritaire. Bien au contraire, nous souhaitons être présents grâce à la qualité de la recherche et de l'enseignement.

Nous sommes donc extrêmement satisfaits de co-organiser cette conférence de la présidence européenne luxembourgeoise sur une meilleure connaissance du domaine de la jeunesse, et nous vous remercions tous de votre présence à Luxembourg.

Je remercie tous ceux qui ont participé à la préparation et à la promotion de la conférence et qui en ont assuré le bon déroulement, tout particulièrement les collaborateurs du CESIJE.

Je nous souhaite à tous une session intéressante et riche en débats, une session qui sera, je l'espère, le point de départ d'un dialogue pérenne.

1.5.   Point de vue des organisateurs de la conférence de Luxembourg

par Charles Berg

Je souhaiterais vous adresser quelques mots au nom des organisateurs de la conférence. Je tiens tout d'abord à remercier mille fois ceux qui ont travaillé à Luxembourg et dans toute l'Europe pour que cette conférence ait lieu et pour en garantir le succès.

Il y a quelques mois, Ralph-René Weingärtner estimait que la conférence sur une meilleure connaissance du domaine de la jeunesse à l'occasion de la présidence européenne du Luxembourg serait probablement l'événement le plus important de cette période. Le 29 mai, il était manifeste qu'il n'avait certainement pas raison puisque l'événement dominant, dans l'opinion publique, était le « non » français à la constitution européenne. Au cours des dernières semaines, des débats ont montré que le rejet est imputable partiellement à des ruptures entre les jeunes et les vieux, entre la France d'en bas et la France d'en haut, entre ceux qui ne savent pas et ceux qui savent, entre ceux qui se sentent respectés et ceux qui n'ont pas ce sentiment, etc.

Dans ce contexte nouveau et inattendu, une conférence portant sur l'organisation d'un dialogue, sur la constitution de réseaux, sur la réalisation d'un échange rapide et efficace de savoir stratégique entre différentes sortes d'acteurs acquiert une nouvelle valeur. En effet, pour ce qui est des enjeux sous-jacents, nous ne pouvons que nous fixer pour objectif de combler les fossés. Je souhaite en mentionner quelques-uns :

* les fossés qui existent encore entre les milieux nationaux de la recherche (regardez les îlots de citations dans la documentation scientifique…),

* les fossés entre la manière dont on comprend ce qu'est la jeunesse au niveau national et ce que la politique jeunesse devrait faire (regardez le travail effectué en matière d'indicateurs de politique jeunesse),

* les fossés entre les fournisseurs de savoir et les décideurs,

* les fossés entre la recherche et l'évaluation,

* les fossés entre le travail jeunesse et l'éducation des jeunes,

* les fossés entre la recherche et les mouvements de jeunes,

* les fossés entre les jeunes et les politiques.

Il s'agit de processus longs et lents, dont l'objet est d'amener un changement durable. Aucun de ces processus ne convient à une rhétorique performante sur le marché politique. Cependant, tous concourent, d'une certaine façon, à une intégration politique, sociale et culturelle véritable et solidement ancrée de l'Europe.

Qu'y a-t-il derrière cette vision ? Ce n'est pas uniquement la stratégie de Lisbonne. C'est une façon de voir la jeunesse, non comme un problème devant être réglé par l'inclusion, mais comme une ressource positive et transformative pour une société de l'avenir. Cette conception a été élaborée, au départ, dans le contexte du Conseil de l'Europe. Au cours des dernières décennies, elle a été associée, du moins à mes yeux, au visage et à la voix de Peter Lauritzen. Depuis quelques années, aboutissement du processus du Livre blanc, l'élaboration novatrice d'une politique de la jeunesse a bénéficié de l'appui du pacte de recherche conclu entre l'Union européenne et le Conseil de l'Europe, reposant sur le concept du pacte de formation qui avait été conclu quelques années auparavant. La nouvelle norme de gouvernance axée sur les citoyens, qui en découle, correspond à l'idée d'une politique participative, fondée sur des données probantes et axée sur le savoir. Elle s'appuie de plus en plus sur des liens structurés entre les institutions internationales, les gouvernements et les administrations, les sociétés civiles, les mouvements de jeunes, la recherche ainsi que les universités.

Cette conférence apporte donc un effort international, partagé et généreux, d'interaction, de dialogue, de reconnaissance mutuelle et respectueuse, dans le cadre d'une réflexion commune de trois collectivités différentes sur la façon dont de futurs échanges d'information et de savoir dans le domaine de la jeunesse doivent être organisés.

Je souhaite que, au cours des prochains jours, nous fassions cause commune dans un travail et un échange créatifs et fructueux. Au cours des prochains mois, j'espère que nous pourrons passer le témoin à la présidence britannique et que quelques-unes, au moins, des perspectives élaborées deviendront réalité.

2. Évolution concomitante de la politique de la jeunesse et de la recherche sur la jeunesse en Europe et au niveau local

Les allocutions-cadres montrent l'évolution concomitante de la politique de la jeunesse et de la recherche sur la jeunesse au niveau européen et local. Lynne Chisholm et Helmut Willems décrivent la situation dans la perspective des chercheurs, Renaldas Vaisbrodas donne le point de vue d'un représentant d'une organisation de jeunesse et Georg Bernarding celui d'un décideur au niveau local.

2.1. La recherche sur la jeunesse et le secteur de la jeunesse en Europe : perspectives, partenariats et promesses

par Lynne Chisholm

2.1.1. L'Europe : de la naissance à l'âge adulte

Pour se faire une idée de la situation de l'Europe contemporaine, nous pouvons décrire son parcours comme celui d'un enfant qui grandit. Notre famille a donc des jumelles.

Conçue le 9 mai 1950, l'Europe-UE est finalement née en 1957 à Rome ; il lui a fallu 29 ans pour atteindre l'adolescence (avec douze États membres à partir de 1986), neuf autres années pour atteindre les débuts de sa jeunesse officielle (avec 15 États membres à partir de 1995) et à peine neuf années de plus pour passer de 15 à 25 États membres, ce qui marquait la fin de l'étape officielle de la jeunesse et l'engageait fermement sur la voie de l'âge adulte. En d'autres termes, l'Europe-UE a connu une enfance prolongée et une transition accélérée vers le début de l'âge adulte.

Sa sœur jumelle aînée, l'Europe-CE, est née à Londres le 5 mai 1949 ; il ne lui a fallu que sept ans pour parvenir au début de la jeunesse (15 États membres à partir de 1956). Après une longue période de 33 ans, jusqu'en 1989, elle ne comptait toujours que 23 États membres, mais au cours des quinze années suivantes, elle a atteint la plénitude de l'âge adulte avec 46 États membres. L'Europe-CE a été un enfant précoce, qui a atteint l'adolescence rapidement, mais qui a ensuite connu une longue jeunesse avant d'être précipitée directement dans la cinquantaine.

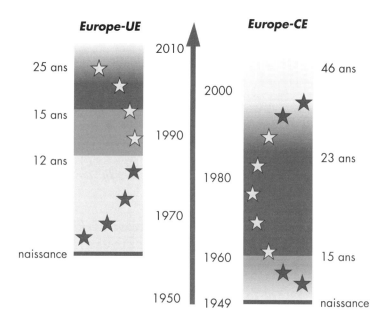

Fig. 1: Parcours des sœurs jumelles européennes

Ceci peut sembler une façon bien légère d'ouvrir le débat dans une conférence aussi importante, mais les chercheurs européens sur la jeunesse en dégageront immédiatement un point très important.

Le parcours de l'Europe-UE est le reflet fidèle de ce que fut, en termes très généraux, celui de la majorité des jeunes Européens pendant les beaux jours du XXe siècle. Dans les parties les moins riches de l'Europe, ce n'est pas seulement l'enfance mais également l'adolescence qui s'est trouvée accélérée : les jeunes générations ont été propulsées dans la vie active et l'âge adulte par des circonstances économiques (elles devaient gagner leur vie pour subvenir à leurs besoins et contribuer au ménage parental) et des conditions sociales (enseignement/formation de courte durée, mariage précoce et enfants au début du mariage). C'était également le cas des jeunes défavorisés dans les pays plus riches. Ce schéma n'a pas disparu, mais il est moins commun et il a gagné en complexité par rapport à ce qu'il était auparavant, car les identités et les parcours de l'existence partout se différencient et se diversifient.

Le parcours de l'Europe-CE, en revanche, ressemble davantage aux expériences que vivent la majorité des jeunes Européens d'aujourd'hui. Les changements sociaux de la vie familiale et communautaire, stimulés par la mondialisation culturelle et l'accès à l'information et aux idées reposant sur la TI ont modulé une « nouvelle enfance » qui évolue rapidement vers la préadolescence et amène l'entrée plus précoce dans la jeunesse en tant que locus culturel. Parallèlement, la jeunesse en tant que phase sociale déborde de plus en plus dans la troisième décennie de la vie (enseignement/formation de longue durée, alternance plus longue entre l'apprentissage/ l'acquisition d'expérience et les emplois à la journée, jusqu'à ce qu'une situation d'emploi plus solide soit atteinte, partenariat/ mariage et création de famille plus tardifs). Qu'elles soient riches, moyennes ou défavorisées, les jeunes générations ont des existences qui sont de plus en plus structurées de cette façon, malgré les très nombreuses différences internes entre les possibilités et les risques qui se présentent à elles. Les enfants, à partir de l'âge scolaire, et les jeunes gens, jusqu'à la nouvelle phase de vie du début de l'âge adulte, sont pris (dans un sens positif et négatif) dans une toile complexe d'autonomies et de dépendances concomitantes, et sont placés à cheval entre vie privée et publique, entre la famille, l'État et le marché, entre les affiliations avec des pairs de leur génération et des gérontocraties sociopolitiques. Or, on peut affirmer que, sur le marché du travail – et il est permis de penser qu'il en est de même en termes de mode de vie culturel des jeunes –, il ne devient que trop facile de se réveiller un jour pour découvrir que l'on est soudain « trop vieux » pour faire une bonne carrière, pour trouver un emploi décent ou pour avoir des enfants.

On peut voir un paradoxe à la fois ironique et amusant dans le fait que l'Europe-UE est, bien entendu, l'enfant de la prospérité, une fille matérialiste, alors que l'Europe-CE est une sœur aînée cultivée mais plus pauvre. C'est là que nous devrons abandonner la métaphore, car les jumelles vivent dans un monde de tensions et de contradictions, dans lequel tout n'est pas fidèle aux apparences et bien des choses pourraient être meilleures qu'elles ne le sont.

Pour vivre sa vie dans le monde d'aujourd'hui, il faut avoir l'échine souple, mais les reins solides pour s'adapter aux changements rapides. Les milieux sociaux et économiques complexes, multi-culturels et hautement technologisés de l'Europe exigent des apti-tudes et des compétences « anciennes », « nouvelles » et de niveau toujours plus élevé dans un vaste éventail de domaines de connais-sance et d'expérience. Les institutions sociales (famille, enseignement et formation, secteurs professionnels et organismes employeurs) réagissent en se dirigeant (de façon et à des allures différentes) vers une ouverture structurelle et une diversité expérientielle plus impor-tantes.

À n'en pas douter, la concurrence devient plus acharnée et la fragmentation se creuse entre les jeunes gens qui cherchent à satis-faire aux exigences de l'emploi et de la carrière, tout en essayant de saisir les occasions de bâtir des identités cohérentes et distinctes. Toutes ces conditions sont définies et alimentées par une fracture douloureuse entre la capacité croissante des régimes démocratiques à engendrer une inertie réglementée et la diminution de la capacité à engendrer de la participation. En somme, les zones de tension entre l'intégration-inclusion et la séparation-exclusion sociales, politiques et économiques ne s'affaiblissent pas, bien que les modes d'expres-sion des tensions se transforment graduellement ; l'une des raisons, et non la moindre, en est la reconstruction de la mosaïque européen-ne au cours des quinze dernières années.

En somme, il y a du pain sur la planche pour les chercheurs au cours des prochaines années, si nous voulons documenter, compren-dre, tenter d'expliquer et transmettre à nos partenaires, qui occupent le triangle magique du secteur de la jeunesse, la signification de la mosaïque de situations sociales dans lesquelles les jeunes se retrou-vent aujourd'hui, la façon dont cette mosaïque évolue et quels gen-res d'effets elle exerce sur les jeunes et sur l'ensemble de la société.

J'ai pris la liberté – toute relative pour quelqu'un dont le travail, pour des raisons qui ressortissent autant à l'intellect qu'aux convic-tions, se situe intentionnellement aux frontières de la recherche, de l'élaboration de politiques et de la pratique – d'utiliser le discours du chercheur en sciences sociales, de l'universitaire, du monde de la recherche sur la jeunesse donc, pour tracer les grandes lignes de la vie de la jeunesse dans l'Europe contemporaine. N'oublions cepen-dant pas que ce discours aborde également la revendication en faveur d'une participation et d'une intégration démocratiques des jeunes dans la politique, l'économie, la société et la culture. Les chercheurs s'attaquent à la problématique et analysent les problèmes, les décideurs conçoivent des stratégies pour des solutions sociales éducatives et les praticiens savent comment les appliquer – ou faire en sorte qu'elles ne soient pas mises en pratique comme prévu, s'ils ne sont pas d'accord avec les principes ou la méthode.

Les tâches des trois éléments composant cet antique triangle magique diffèrent certes l'une de l'autre, mais elles sont aussi complémentaires, ou du moins devraient l'être. Vue sous cet angle, la recherche sur la jeunesse a un sens pour les animateurs auprès des jeunes et pour les décideurs lorsque ses résultats fournissent un service, c'est-à-dire une information exprimée sobrement et de manière compréhensible sur des questions concrètes et bien définies. Cela ne signifie pas nécessairement que les chercheurs doivent fournir un ensemble rationalisé d'interprétations qui correspondent aux préférences et aux inclinations des décideurs ou des praticiens ni, incidemment, à celles des jeunes eux-mêmes. Il est également crucial que les chercheurs dirigent leur attention, lorsque la situation le justifie, vers l'évolution des besoins, des revendications, des points de vue et acceptions. Par la même occasion, les chercheurs peuvent jouer un rôle productif en matière de suivi et d'évaluation de la politique de la jeunesse et de la pratique de l'animation auprès des jeunes « en l'état », qui est une caractéristique essentielle de la recherche permettant d'améliorer la qualité de façon continue et plus organique.

Somme toute, cela devrait signifier qu'un échange dynamique, positif et coopératif entre les chercheurs, les décideurs et les praticiens est depuis longtemps une caractéristique ordinaire de la vie dans le secteur de la jeunesse. Malheureusement, les choses ne sont pas aussi simples que ça.

2.1.2. Le triangle magique comme zone de tension

Les relations tendues entre chercheurs et décideurs ainsi qu'entre chercheurs et praticiens ne sont ni nouvelles ni secrètes. Cela vaut en général pour la recherche sociale, mais également, et de plus en plus, pour les sciences naturelles et appliquées et les disciplines technologiques. Le secteur de la jeunesse ne fait pas exception à la règle, bien que la proximité du secteur de l'engagement sociopolitique à l'égard de l'innovation et du changement rende la tension particulièrement aiguë.

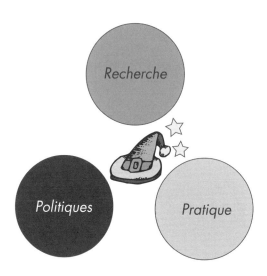

Fig. 2: Vision du triangle magique

La recherche et l'élaboration des politiques sont fondées sur des logiques d'action différentes. Les chercheurs tentent de saisir les vérités plausibles grâce à un examen rigoureux des réalités accessibles et à une confrontation systématique de différents points de vue au sujet des réalités et de leur interprétation. Les décideurs s'évertuent à parvenir à un consensus, qui peut être mis en œuvre sur la toile de fond d'un éventail d'intérêts divergents.

Lors des négociations entre les intérêts, les connaissances fondées sur la recherche ne sont qu'un apport parmi d'autres, et les résultats de la recherche ne sont qu'une des multiples sources alimentant les décisions et les mesures stratégiques. Les chercheurs et les décideurs vivent donc dans des mondes normatifs différents. Les chercheurs peuvent et doivent être prêts à imaginer l'impensable et à s'en faire les avocats. Les décideurs agissent, en règle générale, de la façon la plus sensée et rationnelle possible, compte tenu du cadre politique dans lequel ils fonctionnent. L'art d'élaborer des politiques réside dans la capacité à ménager autant de place que possible à l'innovation sans invoquer trop de fantômes du passé.

Il faut avouer que la recherche réussit rarement à apporter des réponses irrémédiablement finales à des questions sociales et socio-politiques. Par ailleurs, la transformation d'informations et de connaissances fiables et valables en mesures stratégiques efficaces est une tâche très ardue. Les chercheurs n'y excellent généralement pas, pas plus que les décideurs d'ailleurs. Dans ces conditions, il est plus réaliste d'attendre de la recherche qu'elle se contente d'éclairer les décideurs, plutôt que d'attendre des politiques qu'elles soient rigoureusement fondées sur la recherche.

La relation entre les chercheurs et les praticiens n'est pas moins tendue, mais de façon différente. La recherche exige un certain recul par rapport à l'action sociale faisant l'objet de l'enquête, indépendamment de la perspective épistémologique et méthodologique qui a été adoptée. Les chercheurs fractionnent nécessairement les contextes et les processus multidimensionnels en leurs parties constituantes – ils ne le font pas moins dans le cas des approches axées sur le monde du vécu, qui cherchent à comprendre et à communiquer l'intégrité des phénomènes sociaux. Les praticiens, en revanche, sont directement engagés dans des activités et des contextes sociaux particuliers. Ils doivent réagir immédiatement et de façon cohérente à des exigences liées à la situation et à des besoins humains, en utilisant des compétences sociales et des compétences de communication de haut niveau. Ils ne peuvent pas attendre que les chercheurs aient découvert de façon fiable – et rédigé dans leurs mots – ce qui se passe et ce qui devrait être fait à ce sujet.

Les chercheurs tendent à être explicites, tandis que les praticiens sociaux s'appuient sur des principes implicites qui sont traduits en mesures particulières au moyen d'une transformation discrète[7]. Les comptes rendus écrits de ce que les praticiens du secteur de la jeunesse pensent de la problématique de la relation entre chercheurs et praticiens sont rares. Les praticiens ne donnent pas la preuve de leurs compétences professionnelles de la même façon que les chercheurs, et ils s'orientent d'après des principes professionnels de genres différents. En d'autres termes, les praticiens ne publient pas, du moins en règle générale. Ils agissent au quotidien et, nous l'espérons, par réflexe.

Les chercheurs et les praticiens vivent pour ainsi dire dans des espaces culturels différents. Chaque groupe utilise une langue incompréhensible pour l'autre et possède des aptitudes et des compétences différentes, que chaque groupe apprécie hautement, comparativement aux autres. Cependant, le statut social des chercheurs hautement qualifiés, d'un point de vue officiel, est plus élevé que celui des animateurs pour la jeunesse, dont le profil de compétence se situe dans la sphère de la capacité à agir rapidement dans la pratique.

L'exposé ci-dessus est bien connu de quiconque travaille dans le secteur de la jeunesse, avec lui ou pour lui. Il importe de se rappeler ces points fondamentaux lorsqu'on essaie de déterminer comment organiser des « multilogues » fructueux et efficaces entre les acteurs du secteur de la jeunesse. En d'autres termes, nous devrions accepter que ces relations tendues soient des caractéristiques constitutives du triangle magique et, partant, que les négociations constantes soient une caractéristique déterminante de ces « multilogues ». Il ne faut pas y voir nécessairement un désavantage. Bien au contraire, cela peut être l'occasion de construire le changement et l'innovation dans nos domaines de travail respectifs, et d'en faire une attente normale.

La réflexion critique sur ce que nous faisons et les raisons pour lesquelles nous le faisons ne devrait pas être menée exclusivement pendant des réunions privées et dans des angles à part du triangle magique. Nous devrions agir davantage ensemble, tout simplement parce que ce genre de communication, d'échange, de confrontation et de négociation entre des acceptions différentes du monde est l'une des meilleures manières d'engendrer de l'inspiration et de l'engagement, une pensée novatrice et une pratique efficace. Après tout, c'est là l'un des piliers centraux des principes et des méthodes d'apprentissage interculturel, qui occupe une place cruciale dans le triangle magique du secteur européen de la jeunesse. À cet égard, nous devrions nous prendre nous-mêmes comme exemple et apprendre à utiliser la différence de façon positive.

2.1.3. Apprendre à utiliser la différence de façon positive

Nous savons tous que le secteur de la jeunesse est l'un des secteurs stratégiques pour lesquels les États membres de l'Union européenne conservent la pleine compétence ; la Commission européenne soutient et complète ce que les instances nationales décident de faire. Néanmoins, les États membres ont toujours été sur leurs gardes pour garantir que les institutions de l'Union européenne n'outrepassent pas les limites de leur traité. Cette attitude n'a pas toujours facilité le fait de faire cause commune sur des questions de fond, même lorsque cela aurait été éminemment rationnel sur le plan pratique. Pour le Conseil de l'Europe, si l'on s'en tient aux principes intergouvernementaux, ce genre de problème ne constitue pas un enjeu important. La portée de son action est plutôt limitée par son domaine de compétence thématique, par la volonté de ses États membres de collaborer sur des sujets donnés et enfin, ce qui n'est pas la moindre des raisons, par ses faibles ressources de fonctionnement.

Pourtant, il est intéressant de constater que, lorsqu'il s'est agi de collaborer à des questions afférentes à la jeunesse, le Conseil de l'Europe a su aller plus loin que les Communautés européennes n'ont pu le faire pendant de nombreuses années. Nous pourrions raisonnablement faire valoir que c'est précisément parce que l'autorité formelle et la valeur normative des recommandations et des résolutions du Conseil de l'Europe sont plus faibles, et donc que leur contenu impose des exigences moins précises que dans le cas des propositions, mémoires, communications, résolutions, décisions et (dans d'autres secteurs) directives des institutions de l'Union européenne.

On peut également faire valoir que c'est précisément à cause de ce besoin d'informer, de persuader et de négocier avec de nombreux États membres depuis le début de son histoire que le Conseil de l'Europe a acquis une forte compétence dans la gestion des différences et dans la négociation de formules acceptables par des groupes importants et disparates. Comme nous le savons tous, la Direction générale de la jeunesse et des sports occupe une place unique au sein du Conseil lorsqu'il s'agit de mettre en œuvre des principes de cogestion pour administrer les affaires internes (priorités, activités, études et rapports) des Centres européens de la jeunesse et du Fonds européen pour la jeunesse.

Parallèlement, pendant de nombreuses années, ce triangle magique particulier n'a pas pris véritablement en compte l'angle « recherche », pas plus que le milieu de la recherche sur la jeunesse – tel qu'il était en Europe jusque dans les années 1990 et l'avènement de la recherche sur la jeunesse européenne comme locus identitaire définissable – ne s'est rendu compte qu'il faisait ou devait faire partie de ce triangle.

Bien des choses se sont passées depuis et ont fait évoluer la situation (regroupement et amélioration des activités et des services de recherche et d'information, recours plus fréquents à l'expertise des chercheurs et, bien entendu, facilitation du travail par le partenariat pour la recherche avec l'Unité Jeunesse de la Commission européenne)[8], mais il est toujours important de rappeler combien de progrès, à cet égard, ont été accomplis au cours des quinze dernières années. Aurait-on pu imaginer, à l'époque, qu'une université d'été sur l'apprentissage non-formel destinée aux trois angles du triangle magique puisse être parrainée par l'Agence nationale de la jeunesse estonienne et réunisse un chercheur, un formateur, un étudiant en pédagogie et des membres du personnel de l'organisme national ? J'en doute fort, mais c'est pourtant ce qui a eu lieu en juillet 2005[9].

Quelque chose d'important s'est manifestement passé à notre nez, non seulement à l'intérieur et autour du Conseil de l'Europe, mais également à l'intérieur et autour de la Commission européenne. L'origine de notre situation actuelle peut être retracée : elle remonte aux rapports de la Communauté européenne dans les années 1970 et aux diverses activités relatives aux phénomènes de transition des jeunes vers la vie professionnelle ainsi qu'à l'éducation des enfants de travailleurs migrants, que l'on peut relier, d'une part, à la formation professionnelle et à l'emploi et, d'autre part, aux conséquences de la mobilité liée au marché du travail[10]. Les activités sociales et éducatives en matière d'échanges et de projets autour de la jeunesse se sont multipliées et étendues au cours des années 1980, jusqu'à ce que le premier programme d'action Jeunesse pour l'Europe soit lancé afin de tout regrouper. Le reste appartient à l'histoire, comme on se plaît à le dire… Aujourd'hui, le Programme jeunesse n'a jamais été aussi largement financé, il fait l'objet d'une forte demande et il est hautement apprécié, tout comme l'étaient ses prédécesseurs.

Pourtant, ce programme n'a que récemment commencé à adopter la recherche en tant que véritable partenaire du triangle magique. Au niveau de l'UE, le premier rapport sur la situation des jeunes en Europe a été entrepris en 1991, à la suite d'une demande du Parlement européen ; un deuxième a été réalisé pour l'Unité Jeunesse de la Commission européenne en 2000 ; il a été suivi par un troisième rapport, commandé par le Conseil de l'Europe en 2003 et destiné à la sixième Conférence des ministres européens chargés de la jeunesse[11].

Entre-temps, deux Eurobaromètres sur la jeunesse ont été réalisés, et un autre a été entrepris en 2001[12], dans le cadre du travail de fond mené pour le Livre blanc sur la jeunesse[13]. Quelques rares études pertinentes ont également été financées par l'entremise des quatrième et cinquième Programmes-cadres pour la recherche[14], par les programmes SOCRATES et Leonardo da Vinci et leurs organismes. Ceci s'est poursuivi à peu près de la sorte les années suivantes[15].

Ce n'est que depuis la publication du Livre blanc sur la jeunesse (dont les activités prioritaires comprennent l'élaboration d'objectifs communs afin de parvenir à une plus grande compréhension et connaissance de la jeunesse) et le lancement, au cours de la même année, des accords de partenariat Commission européenne-Conseil de l'Europe pour la formation des animateurs de la jeunesse et la recherche sur la jeunesse, que le paysage a commencé à évoluer sensiblement.

Cependant, malgré l'expansion considérable et le succès indéniable des programmes d'action européens dans le secteur de la jeunesse, il est assez difficile, en termes généraux, de transformer tout ceci en lignes directrices stratégiques communes que tous les États membres accepteraient de parrainer et de mettre en pratique. C'est l'instauration de la Méthode ouverte de coordination (MOC), après 2000, qui a lancé la machine, essentiellement en rapprochant le Conseil de l'Europe et la Commission européenne dans le cadre d'une relation de travail plus étroite et plus structurée. Ceci a placé les États membres de l'UE dans une situation où ils jouent un nouveau rôle les uns par rapport aux autres. La MOC délimite en effet un secteur pour l'élaboration de politiques intergouvernementales dynamiques, bénéficiant du soutien de la haute direction, en l'occurrence la Commission européenne. Les États membres eux-mêmes formulent ensemble des priorités stratégiques communes et y souscrivent, et ils se font mutuellement rapport des progrès réalisés pour les mettre en pratique[16].

La création de ce nouvel espace de négociation structurée a été une impulsion cruciale qui a permis de faire fructifier le Livre blanc sur la jeunesse. Mais il convient d'ajouter qu'elle coïncidait avec l'autre moment crucial que fut la vaste consultation des acteurs du secteur de la jeunesse. Celle-ci avait été adoptée après avoir été utilisée avec succès dans l'élaboration de la politique européenne d'apprentissage tout au long de la vie et dans le contexte des demandes pressantes de modernisation de la gouvernance – c'est-à-dire rendre l'Europe plus attentive aux besoins de ses habitants et plus proche de ses citoyens.

Dans le cas du Livre blanc sur la jeunesse, cette consultation comprenait également, pour la première fois, un groupe d'experts avec des chercheurs sur la jeunesse. Précisons que les groupes officiellement consultés étaient habituellement composés de représentants désignés par les ministères nationaux compétents et ne laissaient que très rarement la place à des chercheurs. Les présidences de l'UE de l'époque et les suivantes ont suivi cet exemple avec les conférences d'Umeå (Suède), Gand (Belgique) et Murcie (Espagne), et maintenant de Luxembourg. Une fois de plus, nous sommes témoins des débuts embryonnaires d'un espace de négociation structurée entre deux angles du triangle magique (recherche – élaboration de politiques).

Mais où se situent les praticiens dans ces processus ? Dans le cas de l'Europe-UE et de l'Europe-CE, les praticiens se présentent diversement. Dans le premier cas cependant, il s'agit d'animateurs de la jeunesse et d'éducateurs de jeunes ou, comme on les appelle de plus en plus au niveau européen, de formateurs de jeunes non-formels. Il s'agit de personnes qui travaillent directement avec les jeunes, au plan social et éducatif, bénévolement ou contre rémunération ou qui, à un niveau supérieur, forment ceux qui accomplissent ce travail. Parmi eux, on trouve ceux qui occupent un domaine de spécialisation professionnelle relativement récent, ayant vu le jour en réponse à la demande suscitée par des programmes sociaux et éducatifs de mobilité et d'échange ; ces programmes sont bilatéraux, multilatéraux, européens et internationaux et privilégient notamment l'apprentissage interculturel, l'éducation pour la citoyenneté démocratique et l'éducation pour les droits de la personne. Ces évolutions ont également exercé un effet toujours plus profond sur les contextes local, régional et national, dans lesquels la participation et l'intégration des jeunes aux complexes sociopolitiques et culturo-ethniques ainsi qu'aux sociétés ouvertes restent une préoccupation fondamentale et constante des animateurs de la jeunesse.

Il ne fait aucun doute que cet angle du triangle a changé et que sa composition s'est élargie au cours des quinze dernières années : les animateurs de la jeunesse et les formateurs de jeunes non-formels sont devenus plus visibles et se font entendre davantage. Ils ne sont plus ceux qui se « contentent » de mettre les principes et les programmes en pratique – ils veulent également participer à la définition de ce qui doit être fait et de la façon de le faire. De ce seul point de vue, SALTO et ses centres[17] ont déjà fortement contribué à rendre la collectivité des praticiens plus visible et à renforcer son influence. En d'autres termes, les activités de SALTO font office de passerelle entre les praticiens et les décideurs, créant un espace structuré de négociation.

Alors où dans le triangle magique les organisations de jeunes et les ONG (internationales) de jeunesse s'inscrivent-elles ?

Elles sont manifestement les moins visibles dans l'angle de la recherche, bien que certaines associations commandent de plus en plus – et effectuent parfois elles-mêmes – des études de recherche appliquée. De plus grands organismes – au niveau européen, il s'agit bien évidemment du Forum européen de la jeunesse – produisent également de plus en plus de rapports traitant de sujets prioritaires fondés sur la recherche[18].

Ces organisations sont donc plus visibles dans l'angle de la pratique, particulièrement au niveau local et régional, et interviennent directement auprès des jeunes et dans des actions sociopolitiques. Pourtant, elles ne se définissent peut-être pas elles-mêmes comme effectuant de l'animation jeunesse ou comme donnant une éducation non-structurée à l'instar des animateurs pour la jeunesse et des formateurs non-formels individuels.

Pour ce qui est de l'élaboration des politiques, les organisations de jeunes et les ONG souhaiteraient en règle générale y contribuer, c'est-à-dire influencer, changer ou élaborer la politique de la jeunesse et les options qu'elle prend. Pour de nombreux groupes, ceci implique cependant et avant tout un rôle politique s'appuyant sur la société civile et non pas le travail d'élaboration de politiques proprement dit. Dans certains pays, et pour les organisations les plus importantes – notamment les conseils nationaux de la jeunesse –, ces rôles fusionnent et des agents élus ou administratifs font de facto partie de l'appareil chargé d'élaborer les politiques.

Nous pourrions conclure que les organisations de jeunes et les ONG (internationales) de jeunesse pourraient et devraient se considérer elles-mêmes comme des courtiers naturels entre les angles, œuvrant à leur manière pour devenir des acteurs principaux dans la structuration des espaces de négociation qui sont cruciaux pour le réseautage productif de différences entre les secteurs et les collectivités dans le secteur de la jeunesse.

2.1.4.   Que savons-nous?

Pour les plus anciens d'entre nous, les quinze dernières années ont été un long chemin tortueux qu'il a fallu parcourir à petits pas. Grâce au Livre blanc sur la jeunesse, elles ont permis de remettre à niveau les données pour l'ensemble du triangle magique, ce qui, si l'on se replace plusieurs décennies en arrière, constitue un grand bond en avant.

La voie de l'avenir, qu'elle soit large ou étroite (et l'expérience nous a fait comprendre que l'humilité est préférable…), consiste désormais à créer des espaces structurés de négociation entre les collectifs de pratique – c'est-à-dire entre les secteurs de la recherche, de l'élaboration des politiques et de la pratique – dans lesquels les organisations de jeunes et les ONG (internationales) de jeunesse sont destinées à jouer un rôle de médiateur.

C'est globalement dans l'animation de la jeunesse et l'éducation non-formelle que la voie menant à l'innovation et à la qualité doit affronter les différences entre les collectifs de pratique du triangle magique et travailler avec elles. Cela ne se produit pas par magie. Il faut y travailler continuellement.

La Commission européenne et le Conseil de l'Europe, de concert avec leurs organismes et leurs réseaux de soutien, ont accompli quatre années d'un partenariat formel, qui repose sur de très nombreuses années de partenariat non-formel et informel. Ils abordent à présent une phase de regroupement des programmes. L'accord est un fait établi, la question consistant plutôt à savoir comment tirer le meilleur parti de ce qu'il promet.

Les préoccupations clés du secteur de la jeunesse au niveau européen (permettre une citoyenneté active ; rendre l'apprentissage attrayant ; reconnaître l'apprentissage non-formel et informel) ont été solidement intégrées à la stratégie de Lisbonne grâce à l'implication dynamique dans les objectifs et le processus de Copenhague. Le Forum européen de la jeunesse a gagné de plus en plus en visibilité dans les milieux consultatifs stratégiques et produit à présent des rapports réguliers sur les principaux sujets d'actualité.

Il reste beaucoup à faire pour rendre le triangle de Babel mutuellement accessible et donc plus productif pour l'ensemble du secteur. Notons cependant que la triangulation est une méthode de validation normalisée en recherche sociale. Elle accroît la visibilité et la faisabilité de ce que nous observons, enregistrons et interprétons. La triangulation consiste à confronter des positions, des méthodes, des analyses et des interprétations de points de vue différents sur un problème de recherche et sur ses données. Il faut néanmoins que quelqu'un assure la cohésion de l'ensemble, une sorte de modérateur digne de confiance. Nous ne pourrons aller de l'avant que si nous travaillons mieux ensemble, en nous fondant sur la confiance et en agissant de façon structurée et transparente.

2.1.5. Que pouvons-nous faire ensuite?

Les propositions de suivi du Livre blanc pour la réalisation d'une meilleure compréhension et connaissance de la jeunesse[19] ouvrent plusieurs voies menant à des mesures concrètes. Elles évoquent l'intention de réunir les connaissances existantes (pour les sujets absolument prioritaires que sont la participation, l'information et le service bénévole, dans un premier temps, et pour d'autres sujets par la suite), de commander de nouvelles études et de créer des mécanismes pratiques pour garantir une meilleure diffusion et de meilleurs échanges entre les acteurs du secteur de la jeunesse.

Par ailleurs, les propositions de suivi préconisent l'élaboration plus poussée de méthodes permettant d'obtenir une information utile et de bonne qualité. Ceci exigera certainement un investissement plus important dans des études et des enquêtes comparatives, mais cela offrira également des occasions plus nombreuses (réseaux, formation et mobilité) d'acquérir les compétences techniques et sociales appropriées qui sont essentielles pour le travail transnational et interculturel.

L'objectif consiste à bâtir les fondations d'un « dialogue fondé sur les connaissances » dans le secteur de la jeunesse, afin que les besoins et les demandes futures puissent être mieux anticipées par les décideurs – puisque la Commission européenne, à quelques exceptions près, finance la recherche appliquée ayant une utilité stratégique, mais peu de recherche pure ou d'analyse théorique, et certainement pas en sciences sociales ou en sciences de l'éducation.

Les priorités ont été établies et nous semblent raisonnables, même si le Livre blanc ne contient pas tout ce que nous souhaitions et malgré le fait que nous pouvons tous nous laisser aller à une critique mordante de ce qui aurait dû être effectivement prioritaire, de ce qui aurait dû être appréhendé différemment et de ce qui n'aurait pas dû être omis. La véritable question est la suivante : comment aller de l'avant et comment le faire au mieux ? Voilà, à mon sens, l'objet de cette conférence. Nous avons des points de vue différents dans le secteur de la jeunesse et nous avons les prémisses de partenariats efficaces. Mais où réside la promesse de l'avenir ?

D'autres apporteront leurs propres réponses. J'apporte les miennes du point de vue de quelqu'un qui a voyagé dans les angles avec l'âme d'un chercheur, qui est pétri du sens de ce qu'il est possible comme peut l'être un décideur et qui possède l'engagement d'un praticien de l'enseignement concernant ce qui est important ici et maintenant.

Ma première proposition concerne l'appréciation de ce que les personnes apportent à la table de négociation et, en l'occurrence, la reconnaissance des connaissances et des compétences fondées sur la pratique, en tant qu'elle est une source d'information de plein droit. En effet, il faut avant tout reconnaître les connaissances et les compétences de ceux qui travaillent sur le terrain – et j'entends « véritablement » sur le terrain, c'est-à-dire dans les tranchées, au niveau local et, je n'hésite pas à le dire, également en salle de classe. Pour ce qui est de la reconnaissance des connaissances et de l'expertise, nous ne vivons plus dans le monde onirique des « plongeurs pour millionnaires ». Les personnes qui travaillent dans le secteur de la jeunesse souhaitent et méritent que leurs compétences et leur expérience soient reconnues – et cela ne concerne pas seulement ceux qui gagnent leur vie dans la jungle densément peuplée de l'animation pour la jeunesse et de l'enseignement, même s'il s'agit là d'un enjeu de plus en plus important. Cela signifie également qu'il faut reconnaître la valeur de ce que donnent les gens dans leur collectivité de choix, notamment quand ils ne souhaitent pas être rémunérés. C'est pour cette raison que l'extension ascendante, le « *trading-up* »[20] doit être prioritaire pour le secteur de la jeunesse au cours des prochaines années ; cela signifie qu'il faut obtenir une « valeur ajoutée » raisonnable pour les intrants et les extrants de qualité. Il est grand temps de traduire en qualifications reconnues ce que les praticiens savent faire et peuvent faire – mais cela ne doit pas nécessairement se faire par des moyens conventionnels, bien que la coopération avec les institutions de réglementation ou d'accréditation (associations professionnelles, chambre des métiers, organismes d'évaluation et de certification, universités) soit vraisemblablement un élément essentiel dans de nombreux cas.

Ma deuxième proposition est la suivante : il faut tirer parti du potentiel des systèmes de communication et de diffusion cybernétique, pour enrichir et valoriser les sources de production d'informations et de connaissances dont nous disposons. En deuxième lieu, il faut comprendre le potentiel du EKCYP (« *European Knowledge Centre for Youth Policy* ») et l'utiliser avec sagesse. Ce centre promet de devenir la capitale du savoir pour l'ensemble du secteur, et il devrait offrir un outil de qualité pour le réseautage et la collaboration transsectorielle. L'EKCYP est lui-même un rejeton de l'inter-sectorialité, ses origines remontant aux enseignements tirés des col-lectivités virtuelles lancées par le CEDEFOP[21] à l'appui de la mise en œuvre de la déclaration de Copenhague de 2003, qui préconisait d'intensifier la collaboration dans le domaine de l'éducation et de la formation professionnelle. Comme tout outil, il n'est cependant pas meilleur que ceux qui le créent, l'entretiennent, l'alimentent et l'utilisent. De quels artisans et de quels travailleurs d'entretien avons-nous besoin ? Comment garantissons-nous la participation dynamique et critique des contributeurs et des utilisateurs ? De telles questions appellent des réponses technologiques, sociales et profes-sionnelles simultanées et interdépendantes – en fin de compte, tout revient à garantir la qualité, et l'assurance de la qualité a besoin à la fois de lignes directrices et de ressources[22].

Ma troisième proposition concerne la création d'une plus grande synergie entre l'angle de la recherche et ceux de l'élaboration des politiques et de la pratique. Après tout, l'information et les connais-sances fondées sur la recherche sont une ressource indispensable, dans le secteur de la jeunesse autant que dans le reste du monde d'aujourd'hui. Dernier élément, et non des moindres, l'élaboration d'objectifs communs, pour parvenir à une meilleure compréhension et à une meilleure connaissance de la jeunesse, doit permettre d'attirer la collectivité des chercheurs plus près du terrain. J'ai d'ailleurs trois propositions concrètes à soumettre à cette conférence :

* négocier une intervention conjointe avec le septième Programme-cadre[23] pour lancer des études sur la jeunesse et pour la formation des chercheurs sur la jeunesse aux per-spectives et aux méthodes comparatives interculturelles, en utilisant à cette fin l'expertise existante du secteur de la jeunesse ;

* créer une série de publications spécialisées dans la recherche sur la jeunesse sous l'égide du partenariat et en collaboration avec un éditeur universitaire de qualité, afin que les chercheurs sur la jeunesse puissent acquérir plus efficacement un capital professionnel lorsqu'ils participent à des enquêtes

de niveau européen et à des activités de présentation de rapport ; faire en sorte que des stratégies d'établissement des prix et de diffusion rejoignent l'ensemble du secteur ;

* décider de mesures pratiques pour fonder un Centre européen des affaires de la jeunesse en temps réel qui complète l'EKCYP et promet de transformer le triangle magique en une réalité fonctionnelle concrète pouvant rassembler au quotidien les acteurs du secteur de la jeunesse. C'est de cette façon que l'on crée une culture commune et c'est de cette façon qu'on parvient à en faire une réalité. À mon avis, nous avons pris pendant trop longtemps nos désirs pour des réalités.

Cette dernière proposition est très importante pour le milieu de la recherche sur la jeunesse, qui a vaillamment combattu dans son coin pour créer des réseaux de connaissance véritablement européens dans le domaine de la recherche sur la jeunesse. Mais ceci ne doit pas être l'apanage des chercheurs. Le texte des propositions de suivi au Livre blanc parle constamment de l'intégration des trois coins du triangle magique en activités dont l'objet est de parvenir à une meilleure compréhension et à une meilleure connaissance de la jeunesse. En d'autres termes, il signifie que les acteurs individuels et institutionnels des trois angles sont des porteurs de connaissances en puissance. Chacun apporte à la table un genre d'information différent, et chacun de ces genres possède sa propre valeur – la connaissance n'est pas seulement fondée sur la recherche, dans le sens où elle n'est pas toujours produite par ceux qui travaillent effectivement comme chercheurs dans des instituts de recherche. Ceci nous amène à une nouvelle production sociale de connaissances, à laquelle de nombreuses sources et de nombreux acteurs contribuent de façon plus équilibrée. Cette production constitue un défi net et incontournable pour le monde de la recherche professionnel et institutionnalisé, mais elle est également riche en promesses.

Pour terminer, je reviens à ma métaphore des jumelles européennes. Toutes deux auraient probablement profité d'un parcours moins turbulent et moins imprévisible. Mais la vie moderne n'est après tout que bousculades et surprises. Chacun a acquis des connaissances et des compétences distinctes en fonction de ses expériences différentes, que tous ont décidé de mettre en commun dans l'intérêt du développement futur du secteur de la jeunesse en Europe. Le triangle magique peut et doit poursuivre cet effort et ne peut le faire qu'avec tous ses angles – en apprenant à utiliser positivement les différences.

2.2.   Sur nous, pour nous, avec nous

par Renaldas Vaisbrodas

Je souhaite d'emblée remercier la présidence luxembourgeoise de l'engagement dont elle a fait preuve tout au long de ce premier semestre à l'égard de la politique jeunesse. Ce fut et c'est toujours une importante contribution que vous avez apportée à l'élaboration d'une politique jeunesse en Europe. Cette conférence particulière est une occasion supplémentaire, et si je ne m'abuse une des rares à ce jour, de tenir une réunion des acteurs impliqués dans le triangle magique que Lynne Chisholm a mentionné dans son allocution-cadre. Ainsi donc, un triangle s'est réuni ici, et à la fin de la semaine, nous pourrons avoir évolué en un cercle de connaissances qui rendra l'offre de la politique jeunesse plus étoffée et élaborée.

Dans mon allocution, j'aimerais aborder un certain nombre de problèmes. Tout d'abord, je souhaite proposer une définition de la politique jeunesse et de ce qu'elle propose aux jeunes. Dans un deuxième temps, je me pencherai sur la relation entre les exigences à l'égard de la politique jeunesse que les organisations de jeunesse soumettent aux décideurs et sur les moyens d'élaborer des exigences fondées sur des données empiriques pour les politiques. Il faudrait à cette fin entamer le débat qui permettra de canaliser les intérêts et les problèmes des jeunes dans le système politique par l'entremise des organisations de jeunesse. En troisième lieu, je voudrais m'étendre sur les façons dont les apports à la politique jeunesse, qui émanent de la collaboration au sein du triangle, pénètrent dans le système politique et quels résultats, quel feed-back et quelle traduction en action politique des besoins stratégiques nous en recevons.

Qu'est donc la politique jeunesse ? Je pense qu'il est inutile de prêcher les convertis à son sujet. Cependant, nous convenons tous que la politique jeunesse est un ensemble transsectoriel de politiques qui aborde les besoins, les intérêts et les problèmes des jeunes, qui s'attaque au milieu dans lequel les jeunes gens vivent et qui vise à révéler le potentiel que les jeunes ont à offrir à la société. Dans les organisations de jeunesse, nous ne cessons de dire que nous voulons que la politique jeunesse soit élaborée sur nous, pour nous et avec nous. Cela montre que les jeunes, et l'existence de la politique jeunesse en est la preuve, sont un groupe social particulier qui a besoin de politiques particulières, mais qu'en même temps, ils se trouvent aux avant-postes pour ce qui est de formuler leurs intérêts et de proposer leurs avis grâce à une implication énergique dans l'élaboration des politiques.

La politique jeunesse qui est actuellement proposée au niveau européen pourrait faire l'objet d'un discours distinct, mais je souhaiterais seulement mentionner quelques éléments qui ont exercé et continuent d'exercer un effet sur l'élaboration de la politique : le processus du Livre blanc, le Pacte pour la jeunesse, la Communication de la CE sur la politique jeunesse, l'évolution permanente de la collaboration de l'Union européenne et du Conseil de l'Europe dans le domaine de la jeunesse, l'immense expérience et l'apport de qualité que le Conseil de l'Europe a accumulés au cours de ces années en travaillant dans le cadre du processus de coproduction sociale. Qu'est-ce que cela apporte au groupe cible, aux jeunes ? Tout d'abord, toutes ces politiques permettent aux jeunes de se reconnaître eux-mêmes dans les mesures politiques qui sont prises par les gouvernements et les institutions ; cela montre que l'on investit en permanence pour s'attaquer à leurs besoins ; cela leur permet également de voir le rôle qu'ils jouent dans le processus. Cette proposition de politique émane principalement de la collaboration des décideurs, des chercheurs et des organisations de jeunesse dans la définition de politiques de la jeunesse fondées sur le savoir. Chaque partenaire de ce triangle assume une responsabilité et un rôle égaux pour faire entendre son point de vue particulier dans le débat. Qu'ont donc à offrir les organisations de jeunesse à ce triangle ? Dans beaucoup de forums politiques tenus par nombre de décideurs, nous évoquons la malheureuse réalité selon laquelle trop peu de jeunes sont engagés dans des organisations de jeunesse. Il s'agit d'une tendance permanente à un manque de motivation et d'intérêt de la part des citoyens pour une implication dans la vie de la société civile, et les organisations de jeunesse n'y font pas exception. Nous prenons cette tendance au sérieux, et bon nombre d'organisations travaillent à adapter spécifiquement ce qu'elles proposent aux jeunes afin d'attirer davantage de membres tout en étant en mesure de leur offrir une implication de qualité. Pour en revenir à notre apport au triangle, nous nourrissons, dans le cadre du Forum européen de la jeunesse, l'ambition de promouvoir une politique jeunesse fondée sur le savoir en Europe.

Nous traduisons cette ambition en action en organisant des centres d'intérêt pour nos organisations membres dans des secteurs particuliers ; nous avons récemment créé un certain nombre de groupes de travail chargés d'aborder des enjeux stratégiques particuliers : inclusion sociale, problèmes de santé, bénévolat, etc. La contribution qu'apportent ces organisations de jeunesse dans ces contextes est fondée sur les revendications qu'elles reçoivent et les observations qui leur parviennent de la part de jeunes gens. Il incombe aux organisations de jeunesse de recueillir ces observations et ces histoires vécues et de revendiquer, à partir de ce fondement collectif, des politiques. Grâce à ce processus, nous élaborons des politiques dans le cadre du Forum de la jeunesse. Un certain nombre de Conseils nationaux de la jeunesse utilisent des méthodes semblables pour définir les politiques. C'est la nature du processus auquel les organisations de jeunesse travaillent pendant qu'elles élaborent leur apport stratégique.

Où aboutit cette contribution et comment la gérons-nous après avoir recueilli les aspirations individuelles pour en faire une revendication collective qui revient au groupe cible sous la forme de mesures stratégiques particulières abordant ces aspirations ? Notre contribution est canalisée dans un processus d'élaboration de politiques. Elle est contrevérifiée à l'aide de données et d'expertise spécifiques à la jeunesse, puis soumise à la critique des décideurs. Il s'agit d'un processus qui nous permet de définir le produit stratégique final pénétrant dans le système politique – la « boîte noire ». La « boîte noire » du système politique est l'endroit où les extrants stratégiques sont agrégés. Elle est noire parce qu'il est par moments difficile de distinguer les raisons de certains choix et préférences politiques arrêtés par les décideurs. Parfois, la contribution stratégique émanant de la collaboration qui se déroule dans le triangle ne passe pas entièrement par la « boîte noire » ; certains éléments sont perdus en cours de route. Le résultat que nous propose le système politique est *la* politique. À ce moment précis, nous nous préoccupons de savoir comment faire en sorte que *la* politique et les mesures particulières proposées pour mettre en œuvre ces politiques correspondent au produit stratégique élaboré par le triangle de collaboration. Il faut donner un nouvel élan. Pour une autre couche de ce triangle, nous avons éventuellement besoin de « portiers » pour garder la « boîte noire » et faire en sorte que le résultat stratégique corresponde aux revendications en matière de politique jeunesse fondée sur le savoir. Ces gardiens pourraient être les organisations de jeunesse et les chercheurs, qui analyseraient le résultat stratégique et empêcheraient que les réponses aux revendications en matière de politique fondée sur le savoir disparaissent dans le système politique, mais le maintiendraient en vie afin qu'il puisse de nouveau être mis de l'avant dans le processus.

En matière de politique jeunesse, les résultats doivent être présentés de nouveau aux organisations de jeunesse pour être améliorés. Les mesures stratégiques nécessaires pour aborder les besoins des jeunes pourront alors être mises en œuvre. Dans bien des cas, les organisations de jeunesse sont essentielles afin de mettre en œuvre et de promouvoir le résultat stratégique, et il faut donc souvent soumettre les politiques à la base aux fins de consultation et d'élaboration.

L'émergence du résultat stratégique final marque également le moment où il faut réfléchir à la façon dont le processus permettant d'obtenir une contribution des jeunes, de déterminer les revendications collectives, de l'amener à la phase d'élaboration de politique évolue en résultat stratégique. Il s'impose de ce fait d'évaluer les réalisations, l'impact et la satisfaction du groupe cible et de bâtir un nouvel élan pour un autre cycle d'élaboration de politiques.

En conclusion, il importe de dire que la collaboration dans le triangle d'élaboration de politiques devrait se manifester à chaque étape de la mise en œuvre et de la mesure de l'impact de la politique. Ceci nous permettra d'obtenir les meilleurs résultats et d'étoffer le processus. Au sein du Forum européen de la jeunesse, nous sommes convaincus que si nous fondons nos politiques sur le savoir, nous investissons à long terme, et qu'il s'agit d'un préalable à la mise en œuvre réussie de la politique.

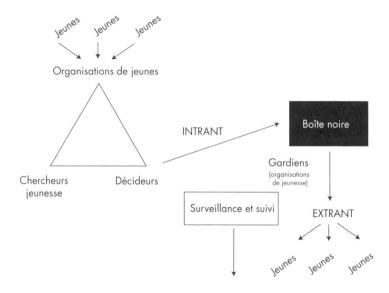

Fig. 3: Le processus « idéal » d'élaboration d'une politique jeunesse

2.3.   *Trèves : dialogue et développement au niveau « local »*

par Georg Bernarding

La 14e « *Shell-Jugendstudie* » (étude Shell sur la jeunesse) laisse entendre que, en Allemagne, les adolescents ont adopté, à l'égard des projets d'avenir en matière d'intégration européenne, une attitude ouverte, qui tend à être positive. Les jeunes considèrent manifestement l'Europe comme une chance personnelle. C'est là un bon point de départ – et il convient de conserver et de renforcer cette attitude positive.

De quelle façon y parvenir ? Il faut offrir aux jeunes la possibilité de poursuivre leur évolution, de vivre l'expérience européenne et d'acquérir une « compétence européenne ». Ces idées sont mises en pratique avec succès depuis de nombreuses années et dans bien des domaines, par exemple grâce à l'échange et à la rencontre de jeunes gens de différents pays membres de l'Europe dans le cadre des programmes d'échange d'étudiants et de travail extrascolaire en sports et loisirs, grâce à la promotion plus intense de l'apprentissage des langues, grâce aux services bénévoles européens, à des stages et à des séjours d'étude. Les jeunes doivent aborder l'Europe d'une façon qui transcende l'analyse théorique en milieu scolaire. Je considère que, lorsque les jeunes intègrent dynamiquement l'Europe dans leurs projets d'avenir, nous avons remporté un grand succès.

Permettez-moi à présent de dire quelques mots au sujet de la politique de la jeunesse de la Ville de Trèves. L'un des points forts de notre politique de la jeunesse est l'observation cohérente des principes de la subsidiarité. Il en découle une grande variété d'organismes ainsi que la pluralité sur les plans du contenu et de la méthode.

Une bonne façon de communiquer avec les enfants et les adolescents consiste à prendre au sérieux les thèmes qui les concernent dans leur milieu de vie et dont ils se préoccupent. Si l'on souhaite élaborer des mesures que les jeunes accepteront, il faut leur laisser la possibilité d'y participer. Nous fondons notre compréhension de la participation des jeunes à la collectivité sur l'hypothèse fondamentale selon laquelle le point d'accès immédiat au monde des enfants et des adolescents, en l'occurrence le milieu de vie et d'habitation en tant qu'espace social, se présente de façon particulière. L'information – j'entends par là l'analyse des avantages et des désavantages ainsi que des besoins existants – est importante pour la planification communale de l'aide aux jeunes. La différence d'équipement des divers quartiers, dans le domaine de l'infrastructure des loisirs par exemple, justifie les interventions communales pilotes.

Sur le plan social, les différences de milieu se manifestent dans les différents style de vie, l'inégalité des chances, l'accès aux loisirs proposés et la motivation d'apprentissage chez les enfants et les adolescents. Sur le plan politique, elles se manifestent sous la forme de différents fardeaux et problèmes et, par conséquent, de besoins d'intervention spécifiques selon les quartiers.

L'espace public du quartier est crucial pour le développement de l'enfant, car c'est l'endroit où il acquiert des expériences motrices et cognitives ; une partie de la planification de l'aide à la jeunesse de la commune s'attache donc au thème important de l'organisation de l'espace de jeu et du milieu d'habitation dans les différents quartiers. Un groupe de travail transsectoriel, mandaté par le comité d'aide à la jeunesse, se charge de la planification ciblée de l'espace de jeu reposant sur des normes qualifiées, afin d'améliorer à long terme la qualité du milieu d'habitation dans les quartiers.

Dans le cadre des efforts consentis pour faire participer les enfants à la planification communale, il existe depuis 1995 le « *Kinderstadt-plan* » (plan urbain des enfants). On interroge les enfants au sujet de leur quartier, dans le cadre d'analyses de l'espace de jeu et du milieu d'habitation. Les enfants peuvent représenter leur milieu d'habitation de manière ludique, avec ses avantages et ses désavantages. Le résultat du sondage donne naissance aux « plans urbains des enfants », qui représentent les divers quartiers du point de vue des enfants.

Le principal objectif consiste à sensibiliser les différents services compétents ainsi que le public à la façon dont les enfants perçoivent les espaces d'habitation et de vie que ces instances influencent quotidiennement. Le besoin d'intervention qui en découle est examiné par le comité d'aide à la jeunesse, et une mesure est arrêtée le cas échéant. Les analyses faisant l'objet d'un arrêté comportent des conséquences pour la construction, l'entretien et le développement de terrains de jeu ou d'espaces de jeu.

Des mesures de planification des terrains de jeu sont également prises dans le cadre du plan directeur d'aménagement de l'espace de jeu. Dans les divers quartiers, les enfants intéressés ont la possibilité de participer à la planification dans la mesure de leurs capacités et, plus tard, éventuellement aussi à la construction des nouveaux terrains de jeu.

J'aimerais vous présenter deux projets, fruits de la participation d'enfants âgés de six à quatorze ans, qui sont réalisés dans notre commune. Ils ont fait leurs preuves et résultent de la collaboration entre divers acteurs locaux de l'animation dans le secteur de la jeunesse. Ils peuvent peut-être susciter une émulation.

Trèves dispose d'un bureau d'information pour les enfants de la ville, le « *Triki-büro* », comme on l'appelle, qui travaille en collaboration avec le club « *Mobile Spielaktion e. V.* » et la Ville de Trèves. Plaque tournante de l'information, il favorise globalement l'échange entre les enfants et les adultes, particulièrement entre les enfants et l'administration ou les institutions. Le Bureau de l'enfance recueille notamment de l'information pertinente pour les enfants et la leur transmet au moyen de supports pédagogiques ludiques, au travers de l'espace de jeu, de manifestations pour enfants, de résolutions de problèmes afin d'en soutenir la transmission à l'administration et aux institutions.

Le projet « *Verwaltung entdecken* » (Découvrir l'administration) existe déjà depuis 1997. Il est mis en œuvre dans les classes par le Bureau de l'enfance de Trèves. Les écoliers du primaire âgés d'environ dix ans sont initiés à l'administration de façon ludique. On explique particulièrement comment les enfants peuvent utiliser l'administration. Les objectifs du programme consistent à encourager les enfants à participer à la réflexion, à la planification, à la prise de décision et à leur montrer que l'administration prend leurs besoins au sérieux.

Je citerai également les actions « *Mobiles Kinderbüro und Kinderforum* » (Bureau mobile des enfants et Forum des enfants). Grâce à ces actions axées sur les quartiers, les enfants découvrent la politique de manière ludique. Ils reçoivent la visite de membres du Bureau mobile de l'enfance sur un terrain de jeu de leur quartier, explorent leur milieu d'habitation et s'interviewent réciproquement au sujet de points importants de la vie du quartier. Les enfants prennent conscience des éléments communs et différents de la vie quoti-dienne. Le point commun le plus important est retenu comme thème pour le Forum de l'enfance. Cette table-ronde avec des spécialistes de l'administration et de la politique se déroule sur les thèmes préparés par les enfants. Le principal objectif consiste à lancer le dialogue entre les enfants et les invités. On jette ainsi les fondations d'une participation plus poussée des enfants et des adolescents à la politique.

Mon intention, en vous présentant ce bref exposé, est de vous montrer que dans ce secteur de l'administration, nous avons découvert les moyens de donner l'occasion aux enfants de communiquer avec les adultes en fonction de leurs capacités et de participer à la prise de décision communale.

Par le passé, il a été possible de faire participer directement les jeunes à des mesures spécifiques axées sur certains projets, notamment dans le domaine de la participation. Ce thème a plutôt été abordé par l'entremise de représentants, en l'occurrence des dirigeants de maisons de jeunes ou des responsables de groupes ayant recherché le contact avec les services de la jeunesse de la commune. Il conviendrait de développer davantage ces idées et de proposer des mesures qui donnent envie aux jeunes de participer à la vie de la commune.

On songe ici à l'élaboration d'un modèle qui permettrait de réaliser un échange régulier entre les commissions politiques et les jeunes, ainsi que leurs structures de représentation. Il conviendrait d'impliquer davantage les jeunes dans les activités menant à la prise de décision dans le secteur qui les concerne (par exemple l'organisation de manifestations de loisir, la structure de la vie scolaire…). À mon avis, il est tout à fait possible d'entamer un dialogue dans le cadre d'un comité réunissant des représentants de différentes institutions, associations de jeunes, organisations autonomes et, avant tout, des jeunes gens non-organisés, comité qui discuterait régulièrement de la participation des jeunes dans les différents secteurs qui les concernent, et vérifierait la nécessité d'intervention.

Il nous incombe de rendre la politique intéressante pour les jeunes et de leur proposer des conditions d'encadrement propices à leur engagement personnel. Plus que cela n'a été le cas jusqu'à présent, les jeunes doivent ressentir qu'il leur est possible de faire changer les choses dans leur propre cadre de vie, grâce à un engagement personnel et à des activités régulières axées sur les quartiers, tels que les forums de la jeunesse et les audiences de la jeunesse. Pour que tout ceci soit crédible, il est essentiel que le geste suive la parole.

Mais il n'y a pas que la participation. Il faut également faire porter les efforts sur l'intensification de la collaboration entre les acteurs de la recherche, de la pratique de l'animation des jeunes et de la politique de la jeunesse. Suite à la consultation d'experts de l'animation et en collaboration avec le Bureau de la jeunesse, il pourrait être possible de recueillir des données pertinentes localement, susceptibles de servir de base et de toile de fond à la planification de la politique de la jeunesse et à la création de nouveaux centres de gravité pour la pratique. L'acceptation et l'à propos des offres en seraient augmentés. Les résultats obtenus au plan local pourraient quant à eux servir d'incitation à la création de projets intéressants à l'échelle nationale ou européenne.

Les nouvelles conditions prévalant lors du passage de l'école à la formation et à la vie professionnelle, et les possibilités d'aide pour soutenir les jeunes particulièrement défavorisés pourraient en constituer des éléments importants.

Ainsi, il serait utile de lancer une initiative afin de regrouper les activités existantes dans le secteur de l'animation de la jeunesse, de la politique de la jeunesse et de l'Europe, afin de clarifier quels domaines sont déjà pris en compte et quels autres pourraient être développés et approfondis. On pourrait déterminer quels groupes sont déjà concernés par des mesures ayant une dimension européenne et grâce à quelles méthodes, et quels autres groupes devraient faire l'objet de points de départ nouveaux ou différents – par exemple, pour le groupe cible des jeunes défavorisés. Une meilleure connaissance des structures de l'animation pour les enfants et les jeunes, notamment dans l'espace frontalier – le Benelux et la France –, faciliterait la collaboration des acteurs. L'Euregio présente déjà un bon point de départ.

Par ailleurs, il faut éliminer les écueils entre les théoriciens de la recherche sur la jeunesse et les praticiens du milieu des associations de jeunes, entre les animateurs pour les jeunes et les représentants communaux de la politique de la jeunesse. À cette fin, la première étape doit consister à apprendre à se connaître et à se familiariser avec les structures. Un échange régulier est possible. La collaboration des acteurs des secteurs de la recherche sur la jeunesse, de la politique de la jeunesse et des experts de l'animation autour des problèmes propres à la jeunesse est, à mes yeux, une voie garante de succès.

Il serait possible de tenir périodiquement un forum afin d'échanger des idées sur l'évolution constatée dans le secteur de la jeunesse au plan local. Il pourrait en découler, entre autres, les bases nécessaires pour planifier, promouvoir au niveau communal des aspects distincts mais aussi des similitudes avec des problèmes de portée européenne.

La création de structures qui favorisent une collaboration régulière présente une occasion de choix. Malgré la concurrence que se font les organismes autonomes pour les ressources, il s'agit – même si c'est difficile... – d'agir avec une bonne foi qui rende manifeste le fait que toutes les parties peuvent profiter de la collaboration. Dans ce cas, des structures transparentes et claires sont importantes.

La collaboration évoquée ci-dessus existe déjà dans des cas isolés. Sous le titre « *Jugend in Trier und Umgebung* » (La jeunesse à Trèves et dans ses environs), Waldemar Vogelgesang (sociologie, Université de Trèves) a effectué un sondage représentatif de la jeunesse qui a été présenté en décembre 2000 au Comité d'aide à la jeunesse de Trèves. L'objet du projet consistait à examiner le milieu de vie des jeunes en milieu urbain et rural. Dans le cadre d'un séminaire de recherche en sociologie, quelque 2 000 adolescents de la ville de Trèves ainsi que des arrondissements Bitburg-Prüm et Trèves-Saarburg ont été interrogés. Parmi les thèmes, citons par exemple la situation sociale, le comportement pendant les loisirs, l'orientation pour l'avenir, l'utilisation de médias classiques et nouveaux ainsi que l'attitude envers la génération plus âgée et la politique. L'étude a notamment permis de se rendre compte qu'il est de plus en plus important de ménager des possibilités de participation pour les jeunes. Ce défi est également évoqué dans le Livre blanc sur la jeunesse.

Dans ce contexte, il est loisible de faire appel davantage aux connaissances que possèdent les associations de jeunes sur les formes de participation propres à la jeunesse. Cette approche s'impose d'autant plus que la connaissance plus approfondie des milieux d'existence des jeunes montre qu'ils se transforment rapidement.

Sommaire et prospective

La recherche sur la jeunesse en tant qu'elle permet l'élaboration d'une politique de la jeunesse au plan local, national et européen se prête particulièrement au développement réciproque de politiques nationales grâce à la recherche comparative et à des bases pratiques. Il convient d'insister davantage encore sur l'idée européenne dans notre politique de la jeunesse. Par ailleurs, il conviendrait de combler l'écart entre la recherche sur la jeunesse, la politique de la jeunesse et les praticiens de l'animation, afin de parvenir à une collaboration efficace qui procure des avantages à tous les intervenants.

Si les acteurs du triangle politique de la jeunesse, recherche sur la jeunesse et pratique de l'animation collaborent davantage, ont des échanges réguliers et formulent des objectifs partiellement communs, les trois secteurs s'en trouveront enrichis, ce dont profiteront les enfants et les adolescents.

Les pays ont une conception différente et une vision particulière de ce qui constitue le milieu de vie des adolescents et de ce qu'il faut savoir pour mieux comprendre leurs désirs et leurs besoins. Nonobstant, il convient de dégager les points communs et d'apprendre les uns des autres. Le travail sur des thèmes tels que l'élimination du chômage des jeunes, dans la perspective de réaliser, étape par étape, l'égalité des chances et des conditions de vie pour tous les jeunes de l'Union européenne, demeure un défi permanent.

Mais la participation ne doit pas être valable que pour un petit nombre. Pour qu'il en soit ainsi, nous devons nous concentrer particulièrement sur des mesures visant à éliminer le chômage des jeunes et à prendre en charge les jeunes frappés par la pauvreté. En effet, ces derniers sont immédiatement exclus d'une participation active à la société.

Il faut promouvoir plus encore la sensibilisation aux thèmes propres à la jeunesse et en faire la mission des comités et de notre ville. Il s'agit de relever le défi que lancent les objectifs européens et de les concrétiser, dans la mesure du possible, sur le plan local. La future collaboration européenne dans le secteur de la jeunesse demeure un défi passionnant, porteur de riches promesses, que nous acceptons volontiers de relever dans notre ville.

2.4. Dialogue structuré entre les décideurs, les praticiens et les chercheurs comme mécanisme fondamental de l'élabortion d'une politique jeunesse

par Helmut Willems

2.4.1. Introduction

L'objet de cette conférence consiste à apporter des informations sur les concepts et les stratégies d'un dialogue structuré dans le domaine de la jeunesse, de les examiner et, le cas échéant, de les développer. C'est vers cet objectif que tendent depuis quelques années les efforts déployés dans le cadre de la politique de la jeunesse de l'UE. Les divers outils que propose un dialogue structuré devraient permettre d'apprendre à connaître adéquatement les adolescents et de favoriser une meilleure compréhension de la jeunesse. Il convient donc de donner aux décideurs, avant tout sur la scène européenne, les moyens de prendre des décisions éclairées fondées sur ces connaissances (*knowledge based decision making*).

Il s'agit donc, comme préalable, de réunir non seulement au plan international les différentes expériences nationales, mais encore de relier verticalement les différents niveaux (local, régional, national, international), pour qu'ils prennent connaissance les uns des autres. Il sera par ailleurs important, à tous les niveaux, de libérer la politique de la jeunesse de ses contraintes sectorielles. La compréhension globale de la politique de la jeunesse doit être favorisée avant tout par des stratégies reposant sur le dialogue transsectoriel et durable.

Mon intention, dans l'exposé qui suit, est d'expliquer clairement, du point de vue d'un chercheur sur la jeunesse, pour quelles raisons une nouvelle conception de la politique européenne de la jeunesse s'impose. Je poserai donc la question de savoir à quelles modifications survenant pendant la jeunesse la politique de la jeunesse doit s'adapter et à quels défis elle est confrontée. Je dégagerai ensuite quelques aspects centraux de la stratégie de dialogue, j'indiquerai quelles sont les possibilités, sans oublier pour autant de traiter des conflits potentiels et des obstacles. En conclusion, j'aimerais formuler quelques remarques générales sur le dialogue entre les tenants de la science et ceux de la pratique.

2.4.2. L'évolution de la jeunesse : un défi pour les décideurs

L'évolution structurelle des sociétés modernes et postmodernes lance de multiples nouveaux défis à ceux qui élaborent la politique de la jeunesse. Il faut trouver de nouvelles réponses stratégiques aux changements qui surviennent dans la vie des jeunes. Ces changements ont été exposés dans nombre de travaux.[24] J'évoquerai brièvement quelques aspects centraux pouvant expliquer pourquoi de nouveaux concepts s'imposent dans la politique de la jeunesse.

2.4.2.1. La jeunesse en tant que minorité dans des sociétés vieillissantes – conséquences sociales et politiques de l'évolution démographique

La baisse du taux de natalité et l'augmentation concomitante de l'espérance de vie ont entraîné, dans la plupart des sociétés industrialisées, un déséquilibre entre les jeunes et les personnes âgées. Cette situation aboutira bientôt à ce que les jeunes de nombreux pays européens ne représenteront plus qu'une minorité de la société. Ce ne sont pas seulement les rapports entre les générations et la cohésion entre les générations qui en seront modifiés. Cette situation sera également lourde de conséquences pour l'organisation et la structure de la politique de la jeunesse. À l'heure actuelle, le véritable danger réside en ce que, dans ces conditions, il sera encore plus difficile pour la politique de la jeunesse de se faire entendre au milieu du concert des intérêts ; c'est ce que d'aucuns craignent. Il faudra des trésors de persuasion et de détermination politique pour faire admettre qu'une société dans laquelle les jeunes générations sont la minorité doit investir davantage – et non pas moins – dans la jeunesse, sa formation, ainsi que dans sa volonté et sa capacité de s'impliquer.

2.4.2.2. La jeunesse en tant que jeunesse multiculturelle

En raison de la structure par âge des pays européens, l'immigration vers l'Europe restera nécessaire à l'avenir. Il s'ensuit que l'hétérogénéité ethnico-culturelle des populations augmentera encore et sera particulièrement perceptible dans les jeunes générations. On constate déjà, dans de nombreuses villes européennes, que le rapport entre la majorité et la minorité a changé et que des structures ethnico-culturelles hétérogènes complexes existent dans les jardins d'enfants, les écoles et parmi les jeunes travailleurs ainsi que dans certains quartiers.[25] Cette évolution constitue un défi de taille pour tous les intervenants, et avant tout pour la structure politique. Nous savons aujourd'hui que l'intégration sociale des migrants et le respect mutuel ne sont pas spontanés. De même, la montée de l'hétérogénéité religieuse, éthnique et sociale place la cohésion sociale ainsi que l'identification avec la démocratie et les valeurs qui la sous-tendent devant de nouveaux défis.

Il ne suffit pas, dans ce cas, de compléter les solutions reposant sur les institutions et les programmes que nous avons appliquées jusqu'à présent par des mesures d'accompagnement supplémentaires. Nous devons plutôt nous poser la question fondamentale suivante : de quelle formation, de quelle animation de la jeunesse, de quelle politique de la jeunesse avons-nous donc besoin pour les sociétés d'immigration, et de quelle façon pouvons-nous faire en sorte que la diversité devienne un aspect naturel de la vie culturelle et sociale, certes, mais également politique et économique ?

2.4.2.3. La fin du moratoire : la jeunesse en tant que phase de transition difficile

Nous ne pouvons plus appréhender la jeunesse, période de crois-sance et d'entrée dans l'âge adulte, comme un moratoire psychoso-cial, c'est-à-dire comme une parenthèse ou une période protégée pendant laquelle les jeunes peuvent encore vivre en grande partie sans le fardeau qu'imposent les contraintes, les devoirs et les thèmes de la vie d'adulte.

Cette conception idéalisée de la jeunesse comme période de l'existence délimitable était, dès le départ, fortement marquée par l'organisation de processus de formation structurés des enfants et des adolescents dans les écoles ; par ailleurs, elle se caractérisait toujours – indépendamment de son importance en tant que modèle de société au XXe siècle – par une certaine unilatéralité.[26] Depuis toujours, elle valait davantage pour les enfants et les adolescents qui fréquentaient l'enseignement supérieur et provenaient de milieux familiaux plutôt aisés : elle se révélait avant tout dans une société bourgeoise prospère dans laquelle la participation et l'intégration sociales futures par le biais du travail pouvaient être posées comme allant plus ou moins de soi par une grande partie de la population.

Nous pouvons observer, depuis environ 20 ans, que le concept de jeunesse dans le sens d'un moratoire est de plus en plus contesté. Des termes clés comme ceux afférents à la pluralisation et à l'individualisation des modes de vie des jeunes, à la dénormalisation des biographies normales des jeunes et aux transitions risquées caractérisent ce discours sociologique et politique de la jeunesse.

Howard Williamson[27] parle donc, à raison, de la jeunesse comme d'une phase de transition de plus en plus complexe et difficile. Elle est caractérisée par le fait que, du point de vue socioculturel, les jeunes deviennent autonomes et indépendants de plus en plus tôt, tandis que l'indépendance économique n'est atteinte que plus difficilement, plus tard et souvent de façon provisoire seulement. Je m'étendrai brièvement sur ces deux aspects.

a) L'autonomie socioculturelle et l'évolution de l'horizon des connaissances et de l'accès à l'enseignement des jeunes :

On parlait déjà, il y a plus de 20 ans, par suite de l'augmentation des médias proposés aux enfants et aux adolescents, d'une disparition de l'enfance[28] et on contestait le concept de moratoire de la jeunesse. À l'époque, Neil Postman avait élaboré cette thèse dans le contexte de la prolifération des canaux de télévision privés. Aujourd'hui, nous vivons dans l'univers de l'Internet, dans lequel des industries mondiales de la musique, de la mode, des médias et des loisirs proposent 24 heures sur 24 des offres spéciales aux enfants et adolescents ; des cultures de la jeunesse et des sous-cultures peuvent y étaler leurs valeurs et leurs orientations et les propager dans le monde entier ; c'est un monde dans lequel les expériences et les fonds de connaissances des adultes envahissent de plus en plus la vie des enfants et des adolescents et finissent par y jouer un rôle – il suffit de penser au thème de la sexualité et de la vie de couple, mais aussi à des thèmes économiques, politiques ou culturels qui, de nos jours, se retrouvent le plus naturellement du monde dans le quotidien des jeunes. Sur la toile de fond caractérisée par la concurrence pour la valeur et la reconnaissance sociales que l'on observe chez les jeunes et par une culture qui s'organise selon les structures de marché, on voit donc se développer, au sein de la jeunesse, une différenciation culturelle complexe de scènes, de styles, de valeurs et d'orientations divers.[29]

Ces différenciations culturelles au sein de la jeunesse nous apparaissent souvent comme étant plutôt problématiques, parce qu'elles se manifestent en partie comme une déviation par rapport au courant dominant de la société tout en étant intrinsèquement conflictuelles. Cependant, si on les observe d'un point de vue différent, on se rend compte qu'elles sont motivées par une augmentation radicale de l'ampleur et de la complexité des fonds de connaissances et d'éducation des jeunes. Le problème réside en ce que nos institutions n'ont pas jusqu'à présent été suffisamment préparées à cette évolution. Nombre d'écoles et d'enseignants considèrent, comme par le passé, que l'obligation de devoir s'occuper tout d'abord, dans le cadre de la transmission des fonds de connaissances scolaires, des autres contenus et fonds de connaissances que les jeunes ont acquis à l'extérieur de l'école, est un problème. On n'a jusqu'à présent pas suffisamment pris en compte non plus les processus de formation non-structurés dans l'animation de la jeunesse. Une analyse d'experts des processus de formation dans le cadre de l'animation de la jeunesse dans le contexte européen[30] parvient à la conclusion que, dans la plupart des pays européens, les processus de formation dans le cadre de l'animation de la jeunesse sont abordés dans une perspective purement sociopolitique. On détermine que la formation a réussi lorsque le groupe cible ne se fait plus remarquer. Ce faisant, on réduit cependant la formation de la dimension du développement de la personnalité à celle du règlement de problèmes sociaux.[31] Nous commençons tout juste à comprendre progressivement que cette approche de l'acquisition du savoir pré- et extrascolaire des jeunes ne doit pas être considérée comme un problème, mais comme un potentiel qui devrait également être pris en compte dans le cadre des institutions scolaires et de la politique de la jeunesse.

b) En parallèle à ces observations plutôt socioculturelles et socio-épistémologiques afférentes à la jeunesse d'aujourd'hui, j'aimerais également parler de l'évolution de la transition vers la vie d'adultes, avant tout dans la vie professionnelle :

La préparation à la profession future et aux rôles professionnels appartient sans aucun doute aux missions de développement centrales de la jeunesse, qui est donc confrontée à des attentes et à des exigences correspondantes. Ces attentes peuvent également être appréhendées, de façon concomitante, comme d'importants systèmes d'orientation et de référence pour le développement d'une identité personnelle et sociale.

De nos jours cependant, de nombreux adolescents savent que ces transitions vers la vie professionnelle sont difficiles et incertaines et que les perspectives d'intégration dans le monde du travail sont devenues plus précaires pour bon nombre d'entre eux[32]. De nombreuses études sur la jeunesse montrent que beaucoup de jeunes scolarisés se considèrent comme étant menacés par le chômage bien avant d'entrer dans la vie professionnelle[33], qu'ils craignent l'échec professionnel et l'exclusion sociale.[34] Ceci vaut particulièrement pour les travailleurs peu qualifiés et non-qualifiés. La peur se répand cependant également parmi les mieux qualifiés, qui se voient confrontés de plus en plus, dans une économie mondialisée, à des entreprises et à des institutions qui leur refusent des perspectives professionnelles à long terme et qui invoquent la pérennité et l'utilité limitées des connaissances et des qualifications acquises.[35] Nous devrons attendre pour voir si l'« homme flexible », que Richard Sennett a présenté comme l'idéal d'une économie mondiale libéralisée, est valable en tant que modèle pour des jeunes qui éprouvent déjà de grandes difficultés lors de la première transition vers la vie professionnelle. Nous devons cependant reconnaître que l'évolution économique et l'évolution des sociétés professionnelles dans un univers mondialisé ont depuis longtemps rejoint les jeunes également et marquent la période de la jeunesse comme une phase de transition de plus en plus difficile et incertaine.

2.4.2.4. Participation politique des jeunes en Europe

J'aimerais invoquer un dernier aspect qui, à mon avis, caractérise la situation des jeunes de nos jours et qui est précisément significatif pour les questions afférentes à une politique de la jeunesse européenne. Il concerne l'évolution des préalables à la formation et à la participation politique des jeunes.

Dans une publication traitant de l'animation de la jeunesse et d'une politique de la jeunesse en Europe[36], Peter Lauritzen définit la quête d'identité, de loyauté, de responsabilité et de participation dynamique à l'activité politique et sociale des jeunes en Europe comme l'une des principales questions d'avenir pour l'intégration européenne[37]. De nombreux jeunes ont des sentiments plutôt mitigés au sujet de l'UE et de ses institutions. D'une part, l'Europe est un espace dans lequel ils vivent, étudient et travaillent, prennent des vacances et profitent de leurs loisirs, dans lequel les valeurs fondamentales sont respectées et où ils peuvent réaliser leurs modes de vie et leurs cultures individualisées. Sur ce point, on reconnaît déjà de nettes tendances à une dénationalisation et déterritorialisation par les modèles économiques, les habitudes de consommation et les modes de vie européens et mondiaux.

D'autre part, de nombreux jeunes perçoivent cependant les institutions européennes comme fonctionnant à la manière d'une société fermée ; or, c'est précisément dans les jeunes générations que la méfiance et l'incompréhension à l'égard de l'Europe sont fortement développées[38]. Les résultats des derniers référendums sur la constitution européenne l'indiquent clairement.

Cependant, l'avenir de l'Europe est absolument tributaire de la participation de la jeune génération et de son acceptation de l'Europe. Il existe certes, au plan communautaire, de même que national et européen, des modèles de participation et des stratégies pour stimuler la participation des jeunes.[39] Les difficultés d'une activité de socialisation et de formation stratégique axée sur l'Europe se manifestent cependant lorsqu'on aborde des questions nouvelles qui se posent par suite de la modification de la démocratie et de l'identité collective par le processus de la mondialisation et de l'européanisation : que signifient la mondialisation économique et l'intégration européenne pour la légitimisation des États nations démocratiques ? Comment peut-on promouvoir l'identification avec une démocratie transnationale et une citoyenneté européenne ? Et comment peut-on concilier de façon convaincante une dimension européenne de la participation des jeunes sur les plans régional et communal ? Ce sont de nouvelles questions comme celles-ci qui doivent occuper aujourd'hui le centre de l'activité de formation politique entreprise avec les jeunes.

2.4.3. Le dialogue structuré en tant qu'instrument de la politique européenne de la jeunesse

La dernière question a tout particulièrement fait l'objet de réflexions au moyen desquelles la Commission de l'UE a continué d'élaborer la politique de la jeunesse en Europe ces dernières années. Dans son Livre blanc « Un nouvel élan pour la jeunesse européenne »[40], elle propose un nouveau cadre pour la collaboration européenne dans le domaine de la politique de la jeunesse. Son objet est un élargissement transsectoriel de la politique pour les jeunes. Cette revendication part du principe que les questions de la jeunesse doivent également être prises en compte dans d'autres secteurs politiques et que cet échange transsectoriel doit être organisé.

Elle cherche de cette façon à réaliser un ensemble d'objectifs qui doivent caractériser, également dans la politique de la jeunesse et de façon décisive, la nouvelle gouvernance au sens où l'entend l'UE. Il s'agit avant tout de la participation des jeunes à la société civile. La prise de décisions fondée sur les connaissances est à l'avant-plan de la politique. Il s'agit avant tout d'améliorer l'information sur les jeunes et les connaissances qu'on possède à leur sujet afin de parvenir également à des décisions plus cohérentes. Pour ce qui a trait à la recherche sur la jeunesse, on tente de parvenir à une production de données continue, axée sur la pratique et coordonnée.

Le processus du Livre blanc témoigne sans aucun doute d'un changement de paradigme de la politique de la jeunesse en Europe[41]. Il préconise non seulement la collaboration en matière de politique de la jeunesse en Europe, mais il a également mis en branle un ensemble d'activités qui ont déjà abouti à de nombreux effets aux plans national, régional et communal[42].

La Commission européenne tente avant tout de faire progresser le développement du secteur de la jeunesse au moyen de la méthode ouverte propre à un dialogue structuré et axé sur la durabilité entre la politique, les sciences, la recherche et la société. Qu'entend-on par là et qu'est-ce qu'un bon dialogue ?

Par dialogue on entend un échange d'égal à égal de points de vue, d'avis et d'idées entre au moins deux parties. Le dialogue a pour la première fois été utilisé délibérément comme moyen de structuration par les sophistes de la Grèce antique qui s'en servaient pour transmettre des connaissances ou expliquer des problèmes au sens de la dialectique classique (thèse et antithèse). Les sophistes mettaient en doute l'existence d'une vérité absolue et partaient du principe que chaque homme possède sa vérité propre particulière.[43] C'est pour cette raison que le dialogue a acquis une signification centrale comme instrument favorisant la connaissance.

Or, le préalable d'un dialogue réussi est qu'il doit être empreint de symétrie entre les participants et de respect mutuel. Pour y parvenir, il faut entre autres que les arguments et les avis contraires soient admis et examinés minutieusement au lieu d'être écartés d'emblée. Cela implique également l'idée d'un discours libre, comme l'a exposée Habermas dans sa théorie de l'action communicative.[44] Habermas relie cette idée du libre discours à l'aboutissement, grâce aux formes de communication correspondantes reposant sur le dialogue, à de meilleurs résultats certes, mais également à une meilleure acceptation des résultats ; il s'agit donc, comme l'a exposé Luhmann pour la démocratie moderne, que le processus légitime en soi les résultats/décisions.[45]

Dans le meilleur des cas, le dialogue aboutit à la résolution commune d'un problème, à un compromis acceptable pour toutes les parties ou à la mise en œuvre de nouvelles idées. Le dialogue permet cependant aussi, sans que l'on parvienne à des résultats axés sur des décisions, d'apprendre à connaître le point de vue d'une autre personne ou d'un autre groupe et d'être informé d'un nouveau point de vue jusqu'alors inconnu. Un dialogue d'égal à égal entre les acteurs des sciences, de l'animation de la jeunesse et de la politique de la jeunesse peut donc être à l'avantage de tous les participants. Grâce à la méthode du dialogue, l'intégralité des points de vue, la pertinence et la durabilité des résultats ainsi que l'identification de tous les participants avec la solution trouvée peuvent être renforcées.

Que signifie tout ceci concrètement ? La politique de la jeunesse est un domaine très hétérogène qui touche à divers domaines politiques (notamment la politique sociale, économique et de l'enseignement) ayant chacun des points de vue et des intérêts différents. Grâce à la participation au dialogue des diverses parties sectorielles (politique, sciences, économie, droit, animation de la jeunesse et jeunesse), on peut parvenir à une vision globale de la politique de la jeunesse. La participation des diverses parties permet de mieux comprendre et analyser de nombreux problèmes et leurs relations.

Dans le cadre d'un tel dialogue, la science peut également tirer parti de l'échange de points de vue. Elle sera alors plus en mesure d'effectuer des études pratiques et pertinentes sur la situation, les problèmes et les souhaits des jeunes, études ayant un rôle d'information sur la jeunesse et pouvant être concrètement au fondement des décisions des responsables politiques. La recherche peut également contribuer à une réflexion et à une évaluation professionnelle en matière de stratégies de la politique de la jeunesse.

Grâce au dialogue de toutes les parties, à l'amélioration de l'expertise et à l'identification avec les résultats et les décisions qui en découlent, il se crée davantage de situations dont tout le monde sort gagnant et dans lesquelles les intérêts de l'ensemble des partenaires peuvent être pris en ligne de compte.

2.4.3.1. Le PCJ comme instrument d'une stratégie axée sur le dialogue d'une politique de la jeunesse communale

Je citerai un modèle du Luxembourg comme exemple concret d'un tel dialogue durable entre les acteurs de la politique de la jeunesse, de la recherche sur la jeunesse et de l'animation de la jeunesse au plan communal. Le Ministère de la Famille, de la Solidarité Sociale et de la Jeunesse du Luxembourg a défini en 2004 de nouvelles lignes directrices pour la politique de la jeunesse du pays[46]. On ne se contente pas, dans ces lignes directrices, d'insister de nouveau sur le caractère transversal et européen de la politique de la jeunesse ; on énonce clairement que c'est grâce à la collaboration et au dialogue entre les jeunes, les chercheurs sur la jeunesse, les travailleurs de la jeunesse et les décideurs de la jeunesse que l'on peut espérer une progression dans le sens d'une politique de la jeunesse participative reposant sur le savoir.

Le Plan communal jeunesse (PCJ) représente dans ce contexte un instrument central de la politique communale de la jeunesse du Luxembourg. Grâce à lui, on a déjà connu, au cours des dernières années, des expériences favorables dans le domaine du réseautage de la recherche sur la jeunesse et de la politique de la jeunesse. Il s'agit en l'occurrence d'un modèle qui permet de jeter les bases de la planification de la politique communale de la jeunesse. Les objectifs suivants sont prioritaires : il s'agit en premier lieu de recueillir les informations nécessaires sur les jeunes grâce à des études scientifiques ; en deuxième lieu, il convient d'organiser et de favoriser la participation des jeunes au processus de planification, y compris dans les « Forums de la jeunesse », comme on les appelle. En troisième lieu, un dialogue continu entre les décideurs en matière de politique de la jeunesse, les chercheurs et les praticiens doit garantir la pertinence des études scientifiques, rendre compte des décisions et de la pratique de la politique de la jeunesse et les évaluer. Pour que la comparabilité des différentes études locales sur la jeunesse soit acquise et que l'on dispose ainsi d'un fondement pour une politique de la jeunesse cohérente aux plans régional et national, le travail est mené en partie avec des questions et des instruments identiques dans le cadre des travaux scientifiques.

Entre-temps, huit communes luxembourgeoises, y compris la Ville de Luxembourg, ont fait des études et tenu des forums connexes[47]. Pour l'instant, nous travaillons au développement du modèle pour le rendre utilisable dans des espaces urbains multifocaux et le mettre à l'essai comme instrument de planification. Cette activité doit s'accompagner de l'organisation d'un dialogue structuré à long terme entre les secteurs de la politique, des sciences et de l'animation de la jeunesse. Le dialogue entre les acteurs des sciences et de la pratique ne doit pas s'achever avec la présentation des résultats, mais doit être évalué et développé lui-même. Des projets connexes doivent exercer une fonction de catalyseur pour le réseautage nécessaire dans le cadre d'une politique de la jeunesse transversale.[48]

2.4.4. Problèmes et obstacles du dialogue entre les scientifiques et les praticiens

La nécessité et les avantages d'un dialogue dans le domaine de la politique de la jeunesse sont certes faciles à admettre, et les expériences acquises ne sont pas moins encourageantes, mais il faut cependant attirer l'attention sur les difficultés et les problèmes qui y sont liés. Comme ils sont fondamentaux, je conclurai par quelques observations fondamentales sur la prestation de conseils scientifiques auprès des décideurs et des problèmes qui en découlent.

Dans la société moderne, la connaissance scientifique revêt une grande importance. Elle est, d'une part, une ressource centrale pour la dynamique de la production scientifique ; elle est, d'autre part, de plus en plus au fondement des décisions politiques qui portent sur des éléments toujours plus complexes et qui doivent, de ce fait, se rabattre de plus en plus souvent sur l'expertise et le conseil scientifique. L'influence des experts s'en trouve fortement augmentée.[49]

De nombreux chercheurs se félicitent de l'importance qu'ils prennent en tant qu'experts influents et savent en tirer parti pour se mettre en valeur personnellement ou pour rehausser la renommée de leur domaine de compétences. Mais des voix critiques s'élèvent néanmoins. Elles évoquent une crise de légitimation et une crise identitaire de la science. La recherche axée sur les applications et l'utilité prend à n'en pas douter de l'importance, mais une trop grande dépendance de l'économie, de la politique et des médias risque de lui faire perdre facilement sa liberté et son indépendance.[50] Les problèmes d'acceptation sont particulièrement manifestes dans la recherche fondamentale, car elle doit constamment répondre à des mises en question de son utilité. Ceci vaut également pour la recherche sur la jeunesse.

Même lorsque la collaboration entre les sciences et la politique fonctionne et qu'elle est favorisée, les problèmes sont fréquents. Leurs causes se trouvent dans les logiques différentes qui correspondent à ces deux sous-systèmes sociétaux. Les scientifiques se sentent en règle générale obligés de rechercher la vérité et essaient de ce fait d'imposer leurs résultats et leurs conclusions dans le cadre d'un discours public et politique. Les hommes politiques, en revanche, s'orientent constamment sur l'obtention d'une majorité et la conservation du pouvoir. Ils connaissent la puissance du savoir et essaient donc d'influencer la définition des connaissances utiles et de contrôler la diffusion du savoir. Les hommes de science se préoccupent davantage de représenter les problèmes de façon différenciée et d'en exposer les complexités, tandis que les hommes politiques attendent souvent des déclarations et des recommandations simples, convaincantes et faciles à transmettre. Les chercheurs se plaignent souvent que leurs recommandations éclairées ne trouvent que rarement un écho en politique, tandis que les politiques se plaignent que les propositions des experts sont détachées de la réalité.

Il est facile de reconnaître que ces logiques différentes peuvent facilement entrer en collision[51]. Ces conflits sont la base de nombreux problèmes qui persistent dans la collaboration entre les sciences et la politique, notamment dans le secteur de la jeunesse. Il faudra en tenir compte dans le cadre d'un dialogue durable. Des évidences, des intérêts et des attentes différents doivent donc être abordés et débattus ouvertement.

Ceci vaut d'autant plus que des partenaires supplémentaires doivent être impliqués dans le dialogue avec les jeunes, voire avec les praticiens. Dans ce cas également, la science se heurte souvent à une certaine réticence à admettre les nouveaux résultats et à les prendre en compte dans la pratique, bien souvent parce que les propositions des scientifiques sont perçues comme en étant éloignées, ce qu'elles sont vraisemblablement parfois. Cette attitude est cependant parfois sous-tendue par l'appréhension des praticiens de la jeunesse à l'égard des évaluations, des interlocuteurs extérieurs et du changement, même si ces éléments pourraient contribuer à améliorer du travail pratique dans le domaine de la jeunesse. L'État est tributaire en partie, pour la mise en œuvre d'une nouvelle politique de la jeunesse, d'institutions secondaires et d'organisations de la société civile œuvrant dans le domaine de la jeunesse qui obéissent à leur propre logique. Si celles-ci gagnent en autonomie, il sera d'autant plus difficile de mettre en œuvre une politique de la jeunesse globale qui modifiera les structures. Par ailleurs, dans bien des cas, les pouvoirs publics manquent de points de contact et de responsables pour toutes les questions relatives à la jeunesse qui pourraient, indépendamment de la structure sectorielle, contribuer à l'harmonisation et à une plus grande transparence de la politique de la jeunesse.

Il est manifeste que le dialogue structuré en tant qu'instrument d'une nouvelle politique de la jeunesse durable ne peut dorénavant plus se contenter de moyens financiers, mais qu'il a également besoin d'un changement de paradigme dans les différents domaines et auprès des différents partenaires. Ce n'est qu'à la condition que tous les intervenants révisent leur conception qu'il sera possible de mettre en pratique les concepts présentant une grande utilité pour les jeunes. Un double rôle échoirait de ce fait à la recherche sur la jeunesse concomitante : elle peut, d'une part, exercer une fonction de modération et de traduction entre les divers domaines et secteurs et faire en sorte, d'autre part, que les connaissances acquises soient généralisées afin que le dialogue horizontal au plan local puisse évoluer en un dialogue vertical aux plans national et européen.

3. Échange de connaissances structuré : une caractéristique convergente dans différents secteurs du domaine de la jeunesse

Quatre groupes de travail d'environ 15 à 20 personnes provenant de différents contextes ont été constitués. Les sessions de travail commençaient par deux exposés, le rapport des conclusions étant présenté à la plénière. Les sous-chapitres (3.1. à 3.4.) retracent les deux exposés ainsi que le rapport final du groupe de travail.

3.1. La connaissance de la jeunesse : clé de voûte du processus de reconnaissance de l'apprentissage non-formel

Le groupe de travail 1 était présidé par Tom Wylie (directeur général de la National Youth Agency à Leicester, Royaume-Uni), assisté par Christiane Weis (chercheur au CESIJE, Luxembourg).

3.1.1. Les acteurs du domaine de la jeunesse et l'apprentissage non-formel : recherche d'un processus de reconnaissance

par Tommi Hoikkala

Les organisateurs m'ont fait parvenir le plan suivant pour guider mon travail.

(1) Un bref aperçu de la situation actuelle de l'éducation non-formelle (voir par exemple le travail de Helen Colley sur la cartographie conceptuelle du domaine) ;

(2) Montrer l'à-propos d'une politique de reconnaissance adéquate du processus de reproduction sociale dans la chaîne des générations en se reportant à des exemples de différents contextes nationaux ;

(3) Aborder la façon dont l'échange de savoir entre différents acteurs (décideurs, mouvements de jeunes, chercheurs, animateurs de jeunes) peut être structuré et organisé afin de favoriser et d'élaborer le processus de reconnaissance comme élément essentiel de la politique jeunesse.

Il n'est pas difficile de dire quelques mots au sujet du paysage conceptuel. Je commencerai par l'apprentissage non-conventionnel et avancerai vers le domaine non-formel et le tour d'horizon de Helen Colley. Cependant, la perspective générationnelle constitue le véritable défi que je relèverai à la fin de cette communication.

3.1.1.1. Apprentissage non-conventionnel

Selon la théorie de Don Tapscott[52], les enfants de la « société de l'information » et de « l'ère de l'information » sont des micro-monstres et des requins du Web dont les processus cognitifs, la coordination oculo-manuelle et la vitesse d'observation fonctionnelle sont d'une qualité telle que leurs compétences dépassent d'office et radicalement celles de leurs parents et de leurs enseignants. Ce qui est cependant frappant dans le point de vue de Tapscott, c'est qu'il pose la question de l'acceptation de la TIC par les enfants et les jeunes gens comme « milieu d'apprentissage ».

Les théoriciens qui développent une vision de l'Internet, tel Tapscott, proposent souvent des modèles de pensée intéressants, en ce sens qu'ils les mettent en rapport avec les conditions modernes récentes de socialisation. Ils proposent souvent un point de vue dynamique de l'apprentissage informel hors du milieu scolaire. Les jeux vidéo et l'Internet enseignent aux enfants de « l'ère de l'information » – lorsque les enfants ont les possibilités culturelles, économiques et sociales de les pratiquer – plus que ne le fait l'école à bien des égards. Cette observation est faite notamment par James Paul Gee[53]. Il se demande comment les jeux motivent les jeunes pour se concentrer sur la compréhension des relations logiques et complexes de cause à effet nécessaire pour progresser dans le jeu. La réponse de Gee est que, dans les jeux vidéo, l'apprentissage se fait de la même façon que dans les meilleurs modèles de psychologie cognitive : un jeu intéressant présente continuellement de nouveaux défis au joueur. Les enfants finissent par inventer des façons d'organiser leur terrain de jeu, et dès le niveau suivant, ils mettent les modalités du jeu sens dessus-dessous. Les jeux trop faciles et trop simples sont abandonnés puisqu'ils ne présentent aucun défi. Les jeux ennuyeux ne stimulent pas la curiosité, la pensée ou l'imagination. Les bons jeux créent donc un cadre propice dans lequel le joueur peut apprendre, dans lequel alternent des paysages hélicoïdaux de développement et d'application cognitifs. En termes de méthode et d'apprentissage, les jeux semblent créer eux-mêmes un cadre stimulant, propice pour les jeunes joueurs.

Les produits de la culture médiatique peuvent donc construire des milieux d'apprentissage surprenants pour leurs utilisateurs, dans des contextes sociaux qui n'ont rien à voir avec les institutions formelles. Du point de vue de la pédagogie et du travail en lien avec la jeunesse, la conclusion qui en découle est que les cultures jeunesse sont des milieux d'apprentissage pour leurs participants. Dès les années 80, Thomas Ziehe et Herbert Stubenrauch[54] ont parlé « d'apprentissage non-conventionnel » et de socialisation des jeunes avec les pairs, en les appliquant spécifiquement aux cultures jeunesse. Les processus cognitifs du jeu ne sont pas nettement définis dans ce cas. L'apprentissage non-conventionnel signifie plutôt une recherche collective et sociale des jeunes, dont l'aboutissement est l'auto-compréhension croissante du sujet. Le point de vue est expérientiel, même existentiel et peut-être esthétique. Le contexte de Ziehe et Stubenrauch était celui du débat sur le système scolaire allemand durant les années 70 et 80 ; pour eux, les écoliers/étudiants s'intéressent véritablement aux seuls éléments du programme d'enseignement qui, de leur point de vue, sont significatifs en termes de cycle de vie ou de psychologie plus profonde. Ils rêvent peut-être d'un système d'enseignement dans lequel l'instruction et les mondes d'expérience des apprenants se retrouveraient finalement côte à côte.

Cette critique de la socialisation de Ziehe et Stubenrauch comporte des relations directes avec les « modèles d'apprentissage informel »[55] et le contexte de la « pédagogie critique ». Henry A. Giroux prétend également qu'il existe une puissance pédagogique dans les cultures populaires des enfants et des jeunes, qui s'étend bien plus loin que l'enseignement institutionnalisé[56], en milieu scolaire par exemple. On pourrait récrire plus ou moins tout le discours traditionnel sur le programme d'enseignement scolaire (occidental) en s'appuyant sur ce raisonnement intellectuel.

3.1.1.2. Apprentissage formel, non-formel et informel

Cependant, il ne m'incombe pas de remanier le programme d'enseignement scolaire occidental dans cette communication. Mon

propos est plutôt d'examiner les « dimensions des citoyennetés » –
lorsque l'on aborde ces thèmes dans le contexte des interventions
dans le secteur de la jeunesse. Quand on y ajoute la perspective de
l'UE, on renvoie traditionnellement aux diverses initiatives politiques
en matière d'éducation, de formation et de jeunesse. Mars 2000, date
du Conseil européen de Lisbonne[57], semble être l'un des points de
départ communs et l'une des conférences clés pour les acteurs et les
élites dans le domaine de l'enseignement européen. Lors de cette
conférence, on a fixé l'ambitieux objectif de faire de l'UE en dix ans
« l'économie de la connaissance la plus compétitive et la plus
dynamique du monde, capable d'une croissance économique
durable »[58]. Outre les aspects économiques et financiers, les réalités
de la vie et du travail (enseignement et formation) de la société de la
connaissance figuraient également à l'ordre du jour. On a estimé[59]
que la société de la connaissance et la société civile sont les deux
faces d'une même médaille, qui constitue le cadre de la politique
jeunesse de l'UE.

Si la société de la connaissance constitue des groupes dans différentes catégories, l'apprentissage tout au long de la vie est l'un des
membres indissociables de cette famille. Nous sommes nombreux à
bien connaître les stratégies nationales et/ou européennes d'apprentissage tout au long de la vie[60]. L' « apprentissage formel, non-formel
et informel » sont d'autres termes qui ne se contredisent pas l'un
l'autre, mais forment une combinaison de fonctions[61]. La question
sous-jacente est celle-ci : quelles sont les aptitudes, les compétences
et les qualités que doivent posséder nos contemporains pour devenir
des citoyens informés, actifs et responsables ? Étant donné que les
apprentissages formel, non-formel et informel ne sont aucunement
antagonistes, cela signifie que les processus d'apprentissage menant à
de telles citoyennetés peuvent se dérouler dans tous les milieux et
tous les contextes d'apprentissage. Si ce modèle générateur
d'apprentissage combiné exerce de véritables effets, les écoles ainsi
que d'autres milieux sociaux structurés – notamment les clubs de
jeunes et les associations de jeunes comme les « espaces libres » de
la participation culturelle de la jeunesse[62] – apportent leur contribution au processus permettant de devenir un citoyen actif. La culture
sociétale, qu'il conviendrait peut-être d'appeler « le sens des affaires
sociétales », est cruciale dans ce processus. Les citoyens actifs

possèdent une éthique qui transcende les frontières d'un être humain individualisé.

Il est intéressant de constater que, lorsque les acteurs du domaine de la jeunesse, particulièrement au niveau de l'UE, examinent ou formulent des programmes au sujet de l'apprentissage dans divers environnements, on relève souvent une anthropologie positive d'apprentissage non-formel par opposition au système ou aux institutions formels. Ainsi, le document « Pathways », largement cité, déclare ce qui suit :

> *« Les jeunes particulièrement participent à une vaste gamme d'activités à l'extérieur des systèmes ordinaires d'éducation et de formation ; dans le travail jeunesse et dans les clubs de jeunes, dans les associations sportives et de voisinage, dans les activités bénévoles et celles de la société civile, dans le cadre de programmes internationaux d'échange et de mobilité. Les participants considèrent souvent l'apprentissage non-formel comme le pendant le plus efficace et attrayant d'un système en grande partie inefficace et peu attrayant d'éducation et de formation formelles.*[63] *»*

Ce discours est peut-être empreint d'une éthique plus ou moins romanesque – ce qui est non-formel est bien et plébiscité ; ce qui est formel n'est pas aussi bien, ou du moins peu attrayant. Quoi qu'il en soit, la conclusion veut que toutes les formes d'apprentissage conviennent dans le contexte de la jeunesse[64].

Avant de comparer ces points de vue avec la cartographie conceptuelle de ce domaine réalisée par Helen Colley, on peut énoncer ce que les acteurs du domaine de la jeunesse comprennent habituellement par apprentissage formel, non-formel et informel. Dans le document « Pathways », ces notions sont définies comme suit :

> *« Apprentissage formel : dans ces cas particuliers, le secteur de la jeunesse/travail jeunesse se substitue comme prestataire d'éducation et de formation de rechange (par exemple, dans des écoles de rattrapage ou des projets semblables), avant tout pour des décrocheurs, des sortants précoces, des jeunes mécontents ou d'autres jeunes à risque. Le processus d'apprentissage est structuré sur le plan des objectifs d'apprentissage, de la durée d'apprentissage, du soutien à l'apprentissage ; il est en outre délibéré. Les participants reçoivent un certificat ou un diplôme.*

Apprentissage non-formel : l'apprentissage à l'extérieur de contextes institutionnels (hors du milieu scolaire) est l'activité clé, mais également la compétence clé du domaine de la jeunesse. L'apprentissage non-formel dans le cadre des activités jeunesse est structuré, repose sur des objectifs d'apprentissage, une durée d'apprentissage et un soutien particulier à l'apprentissage ; il est en outre délibéré. Pour cette raison, on pourrait aussi parler d'éducation non-formelle. Il n'est habituellement pas sanctionné par une accréditation, mais dans un nombre de cas toujours plus nombreux, un certificat est décerné.

Apprentissage informel : l'apprentissage dans le cadre des activités quotidiennes, du travail, de la vie familiale, des loisirs est principalement un apprentissage pratique. Il est normalement non-structuré et non-délibéré et n'est pas sanctionné par un certificat. Dans le secteur de la jeunesse, l'apprentissage informel se déroule dans le cadre d'initiatives jeunesse et de loisirs, de groupes de pairs et d'activités volontaires. Il procure des occasions d'apprentissages précises, particulièrement de compétences « douces » sociales, culturelles et personnelles. »

Une petite observation sur ce point : dans l'extrait ci-dessus, l'apprentissage non-formel est considéré comme se déroulant en dehors des contextes institutionnels, c'est-à-dire en dehors de l'école. Par suite de cette classification, le domaine de la jeunesse est placé hors des contextes institutionnels, ce qu'il est plutôt difficile d'admettre d'un point de vue sociologique. De la même façon, la famille peut par exemple être conceptualisée en tant qu'institution. Ceci laisse entendre que les domaines de l'apprentissage formel, non-formel et informel ne sont pas aussi tranchés qu'on le pense habituellement. Ceci amène également une question au sujet des limites de chaque domaine. Il semble que Helen Colley, Phil Hodkinson et Janice Malcolm, dans leur étude[65], tendent d'une certaine façon vers des conclusions semblables. Mais est-ce vraiment le cas ?

3.1.1.3. Cartographie des concepts

Colley et ses collègues ont examiné une énorme quantité de documentation pertinente sur l'apprentissage afin de parvenir à une clarification conceptuelle de ce que sont l'apprentissage formel, non-formel et informel. La tâche consistait à trouver des définitions cohérentes et claires. Colley a relevé trois approches générales dans la documentation. (1) On utilise communément ces termes sans définition claire. (2) Il arrive même plus fréquemment que les « enjeux impliqués sont soit admis, soit abordés, mais sans utilisation explicite des termes »[66]. (3) Dans de nombreux textes, les termes sont définis, mais dans cet ensemble de documentation, on n'a trouvé que peu d'accord sur la façon dont ces termes devraient être définis et utilisés. Il y a des chevauchements et des désaccords. Les classifications se font concurrence, ce qui pose problème. Colley et ses collègues déclarent que l'apprentissage informel est souvent défini par ce qu'il n'est pas, c'est-à-dire formel. On trouve également des postulats de valeur, plus ou moins vagues et clairs, voulant « qu'une forme ou une autre soit intrinsèquement supérieure – parfois moralement, parfois en termes d'efficacité »[67]. Un autre problème réside en ce que l'enseignement n'est pas distinct de l'apprentissage. Les universitaires contestent le bon sens de trouver des distinctions claires au niveau de la définition entre ces divers types d'apprentissage.

Dans leur étude, Colley et ses collègues consacrent leurs efforts à trouver les utilisations et les significations des termes dans différents secteurs ou dans différents cas (apprentissage sur le lieu de travail des instituteurs et formation continue, éducation communautaire et projets d'apprentissage, encadrement dans l'entreprise et en relation avec des jeunes gens exclus socialement). Dans les enseignements des instituteurs, ce qui importe est le mélange d'éléments formels et informels en lieu et place de leur distinction. Les projets communautaires indiquent que l'enseignement et l'apprentissage communautaires informels comportent d'importants éléments formels. Sur le plan de l'encadrement, de nombreuses pratiques informelles sont transformées et portées sur un plan plus formel. Une première conclusion cruciale à tout ceci est que les éléments formels et informels sont tous deux présents dans la plupart des situations d'apprentissage, c'est-à-dire qu'il est difficile de trouver des délimitations claires. La conclusion à laquelle parvient Colley souligne la signification des contextes pour l'apprentissage. Les lignes de démarcation entre apprentissage formel, non-formel et informel (et l'enseignement) et les relations entre eux « ne peuvent être comprises que dans des contextes particuliers »[68]. Dans chaque situation, l'essentiel est d'examiner de près les diverses dimensions de la formalité et de l'informalité ainsi que leur interrelation[69].

Colley et ses collègues n'ont donc pas établi un fondement théorique solide pour la classification de l'apprentissage formel, non-formel et informel. Selon eux, il n'est pas possible de saisir adéquatement la signification de l'apprentissage informel, même en observant l'institutionnalisation de l'enseignement :

> « *Cependant, lorsque nous examinons de plus près ce qu'on entend par milieu d'apprentissage 'informel', il devient manifeste que son informalité réside principalement dans le fait qu'il n'est pas organisé par un établissement d'enseignement. Gertig décrit des groupes de soutien de parents qui sont 'dirigés par' un éventail de professionnels du domaine social et de celui de la santé. On dit de l'informalité d'un tel groupe qu'elle est déterminée par la participation volontaire, une variété de milieux qui n'ont pas une 'fonction manifeste d'éducation' et le fait qu'elle peut être basée sur un quartier (p. 107). Qui plus est, la mise à disposition (dans une unité de logement abritée ou dans la salle commune de l'unité d'évaluation d'un hôpital, par exemple) 'de chaises confortables et de rafraîchissements contribue à créer une atmosphère informelle. Les gens ne sont pas assis à des pupitres, comme ils le seraient dans une salle de classe... ceci serait difficile à réaliser dans des milieux institutionnels et formels' ».*[70]

Il semble que la difficulté qu'éprouve Colley à définir l'apprentissage formel et informel réside dans une position quelque peu critique à l'égard de l'éthique normale du travail jeunesse. Celle-ci est caractérisée par le halo culturel de l'apprentissage informel. En Finlande, par exemple, la position du travail jeunesse dans le domaine des institutions pédagogiques a évolué de façon différente de celle du système scolaire. Petri Cederlöf[71] décrit cette position comme issue d'une tension, comme une frange de travail jeunesse, une zone frontière façonnée par le travail jeunesse qui intervient entre l'univers informel des jeunes proprement dit et le pouvoir pédagogique déterminant détenu par les milieux formels. Nous pouvons peut-être dire que le niveau de stabilisation institutionnelle des différents acteurs pédagogiques varie et que, lorsqu'il est faible, on insiste sur l'éthique de l'informalité.

Ce n'est cependant pas cette leçon que nous devons retenir de Colley, mais bien plutôt que chaque domaine d'activité pédagogique comporte une structure de pratiques et de coutumes formelles et informelles qui lui est propre. Nous devons donc effectuer des études contextuelles. Ainsi, le degré de formalité dans un contexte universitaire à fortes traditions est différent de celui d'une institution d'activité jeunesse nouvellement créée. Colley considère que ces deux pratiques compartimentent leurs divergences en dimensions formelle et informelle, conformément à la logique et au fonctionnement de l'institution en question. La théorie qui convient le mieux pour décrire l'état des choses à cet égard est peut-être la théorie du chaos[72]. Cela signifie également que les dimensions formelle et informelle sont présentes, dans une certaine mesure, dans toutes les situations d'apprentissage.

Il ne serait pas justifié d'étiqueter le formel comme « mauvais » et l'informel comme « bon » (ou vice versa). La tâche qui nous attend consiste à examiner les contextes concrets des milieux d'apprentissage.

> « *Une telle approche permet plus facilement de poser et d'aborder des questions au sujet des avantages respectifs de la formalité et de l'informalité, sur la façon dont des équilibres productifs entre les deux peuvent être maintenus et sur la façon dont on peut résister aux déséquilibres nuisibles.*»[73]

Ce qui est important, c'est l'apprentissage en tant que tel, avec tous ses facteurs contextuels (sociaux, culturels et économiques), non sa dimension formelle par opposition à la dimension informelle. Helen Colley, Phil Hodkinson et Janice Malcolm concluent cependant leur analyse en posant une question qui nous paraît plutôt curieuse dans la mesure où le présent document est concerné : « Si nous considérons tout l'apprentissage comme un composé complexe et partiellement spécifique à un contexte de formalité et d'informalité, quels sont le rôle et la raison d'être du terme « non-formel ? »[74]

3.1.1.4. Reconnaissance

Quoi qu'il en soit, dans le secteur de la jeunesse, il existe de nombreux genres d'activités dans lesquelles les acteurs trouvent des effets qui rehaussent l'identité[75] des « secteurs non-formels ». L'« apprentissage civique » est souvent le meilleur terme à utiliser ici. Une façon commode de régler le problème conceptuel (examiné ci-dessus) consiste à parler d'apprentissage civique au lieu d'apprentissage non-formel, même s'il est plus habituel que l'apprentissage dans le cadre d'activités organisées volontaires et de loisirs soit qualifié de

« non-formel ». Ceci correspond à l'avis exprimé par Colley[76]. Comme le dit Lauri Savisaari[77], les milieux d'apprentissage chez les jeunes devraient être abordés comme un ensemble mixte comportant des dimensions différentes comme le système d'enseignement officiel (« formel »), les milieux de la vie professionnelle et des loisirs. J'ajouterais que, dans ce contexte, les milieux de loisirs signifient des activités organisées et non l'apprentissage non-conventionnel lié à des manifestations culturelles jeunesse, tel qu'il est examiné par Ziehe et Stubenrauch (voir ci-dessus). Les activités organisées deviennent pédagogiques si elles s'accompagnent d'objectifs conscients et de méthodes articulées permettant de les atteindre. Dans ce contexte, la reconnaissance et la validation font partie des concepts clés, si les processus d'apprentissage dans le cadre d'activités volontaires et de loisirs doivent être classés et observés du point de vue du système d'enseignement. En termes sociologiques, la reconnaissance signifie une conversion du capital social et culturel hérité de la participation à des activités organisées volontaires et de loisirs en termes et en capitaux (capital méritoire ?) inhérents au système d'enseignement[78].

D'un point de vue sociologique, on peut considérer l'application de la politique de reconnaissance au domaine d'activité dans son ensemble comme une façon d'obtenir une justification et une légitimation du domaine jeunesse, malgré la tendance à une administration plus rigoureuse de l'UE. Le domaine de la jeunesse demeure certes d'actualité, mais une question se pose : la jeunesse est-elle désormais trop pédagogisée, et les secteurs libres de la jeunesse sont-ils surinstitutionnalisés ?[79] Ou ne peut-on poser de telles questions qu'en étant la proie d'une illusion romanesque ?

Le débat mené sur le plan européen au sujet de la reconnaissance de l'apprentissage non-formel est, en règle générale, fortement axé sur le marché du travail. Le document de l'UE sur les principes européens communs pour l'identification et la validation de l'éducation et de la formation non-formelles et informelles[80] est sur ce point révélateur. Le document « *Pathways* », au contraire, qui témoigne des débats ayant eu lieu dans le domaine de la jeunesse, fait de l'apprentissage non-formel une question d'apprentissage civique.

« La Commission et le Conseil de l'Europe sont tous deux d'avis que le moment est venu d'élaborer une prise de position et de prendre des mesures communes à l'égard de l'éducation, de la formation et de l'apprentissage dans le cadre d'activités faisant partie d'activités volontaires et liées à la société civile, particulièrement en ce qui a trait à la reconnaissance et à la validation de ces activités. La principale motivation n'est pas d'améliorer l'employabilité des jeunes, mais de garantir leur inclusion sociale et de les encourager à adopter la citoyenneté active, la solidarité, le perfectionnement personnel et l'auto-épanouissement, les activités volontaires et la confiance en soi. »[81]

En d'autres termes, une politique de reconnaissance appropriée devrait, dans la mesure où le domaine de la jeunesse est concerné, considérer l'apprentissage non-formel comme apprentissage civique (voir point 2 du plan présenté au début de ce document). Au risque de lasser par tant de citations, il importe de donner l'extrait suivant de ce même document :

« Les enjeux citoyens sont le point de mire de la stratégie de reconnaissance – éducation politique européenne et interculturelle, apprentissage communautaire, développement de la société civile et citoyenneté démocratique active. »

La reconnaissance de l'apprentissage non-formel dans le domaine de la jeunesse consiste à valider et à codifier la connaissance, la dynamique de vie et les compétences acquises, en prenant part, par exemple, aux activités d'une organisation. La validation faciliterait l'utilisation future de ces compétences à l'avantage de la personne, pour ses études ou même pour trouver une place dans la population active. La manière dont ces types de compétences sont consignées dans les curriculums vitæ est souvent déterminante pour savoir comment ils peuvent profiter à la personne. D'après différents documents, le Conseil de l'Europe et la Commission européenne ont créé, dans ce but, certains systèmes et certaines habitudes : par exemple, la formation européenne des travailleurs jeunesse/leaders jeunesse (Cours de formation avancée des formateurs en Europe ((*Advanced Training for Trainers in Europe*)) et cours pilotes sur la citoyenneté européenne ; Programme jeunesse européen). Il existe certains outils pour cataloguer les antécédents d'apprentissage grâce auxquels les jeunes ont acquis des compétences civiques. Citons le centre de ressources pour la jeunesse SALTO comme exemple d'un réseau qui s'est constitué. Sur le site Internet[82] de l'organisation, on peut lire ce qui suit :

> « *SALTO-YOUTH.net est un réseau de huit centres de ressources travaillant dans des domaines prioritaires européens du domaine de la jeunesse. Il fournit des ressources dans le domaine du travail jeunesse et de la formation des jeunes et organise des activités de formation et de prise de contact à l'appui d'organisations et d'organismes nationaux dans le cadre du Programme jeunesse de la Commission européenne et au-delà. L'histoire de SALTO-YOUTH a commencé en 2000 et correspond à la stratégie de formation de la Commission européenne dans le cadre du Programme jeunesse ; SALTO-YOUTH travaille dans un esprit de synergie et de complémentarité avec d'autres partenaires du domaine.* »

Le site Internet de SALTO décrit également quelques outils de reconnaissance. Lors du séminaire européen SALTO sur les ponts pour la reconnaissance, qui s'est déroulé à Louvain (du 19 au 23 janvier 2005)[83], deux cycles d'ateliers sur les pratiques exemplaires ont permis de partager certaines expériences de travail existantes en matière de connaissances. Le site Internet[84] indique qu'il y a eu des exposés sur les pratiques, notamment Europass, les portefeuilles électroniques, la validation de compétences en France, le dossier des compétences culturelles et internationales, la formation des travailleurs jeunesse chez les scouts, les dossiers personnels de réalisations, le passeport de formation Euromed de SALTO, NEFIKS et le manuel des activités de loisirs (Académie finlandaise de jeunesse).

L'Académie finlandaise de jeunesse, organisation de collaboration pour de grandes ONG finlandaises de jeunesse et de sports, pratique depuis 1996 un système appelé manuel des activités de loisirs. Lauri Savisaari[85] décrit le manuel comme un « CV non-formel et informel d'apprentissage pour les jeunes ». Des entrées peuvent être recueillies à partir de toutes les expériences d'apprentissage acquises dans des activités volontaires et de loisirs. Plus de 70 000 personnes possèdent ce manuel en Finlande (30.10.2004).

> « *Le manuel sert d'outil permettant aux jeunes de rendre visibles toutes les expériences et tout l'apprentissage – auto-perfectionnement,*

progression, etc. – à l'extérieur de l'école. C'est également un instrument qui permet de recenser et de reconnaître l'apprentissage non-formel lorsque les jeunes postulent à un emploi ou souhaitent poursuivre des études plus poussées. L'Académie de la jeunesse a conclu un accord écrit avec 250 établissements d'enseignement formels sur la façon d'attribuer une valeur aux mentions du manuel et de les reconnaître. Le manuel d'étude est un moyen de prendre en compte et de reconnaître l'apprentissage non-formel et informel des jeunes. Les inscriptions peuvent y être consignées en finnois, en suédois ou en anglais. Ce système de manuel d'étude finlandais insiste fortement sur le perfectionnement de l'apprenant individuel – le jeune. Malgré le fait que certaines voies menant à l'éducation formelle ont été mises en place dans le cadre du système de manuel d'étude, l'idée consiste à préserver précieusement la nature très volontaire de l'apprentissage dans des milieux extrascolaires, volontaires et de loisirs. Il n'y a de ce fait ni critères pour l'évaluation du rendement ou des résultats d'apprentissage, ni examen public pour déterminer les compétences censées avoir été acquises. »[86]

Il convient de retenir de ce manuel finlandais des activités de loisirs le fait que la documentation et la reconnaissance doivent être volontaires. Le raisonnement sous-jacent étant que les jeunes gens devraient avoir le droit de profiter de leurs expériences lorsqu'ils présentent leur candidature dans l'enseignement ou pour un emploi (quand toutes les entrées sont fournies dans le CV). Cependant, le manuel ne donne pas de crédits directs. La reconnaissance par un établissement d'enseignement est dite personnelle et se fait au cas par cas.[87]

Le dossier personnel des réalisations pour les échanges de groupes de jeunes et les initiatives de groupes de jeunes à l'Agence nationale du programme jeunesse du Royaume-Uni proposent un autre exemple de reconnaissance de l'apprentissage non-formel et de la documentation de l'apprentissage civique[88]. À l'origine (1998-1999), il s'agissait, en réponse à un besoin, de mettre au point un outil d'évaluation pour les échanges de jeunes ; son objet était d'exposer les compétences clés en plus de sensibiliser à la dimension mondiale et interculturelle. Les compétences de base énumérées sont les suivantes : travailler avec d'autres, confiance en soi, sensibilisation interculturelle, compétences en communication, compétences en résolution de problèmes, examen et évaluation. On a également dressé une liste de compétences facultatives qui sont loin d'être négligeables : citoyenneté, égalité des chances, santé et sécurité, sensibilisation politique, compétences analytiques, compétences sur des projets, amélioration de l'apprentissage et du rendement, technologie de l'information, compétences linguistiques. Je pense que la liste décrit les thèmes de l'apprentissage civique de façon stimulante. Elle soulève des questions au sujet de la sensibilisation politique et du bagage social, c'est-à-dire des capacités d'analyse, de la critique sociale et des compétences dans l'articulation des besoins collectifs.

Le modèle de dossier personnel des réalisations est axé sur les questions de citoyenneté active, mais le renforcement de l'employabilité est également une préoccupation importante. Au premier abord, cette combinaison peut paraître étrange, mais le lien entre employabilité et citoyenneté active devient évident lorsque l'on y réfléchit en termes de compétences. Il faut, en effet, les mêmes compétences pour les deux domaines. Hazel Patterson l'a exprimé de façon à ce que l'« aptitude au travail » soit assimilée à une certaine « attitude ». La capacité à être embauché est décrite comme suit : « posséder les compétences, la compréhension et le savoir d'un salarié compétent ».

Ce système comporte plusieurs moyens de présenter l'apprentissage. Les éléments de preuve sont présentés de nombreuses façons – photos, bandes magnétiques, vidéos, etc. – et consistent en un certificat avec des documents à l'appui. Ces éléments peuvent être utilisés pour d'autres programmes de récompense. Selon Patterson, le programme aide les jeunes à se constituer un portefeuille pour l'apprentissage tout au long de la vie et à s'habituer à réunir et à consigner les preuves de leur apprentissage. Le modèle de dossier personnel des réalisations se rapproche peut-être du système de dossiers des réalisations – « *Records of Achievement* (RoAs) » – utilisé depuis un certain temps dans le système d'enseignement supérieur britannique et européen. Ce système avait pour objet, entre autres, de reconnaître et de présenter les réalisations non-universitaires des nouveaux diplômés, afin de leur donner des moyens supplémentaires sur le plan de l'employabilité[89], c'est-à-dire d'améliorer leur compétitivité sur le marché du travail. Au départ, un tel système a été mis en place dans la société britannique des années 70 marquée par la croissance du chômage[90]. Christopher Rhodes, James Avis et Hugh Somervell présentent un point important :

> « *À un niveau minimaliste, nous devons aider les étudiants de premier cycle à développer et à consigner des compétences qui les aideront à réaliser leurs projets pour la vie ; il nous incombe cependant aussi d'aiguiser leur sensibilité critique envers la société et le marché du travail dans lesquels ils espèrent faire leur entrée.* »[91]

3.1.1.5. Le processus de reconnaissance comme élément de la politique jeunesse

Je présenterai ici un point de vue selon lequel l'apprentissage non-formel, dans le domaine de la jeunesse, est considéré principalement comme un apprentissage civique. Ce point de vue constitue également une définition de la politique à l'intérieur de la politique jeunesse. De la même façon, Lasse Siurala[92] prétend que favoriser la participation des jeunes aux structures et aux pratiques de la démocratie représentative est un défi crucial pour la politique jeunesse européenne. Toujours selon lui, un autre défi essentiel consiste « à élaborer d'autres formes de participation des jeunes en accordant une attention spéciale aux jeunes défavorisés ». Siurala déclare que l'élément fondamental de la politique jeunesse consiste à produire des citoyens, ce qui exige que les jeunes acquièrent certaines compétences. Par conséquent, la politique jeunesse devrait fournir aux jeunes des milieux d'apprentissage adaptés et des expériences d'apprentissage planifiées de telle façon que l'on puisse parler d'un ensemble de possibilités et d'expériences d'apprentissage. Siurala affirme « qu'un tel ensemble comprend des possibilités et des expériences de participation, d'expression, d'apprentissage interculturel, d'information, de vie associative et de soutien dans l'affrontement du risque ». D'après le modèle de Siurala, la politique jeunesse devrait fournir un niveau fondamental de possibilités et d'expériences. Ce n'est qu'alors que les jeunes pourront devenir des sujets actifs dans la démocratie. Il s'agit en fait de la participation des jeunes et des services proposés dans le domaine de l'éducation civique. Parmi cet ensemble de services, la politique de reconnaissance de l'apprentissage non-formel, le soutien des organisations et des groupes de jeunes, les services d'information et de conseil pour les jeunes, les programmes d'apprentissage interculturel, le travail jeunesse dans le domaine culturel, l'accès aux nouvelles technologies et aux services Internet et la garantie de l'accès des jeunes défavorisés à ces diverses possibilités. Le modèle dans son ensemble serait appliqué en respectant les conditions et les traditions concrètes de la politique jeunesse dans chaque pays.

Un tel ensemble peut être rationalisé en instaurant un dialogue structuré entre les différents acteurs du domaine de la jeunesse. Dans le cadre de la recherche jeunesse en Finlande, on examine depuis longtemps une nouvelle identité, voire une nouvelle éthique du chercheur.[93] Cette éthique fait ressortir la participation des chercheurs dans un domaine en forme de trèfle à quatre feuilles – administration, travail jeunesse, recherche et voix des jeunes (souvent représentée par les organisations et les associations de jeunes). Dans cette structure, les chercheurs ont souvent fait office de catalyseur et de force de cohésion. Certains enjeux sont également liés à la relation problématique entre la jeunesse finlandaise et la démocratie municipale et peuvent être pris en compte lorsque l'on détermine les besoins de formulation de la politique sur la reconnaissance. Dans ce contexte, il convient également d'envisager la question et le contexte du point de vue générationnel.

Un processus de dialogue structurel s'est déroulé en Finlande au même moment que les élections municipales de 2004. Dans le cadre de ce processus, les acteurs du domaine de la jeunesse se sont réunis pour examiner les résultats d'une étude qui avait été soigneusement menée au moyen de questionnaires. Cela se déroulait quatre ans après les élections municipales de 2000, qui avaient servi d'avertissement dans le sens où elles avaient été un échec pour ce qui est du vote des jeunes (seulement 42 à 43% de participation). Un taux aussi faible signifiait, du moins aux yeux des jeunes, que la démocratie municipale était atteinte d'une crise de légitimité. De leur point de vue, on avait même peut-être affaire aux conséquences d'une hiérarchie gérontocratique et d'un fort déséquilibre des générations.

Le Conseil consultatif pour les affaires de la jeunesse du Ministère de l'Éducation, le Réseau finlandais de recherche sur la jeunesse et l'Association d'instances locales et régionales finlandaises ont donc produit une publication[94] pour laquelle deux types de données ont été recueillis en avril et en mai 2004. Un questionnaire portant sur l'attitude à l'égard de la démocratie municipale a été expédié à un échantillon représentatif de 1 250 jeunes. Parallèlement, un autre questionnaire a été remis à certains membres de groupes de jeunes dans lequel on leur demandait d'évaluer leurs activités. Dix chercheurs ont recueilli les données qui devaient constituer la base de leurs articles. La publication, parue avant les élections, consistait donc en une série d'articles qui examinaient quelle était, chez les jeunes, l'image des administrations locales scandinaves telles qu'elles sont représentées dans les manuels scolaires, ou encore la signification de la participation locale et de la démocratie municipale. Les attitudes et les attentes des jeunes à l'égard des élections ont également été examinées. Une telle action aurait habituellement été menée après les élections, c'est-à-dire trop tard pour encourager les jeunes à voter. Une conclusion fondamentale qui émane de la publication est que les activités civiques des jeunes et les groupes de jeunes actifs témoignent de l'émergence d'un nouveau citoyen, mais que ce point de vue ne coïncide pas avec la démocratie municipale traditionnelle dirigée principalement par des hommes d'âge moyen. L'ouvrage cite également certains obstacles qu'un dialogue entre les générations ainsi que la réalisation de la citoyenneté municipale permettent de surmonter[95].

Ceci n'est cependant pas le fin mot de l'histoire… La publication ne s'est pas enlisée dans les rites ni dans le jargon habituel du monde de la recherche, dans lequel les chercheurs se citent les uns les autres en oubliant la société. Au lieu de cela, un nouvel espace de discussion a été créé grâce à cette recherche. Son objectif consistait à pousser les jeunes gens à se prévaloir de leur droit de vote à l'occasion des prochaines élections. Par conséquent, juste avant ces élections, les éditeurs du livre ont organisé quatorze débats dans le pays. Lors de ces événements, on a examiné les résultats de la recherche en insistant particulièrement sur la région en question, et des débats animés ont suivi les allocutions des jeunes et des décideurs. Chaque séminaire a été ouvert par un membre du gouvernement finlandais. En outre, lors de chaque séminaire, les organisations de jeunesse de la région et/ou d'autres « jeunes citoyens actifs » ont eu l'occasion de participer. Grâce notamment à l'aide de la recherche, les acteurs du domaine de la jeunesse ont donc été réunis pour examiner les questions de citoyenneté municipale. Il est intéressant de relever que cette série d'événements régionaux avait très largement pour arrière-plan les relations entre les générations. Il a également semblé évident que les conceptions politiques des jeunes différaient des pratiques de l'establishment municipal d'âge moyen.

Comme nous le prévoyions dans l'aperçu de la présente étude, la chaîne des générations revient à reconnaître l'apprentissage non-formel. Si seulement on savait exactement comment... Je terminerai mon exposé par quelques observations d'ordre général sur le thème des générations.

3.1.1.6. Une quête pour la chaîne des générations

Manifestement, le processus du dialogue structurel, lié à la recherche sur les élections municipales et décrit ci-dessus du point de vue générationnel, est un bon exemple d'une chaîne d'événements dans l'apprentissage civique. Je regrette d'ailleurs le manque de temps qui m'oblige à prendre le seul exemple de la Finlande. Cet exemple encouragera peut-être d'autres pays à mener des actions semblables dans d'autres secteurs de l'activité civique, indépendamment de la façon dont le processus d'apprentissage, qui a été lancé et achevé, peut être formalisé et documenté, tout en respectant le système élaboré par l'Académie de jeunesse. L'élément central de cet exemple de problèmes générationnels affectant la démocratie municipale a été l'émergence de forums politiques communs au cours du processus menant aux élections. Et c'est précisément là l'essence de la démocratie, du moins, de la variété scandinave traditionnelle : établir les objectifs, argumenter, débattre, contester, trouver des différences et les négocier, articuler des intérêts communs, rechercher la dimension utopique, prévoir l'avenir, suggérer des changements, faire des revendications et les articuler aux niveaux collectif et individuel, formuler des décisions et chercher des marges de manœuvre. De tels enjeux sont difficiles à mettre en avant sur la scène publique, souvent colonisée par le capitalisme de divertissement.

J'ai présenté plus haut une vision de la politique jeunesse telle qu'elle a été décrite par Lasse Siurala. Je tiens à préciser que, dans ce texte, il ne parle pas d'« éduquer les jeunes pour qu'ils deviennent des citoyens », mais bien plutôt, dans l'esprit de négociation un peu flou de la culture pédagogique scandinave caractérisée par des structures hiérarchiques assez lâches, « que le noyau dur de la politique jeunesse consiste à aider les jeunes à devenir des citoyens actifs ». C'est l'une des caractéristiques typiques de la culture pédagogique douce des sociétés modernes : nous ne parlons pas d'éducation des jeunes, mais de la possibilité de les aider à devenir des citoyens actifs. Un phénomène connexe est illustré par la disparition de l'éducation des objets de la recherche pédagogique après que les tenants du concept constructiviste de l'apprentissage ont pris le contrôle du domaine pédagogique. Les études ne portent donc plus sur l'éducation, mais « seulement » sur l'apprentissage et les milieux d'apprentissage. L'éducation semble être un élément du passé dans toute l'Europe, du moins si l'on prend en considération les relations hiérarchiques entre les générations.

Un réseau intéressant de relations entre les générations se constitue pourtant autour du concept, de la théorie et de la pratique de l'éducation. Les générations y sont de grandes générations de masse, échappant ainsi à l'idée mannheimienne élitiste et avant-gardiste de fractions de générations uniquement mobilisées. J'entends par là les gens âgés de 20 à 30 ans aujourd'hui, leurs parents et leurs grands-parents. Voilà une chaîne de générations qui peut être utilisée comme clé des changements sociétaux qui se sont déroulés au cours de l'histoire récente de notre pays. Cette chaîne assume (approximativement) la forme suivante : la génération de la guerre, la génération du baby-boom et la génération des jeunes d'aujourd'hui. De grands changements ont eu lieu au niveau socioculturel et sur le plan quotidien tout au long de la vie des membres de cette chaîne.

Quand il s'agit de la nation, la chaîne des générations nous fait penser à des continuums et à des transitions. Le bref regard que nous avons jeté ici sur le paysage des élections municipales finlandaises montre la différence entre la citoyenneté organisée traditionnelle et la façon dont les jeunes perçoivent les nouvelles politiques. La « vieille » citoyenneté traditionnelle s'est développée en Finlande jusque dans les années 90, en se fondant sur un réseau national d'organisations et d'associations et en engendrant solidarité et confiance. Selon Martti Siisiäinen, les personnes ayant été jeunes pendant les années 60-70 constituent la dernière génération ayant grandi dans la culture organisationnelle traditionnelle finlandaise. Il s'agit de la dernière « génération des organisations »[96].

Siisiäinen estime que les organisations de cette génération sont caractérisées par la collectivité, un engagement fort et l'investissement fréquent de la personnalité toute entière dans l'organisation. On est loin des liens sociaux ténus d'aujourd'hui, des changements extrêmement rapides et des actions collectives qui se produisent souvent en partie par l'entremise des médias. Les études de Siisiäinen montrent que la majorité des nouvelles organisations fondées au tournant de la décennie suivent la tendance de l'engagement léger[97]. En cela, elles se préoccupent d'une politique de petits intérêts et de critères élevés, qui naissent souvent dans le berceau du mode de consommation et du développement personnel. Pour être membre de ces organisations, il suffit que l'individu investisse une part de sa personnalité, en lieu et place du fort engagement nécessaire pour créer une identité collective. Ces organisations vivent de l'Internet et des nouvelles technologies. Ces phénomènes peuvent être analysés dans le cadre de l'individualisme et du « marketisme ». Les motivations et les modèles d'action sont souvent mondiaux, tandis que l'activité effective est locale. Si les anciennes organisations sont caractérisées par la politique, les nouvelles sont caractérisées par la politique de la vie.

Sur ce point, nous pouvons nous demander dans quelle mesure ce changement est de l'ordre du continuum et de la transition dans la chaîne des générations. Nous pouvons nous demander dans quelle mesure les enjeux décrits – pour peu qu'ils soient exacts –, peuvent être traduits dans les domaines de l'apprentissage non-formel ou civique, et dans quelle mesure ils peuvent être traduits en pratiques de dialogue structuré. Il semblerait qu'il faille un certain temps avant que l'idée de la chaîne des générations soit incluse dans des documents européens tels que les principes communs pour l'identification et la validation de l'éducation et de la formation non-formelles et informelles.[98] Le plan que j'ai reçu de la part des organisateurs de la conférence n'approchait que prudemment et précautionneusement du sujet. Le défi demeure et devra être relevé ultérieurement.

« L'idée simple sous-tend notre façon compliquée de l'exprimer : nous pensons que, dans la chaîne des générations, la transmission des qualifications d'une génération à l'autre est un aspect important ; l'éducation non-formelle doit probablement y jouer un rôle ; la question qui se pose à présent est de savoir dans quelle mesure une politique de reconnais-

sance adéquate ou un changement des politiques en matière de recon-
naissance ou encore l'élaboration d'une politique de reconnaissance
fondée davantage sur des données probantes pourraient faciliter le pro-
cessus. Nous souhaiterions que vous présentiez des réflexions sur ce sujet,
que vous engagiez le débat sur un plan plus général en montrant com-
ment une meilleure organisation de l'échange du savoir dans le
domaine de l'éducation non-formelle pourrait concourir à l'utilisation
de la jeunesse comme ressource positive pour la société de la prochaine
génération. »

3.1.2. Pertinence de la connaissance dans le processus de reconnaissance

par Peter Torp Madsen

Le débat sur la reconnaissance de l'éducation non-formelle est au cœur même des organisations de jeunesse, comme en témoigne le travail du Forum européen de la jeunesse et de ses membres. À l'heure actuelle, au moment même où le débat et le processus de reconnaissance de l'éducation non-formelle prennent de l'essor, le besoin d'un dialogue plus structuré entre les acteurs de la politique jeunesse et les fournisseurs de savoir est manifeste. Cependant, un dialogue plus poussé s'impose également au micro-niveau, dans le cadre de notre interaction, entre les chercheurs et les praticiens/ décideurs (franchement, il a fallu que je relise plusieurs fois le titre de cet atelier pour le comprendre…), afin de créer et de parler un langage commun et compréhensible par toutes les parties.

Au niveau personnel, il n'est pas toujours facile de trouver sa place dans le « triangle de dialogue » – ou « trialogue » – et c'est peut-être particulièrement difficile pour ceux d'entre nous qui constituent l'« angle jeunesse ». Si je prends mon exemple, je représente ici le Forum européen de la jeunesse, et par conséquent le côté praticien du triangle, en tant que membre du bureau responsable de l'éducation non-formelle. Or, je ne suis pas seulement un praticien, mais également un étudiant qui fait de la recherche sur les relations entre l'État et la société civile. Qui plus est, au Forum européen de la jeunesse, nous considérons qu'une bonne politique jeunesse n'est pas seulement faite pour les jeunes, mais également avec les jeunes, par le biais de structures représentatives de la jeunesse. Quotidiennement, dans toute l'Europe ainsi qu'au niveau européen, les jeunes prouvent qu'ils sont également des décideurs. Il s'ensuit que, personnellement, il m'est difficile de me reconnaître dans cette métaphore du triangle, mais par souci de clarté, et parce que le triangle donne une certaine idée des acteurs et des aspects cruciaux de l'élaboration de la politique jeunesse, j'admets cette métaphore.

Les termes clés de l'atelier et de cet article sont « savoir, jeunesse, reconnaissance, processus et apprentissage (éducation) non-formel ». Mon propos est d'aborder chacun de ces concepts et leur relation ; je m'attacherai en premier lieu aux notions de « savoir » et d' « apprentissage non-formel ».

Les définitions du savoir sont nombreuses, mais si nous retournons à l'un des premiers sages, en l'occurrence Aristote, nous trouvons une différenciation utile entre logique théorique et pratique. Dans le droit fil de cette distinction, les savants modernes différencient le savoir déclaratif (théorique) du savoir procédural (pratique). Le premier concept mentionné est certes clair et reçoit une large attention, mais il est intéressant de consacrer davantage de réflexion et d'attention à l'autre notion. En effet, si on la transpose aux questions que nous examinons ici, les jeunes en tant qu'acteurs peuvent également être considérés comme des sources de savoir. En d'autres termes, les organisations de jeunesse ne doivent pas être considérées seulement comme des sujets d'étude ou des « consommateurs » de savoir, mais aussi comme des fournisseurs de savoir.[99] Dans ce cadre particulier, il s'agit d'un concept intéressant que l'on peut étudier de plus près, tout en examinant les façons dont les organisations de jeunesse peuvent être perçues et soutenues dans la construction et la diffusion des connaissances sur la jeunesse. Il va de soi, mais il est bon de le rappeler, que l'expérience, le savoir et le savoir-faire ne circulent pas uniquement des vieux vers les jeunes, mais également des jeunes vers les vieux.

Le terme apprentissage (ou éducation) non-formel est également défini de bien des façons. Le Forum européen de la jeunesse a puisé dans les diverses définitions d'apprentissage formel, non-formel et informel élaborées par l'UNESCO, la Commission européenne ainsi que ses organisations membres pour définir le concept comme suit :

> *« L'éducation non-formelle' est un processus organisé d'éducation qui a lieu parallèlement aux systèmes traditionnels d'éducation et de formation et ne mène habituellement pas à une certification. Les individus*

participent sur une base volontaire et ils jouent donc un rôle actif dans
le processus d'apprentissage. Contrairement à l'éducation informelle',
où l'apprentissage a lieu de façon moins consciente, l'individu est
habituellement conscient du fait qu'il/elle apprend par la voie de
l'éducation non-formelle. »[100]

En bref, les organisations de jeunesse ne sont pas seulement des
fournisseurs de savoir, mais également d'apprentissage. En outre, les
organisations de jeunesse sont en soi des espaces et des moyens
d'apprentissage non-formel.

Si les organisations de jeunesse sont des fournisseurs et des
espaces à la fois de savoir et d'apprentissage, nous demandons aux
pouvoirs publics et aux institutions internationales – aux décideurs
en général – d'adopter une vision vaste et diversifiée de l'enseignement et de faire leur une approche globale correspondante à l'égard
de la politique d'enseignement. Nous leur demandons également de
reconnaître le rôle important que jouent les organisations de jeunesse
dans les politiques d'enseignement, de l'élaboration à l'exécution et
du suivi à l'évaluation. Vient s'ajouter à cela qu'à l'avenir, il devien-
dra de plus en plus important de réfléchir en termes de complémen-
tarité et de synergie entre l'apprentissage formel et non-formel. Si
l'Union européenne et ses membres souhaitent véritablement créer
l'économie de la connaissance la plus dynamique et la plus compétitive du monde et une culture d'apprentissage tout au long de la vie
et dans tous les aspects de la vie, nous devons adopter une approche
de l'enseignement plus cohérente et plus progressive. « Si c'était à
refaire, nous commencerions par l'éducation » ; c'est en ces termes
que s'exprimait Jean Monnet, l'un des pères fondateurs de l'Union
européenne.

C'est peu dire qu'il ne suffit plus de fournir les faits et l'information d'hier. Les méthodes d'apprentissage doivent être examinées
d'un œil critique. Dans une société de la connaissance, nous ne trans-
mettons et ne fournissons pas le savoir, mais nous l'échangeons et le
partageons. Il s'agit d'une transition radicale, de la concentration
étroite de la société industrielle sur la transmission de savoir passif à
l'orientation de la société de la connaissance sur l'acquisition de compétences théoriques et pratiques, ce qui indique que le rôle des
organisations de jeunesse en tant qu'éducateurs non-formels est bien

plus vaste. L'éducation non-formelle est, par sa nature, axée sur l'apprenant, le participatif et elle est fondée sur l'égalité entre l'éducateur et l'apprenant. Qui plus est, elle se déroule dans un environnement expérimental, créatif et novateur, fondé sur la valeur, accessible à chacun. Il s'agit là des valeurs et des termes clés de la vision de la société de la connaissance.

Ceci me porte à poser cette question fondamentale : pourquoi les décideurs d'aujourd'hui inscrivent-ils la question de la reconnaissance de l'apprentissage non-formel à l'ordre du jour politique ? C'est essentiellement parce qu'ils ont arrêté la stratégie de Lisbonne et l'objectif, mentionné plus tôt, de faire de l'Europe l'économie de la connaissance la plus dynamique et compétitive du monde d'ici 2010. Le processus de Bruges/Copenhague fait suite à cet objectif ambitieux dans le domaine de l'enseignement et de la formation professionnels. Les décideurs soulèvent à présent la question pour laquelle les organisations de jeunesse se battent depuis longtemps : la reconnaissance de ce qu'elles fournissent – l'éducation non-formelle. Pour autant, il ne faut pas faire abstraction de la revendication des jeunes qui, et cela est compréhensible, demandent de plus en plus : davantage de reconnaissance – personnelle, sociale et politique – de la valeur des compétences théoriques et pratiques qu'ils ont acquises à l'extérieur du système d'éducation formelle, notamment dans les organisations de jeunesse.

Il peut sembler facile au méta-niveau d'accepter le terme inclusif de « reconnaissance », mais cela devient rapidement difficile lorsque le débat est concret et s'attache aux méthodes et aux outils de reconnaissance. Les différences culturelles sont profondes, en particulier dans un domaine comme l'enseignement, qui est au cœur même des cultures nationales et qui est avant tout une affaire nationale. Trouver des moyens communs au niveau européen est donc très difficile, sans parler du processus de coordination et de reconnaissance entre pays. Les opinions sur la reconnaissance de l'apprentissage non-formel et les diverses approches adoptées à son égard sont également manifestes et ont imprégné les débats que nous avons eus au Forum européen de la jeunesse, précisément parce que l'éducation non-formelle est au cœur même des organisations de jeunesse. Une longue discussion et de nombreux débats sous-tendent notre document de principe sur les organisations de jeunesse en tant qu'éducateurs non-formels, dans lequel nous demandons la reconnaissance de notre rôle. Cependant, étant parvenu à dégager une opinion commune, le mouvement européen de la jeunesse aborde le débat sur la reconnaissance en position de force et nous sommes de ce fait en mesure de nous impliquer dans les processus ad hoc et d'élaborer des méthodes et des outils concrets.

Quels processus se déroulent donc maintenant – processus que le Forum européen de la jeunesse soutient également et auxquels il participe ? « Europass » est le cadre global qui assure la transparence des qualifications et des compétences, et dans lequel certains nouveaux instruments sont en cours d'utilisation. Le portefeuille du Conseil de l'Europe pour les jeunes leaders et travailleurs et le passeport Jeunesse de la Commission européenne sont deux initiatives qui s'inscrivent dans cette veine. Malgré des objectifs, des groupes cibles et une conception très différents, ces instruments ont pour dénominateur commun l'amélioration de la reconnaissance et de la transparence des compétences des jeunes, acquises grâce à l'apprentissage non-formel. Alors que le portefeuille du Conseil de l'Europe servira d'outil d'auto-évaluation pour les jeunes leaders du travail jeunesse, le passeport Jeunesse, en tant que certificat, donnera de la notoriété aux régimes d'apprentissage non-formel qui se déroulent dans le cadre du Programme jeunesse de l'UE. Le Forum européen de la jeunesse considère que ces deux instruments, qui servent chacun à des fins différentes, constituent des pratiques positives dans le processus de reconnaissance. C'est parce qu'ils sont fondés sur le savoir et sur une authentique évaluation des besoins, qui prend en compte les souhaits explicites des jeunes et de leurs organisations[101]. Comme nous croyons que les deux initiatives mentionnées plus tôt créent des pratiques satisfaisantes et une certaine valeur ajoutée, nous accueillons avec satisfaction l'idée de les inclure à l'avenir dans le cadre Europass.

Si nous tournons nos regards vers l'avenir, nous voyons cependant que nous nous heurterons à des difficultés dans le processus permanent de reconnaissance de l'apprentissage non-formel. Le principal défi réside dans le manque de savoir ou de documentation. Le savoir en tant que concept couvre à la fois le savoir tacite et explicite. C'est le savoir en grande partie non-exprimé et caché, appelé savoir tacite, qu'il est intéressant de rendre explicite. Voilà un rôle clair pour les chercheurs. Comment mesurons-nous l'impact de l'apprentissage non-formel – tant en relation avec le processus d'apprentissage individuel qu'en relation avec la société proprement dite ? Est-il possible de trouver des indicateurs de réussite et des mesures de qualité ? Peut-on tout simplement quantifier l'impact, la qualité et la réussite ? La demande pour une documentation plus abondante et de meilleure qualité est nette, mais les dilemmes inhérents ne le sont pas moins. Le défi réside dans la promotion d'une plus grande prise de conscience et d'une meilleure visibilité des méthodes utilisées et des résultats obtenus et consiste à garantir que les fournisseurs d'enseignement adoptent des normes de qualité, sans modifier la nature des processus d'éducation non-formelle proprement dits.

On peut cependant effectuer beaucoup de recherche sans beaucoup de controverse. Je ne mentionnerai que quelques exemples : des études comparatives d'actualité entre les pays européens (le CEDEFOP a effectué une telle étude en 1999, mais elle est périmée par suite de l'évolution rapide qui a eu lieu depuis). Une cartographie détaillée du domaine incluant la citation de différents exemples concrets de reconnaissance serait également hautement appréciée. Il serait plus ambitieux et très intéressant de voir des études de cohorte sur l'impact à long terme de l'apprentissage non-formel (tant au niveau individuel qu'au macro-niveau). L'enjeu crucial consiste cependant à garantir que la recherche effectuée corresponde aux intérêts des jeunes et des organisations de jeunesse et soit utile dans ce sens. Ceci soulève la question de savoir combien de jeunes peuvent être impliqués, par l'entremise de leurs organisations représentatives, dans l'établissement de priorités dans le domaine de la recherche (un objectif fixé dans le cadre de l'objectif commun d'« une meilleure compréhension et connaissance de la jeunesse »[102]). Cette question ne peut être dissociée de celle qui a été posée précédemment, en l'occurrence, comment peut-on envisager que les organisations de jeunesse produisent de la connaissance et comment peut-on, sur ce point, les soutenir ? On peut affirmer que non seulement la connaissance de la jeunesse, mais également le savoir des jeunes, en particulier les processus sous-tendant la production, sont les clés de voûte du processus de reconnaissance de l'apprentissage non-formel. Citons comme exemple du respect de l'influence des jeunes le modèle danois, qui consiste à disposer d'un Institut de recherche sur la jeunesse[103]. Celui-ci est fondé par le Conseil national de la jeunesse et appartient aux intervenants respectifs, notamment les institutions gouvernementales, les organisations de jeunesse et d'autres acteurs de la société civile, le secteur privé et les syndicats. Il est financé par l'ensemble de ces partenaires selon le principe d'actionnariat.

Ce dernier exemple m'amène à mon dernier point, à savoir que, dans le processus de reconnaissance de l'apprentissage non-formel, il serait raisonnable de transformer le triangle en un quadrilatère comprenant non seulement les décideurs, les chercheurs et les organisations de jeunesse, mais aussi les partenaires sociaux, afin de garantir une meilleure évaluation du savoir et des besoins. La raison n'est pas que nous voulons détenir la reconnaissance pour améliorer l'employabilité. Mais il s'agit d'un fait pur et simple, qui est l'une des motivations clés du processus, et il convient donc d'en parler franchement. On a trop évoqué cela au conditionnel, sans inviter les employeurs à la table des discussions. Pour faire en sorte que les initiatives soient ancrées dans les réalités du marché du travail, mettons notre triangle au défi et proposons-lui d'autres points de vue sur le savoir.

En conclusion, nous avons effectivement besoin d'un dialogue structuré, pas seulement avec les décideurs en matière d'élaboration de politiques, mais également avec les chercheurs et les décideurs en matière de développement de la connaissance. Le Forum européen de la jeunesse appelle davantage d'établissements et d'organisations d'enseignement à effectuer de la recherche sur l'éducation non-formelle afin de parvenir à une meilleure compréhension de la valeur des méthodes utilisées et des résultats de l'enseignement. Par ailleurs, il faut faire en sorte que les résultats de la recherche reçoivent la diffusion la plus large possible, et qu'ils soient bien entendu utilisés dans l'élaboration des politiques. Ensemble, en tant que partenaires et acteurs du domaine, nous devons les uns comme les autres être davantage « orientés sur la recherche » ; pas nécessairement pour produire plus de savoir, mais pour être plus attentifs à la recherche/ au savoir et à leur valeur dans l'élaboration du travail jeunesse et de la politique jeunesse.

Le Forum européen de la jeunesse souhaiterait, pour finir, et à l'occasion du lancement du « *European Knowledge Centre for Youth*

Policy », relever l'exemple d'un partenariat dans le domaine de la jeunesse entre nos deux principaux partenaires institutionnels, le Conseil de l'Europe et la Commission européenne, également appelé les Conventions. Ce partenariat constitue une pratique exemplaire pour d'autres institutions internationales et gouvernements nationaux, car il repose sur la reconnaissance du fait que la formation en tant que moyen d'apprentissage non-formel et la recherche sont les deux piliers (les deux outils) sur lesquels il convient de s'appuyer pour bâtir un travail jeunesse durable et soutenir des politiques jeunesse fondées sur le savoir.

3.1.3. Eléments d'un programme de recherche réfléchi sur la jeunesse à l'appui de l'apprentissage non-formel

par Carolyn Oldfield

3.1.3.1. L'approche du groupe de travail

Le groupe a commencé ses travaux par des exposés de Tommi Hoikkala, du Réseau de recherche finlandais sur la jeunesse et de Peter Torp Madsen, du Forum européen de la jeunesse. À la suite de ces exposés, le débat a porté sur un vaste ensemble de sujets. Après la première pause, le président, Tom Wylie, a proposé que le groupe utilise une approche plus structurée pour aborder à tour de rôle les enjeux suivants : (a) Le travail jeunesse et sa relation avec l'apprentissage et l'éducation non-formels, (b) Reconnaissance et évaluation, (c) Quel rôle doit jouer la recherche ?

Au cours des débats, les participants ont essayé de déterminer les secteurs dans lesquels on trouve un accord général et des compréhensions communes, et ceux dans lesquels un consensus n'est pas possible.

3.1.3.2. Mise en situation

Tommi Hoikkala a présenté une vue d'ensemble de l'évolution actuelle dans le domaine de l'apprentissage non-formel et de ses relations avec d'autres formes d'apprentissage, ainsi que de la reconnaissance et de la validation de cet apprentissage ; les points clés sont les suivants :

* Il convient d'envisager l'éducation non-formelle davantage du point de vue de l'autonomisation que de celui des dimensions économiques (perspective de Lisbonne) : il s'agit de mieux le conceptualiser en tant qu'« apprentissage civique ».

* Il convient de reconnaître l'interaction entre l'apprentissage formel, non-formel et informel et d'examiner les contextes spécifiques des milieux d'apprentissage.

* Il convient de modifier la métaphore du triangle travail jeunesse, politique jeunesse et recherche jeunesse afin d'y inclure un rôle explicite pour la voix des jeunes. Tommi Hoikkala a cité un exemple finlandais de recherche sur les identités du travail jeunesse et des activités civiques. Cette recherche ne cherchait pas seulement à obtenir de l'information, mais à créer un nouvel espace pour le débat entre les jeunes, les chercheurs, les organisations de jeunesse et les pouvoirs publics, grâce auquel les perspectives et les différences entre les générations pouvaient être abordées. Il a décrit cette approche comme une « recherche réflexive sur la jeunesse ».

Peter Torp Madsen s'est concentré, quant à lui, sur le rôle des jeunes lorsqu'ils travaillent les uns avec les autres au sein du « triangle » (c'est-à-dire gouvernement, chercheurs et praticiens) pour élaborer une politique jeunesse. Les points clés de son intervention sont les suivants :

* Des relations telles que l'encadrement proposent un moyen de transférer le savoir et l'expérience entre les générations, mais il est important de reconnaître et de soutenir les organisations de jeunesse et les jeunes en tant que fournisseurs de savoir et d'apprentissage – c'est-à-dire renverser le processus générationnel descendant de la transmission du savoir.

* Il convient d'opter pour une meilleure reconnaissance du rôle des organisations de jeunesse dans l'apprentissage non-formel au moyen du perfectionnement des compétences pratiques.

* Il est important que les jeunes soient en mesure de reconnaître et d'articuler les compétences théoriques et pratiques qu'ils ont acquises grâce à la participation à des organisations de jeunesse et au rôle des portefeuilles – tel celui mis au point par le Conseil de l'Europe – permettant de fournir des preuves. Pour Peter Torp Madsen, cette dimension est plus importante pour les jeunes que la sanction par un certificat.

*   Il convient de trouver des moyens pour mesurer l'impact de l'apprentissage non-formel et ses avantages, tant pour l'individu que pour la société.

3.1.3.3. Les trois principaux points de discussion

a) Le travail jeunesse et sa relation avec l'apprentissage et l'éducation non-formels

Le groupe rejette l'affirmation selon laquelle l'adéquation du travail jeunesse avec l'apprentissage non-formel est motivée par des impératifs politico-financiers (par exemple l'engagement de Lisbonne envers l'apprentissage non-formel). Le travail jeunesse s'intéresse depuis fort longtemps à l'éducation informelle. Un vaste consensus se dégage sur le fait que le travail jeunesse est étroitement lié à l'apprentissage non-formel, mais n'en est pas l'égal. Le travail jeunesse est considéré comme fournissant le cadre et les conditions dans lesquelles l'apprentissage non-formel se déroule. Les points spécifiques sont les suivants :

*   Le travail jeunesse est un système comprenant des objectifs, des méthodes et des valeurs spécifiques, qui tendent à se dérouler dans des milieux situés en marge de l'éducation formelle.

*   L'apprentissage dans le travail jeunesse est un processus dynamique – apprendre en agissant – qui, contrairement à ce qui est le cas dans les écoles, implique un transfert de pouvoir et de responsabilité aux jeunes.

*   Comment devrait-on conceptualiser le travail jeunesse et à quoi faudrait-il le comparer ? Le modèle dominant est pédagogique, mais un modèle d'action sociale pourrait permettre de montrer la valeur du travail jeunesse pour la création de collectivités dans lesquelles les individus se sentent mieux et ont de meilleurs emplois...

*   La relation entre la pédagogie et le plaisir a été examinée. Certains participants décrivent le travail jeunesse comme offrant des moyens de s'associer, d'avoir du plaisir et de trouver des occasions de s'exprimer, tandis que d'autres sont circonspects lorsqu'il s'agit d'insister sur le rôle du plaisir, car ils pensent que cela banalise le travail jeunesse. D'autres font valoir que l'apprentissage et le plaisir ne sont pas nécessairement antagoniques ; le plaisir est un élément de perfectionnement personnel et l'apprentissage devrait être un plaisir. On présente comme exemple une expédition de scouts qui procure du plaisir avec cependant une finalité, puisque les jeunes, en assumant des rôles différents (le leadership, la planification, entretenir le moral des participants...), sont en mesure de combiner le plaisir avec le perfectionnement personnel et l'acquisition de compétences.

b) Reconnaissance et évaluation

Trois questions clés sont dégagées : comment puis-je savoir ce que j'ai appris ? Mon acquis peut-il être reconnu par d'autres ? Mon acquis peut-il être certifié – et devrait-il l'être?

Qu'ai-je appris?

À la première question, le groupe répond qu'il est important que les jeunes impliqués dans le travail jeunesse soient en mesure de reconnaître et de formuler les compétences qu'ils ont acquises. Les travailleurs jeunesse jouent un rôle clé dans la promotion de cette prise de conscience de l'apprentissage, mais ils doivent intervenir au bon moment.

Reconnaissance par les tiers

Les membres du groupe conviennent qu'il faut également que le rôle du travail jeunesse pour promouvoir l'apprentissage non-formel soit davantage reconnu par l'ensemble de la collectivité, y compris par les employeurs. Ils définissent trois types de reconnaissance : la reconnaissance politique, la reconnaissance par le grand public de la valeur du travail jeunesse et la reconnaissance par les employeurs. Les points spécifiques sont les suivants : il convient d'utiliser le bon langage à des fins précises. Par exemple, traduire les compétences acquises grâce au travail jeunesse en une langue utilisée sur le marché du travail. Qu'est-ce qui distingue les sociétés qui accordent de la valeur au travail jeunesse ? Dans les collectivités flamandes de Belgique, il est admis depuis longtemps que la propriété communautaire des maisons de jeunes contribue de longue date à la vie communautaire – mais celle-ci est désormais perturbée par les changements du marché du travail (le travail le dimanche par exemple). D'autres participants citent la création d'initiatives du travail jeunesse en réaction à la criminalité, lorsque les approches descendantes ont connu l'échec, tandis que les initiatives communautaires ont obtenu davantage de succès.

Accréditation

Le groupe n'est pas parvenu à un consensus sur l'accréditation de l'apprentissage non-formel. Différentes approches de la reconnaissance et de l'accréditation ont été formulées :

*   Les approches descriptives recensant les activités et les réalisations des jeunes, c'est-à-dire ce qu'ils ont fait, quels rôles et quelles responsabilités ils ont assumés. Ceci donne notamment aux employeurs la possibilité de déduire les compétences dans des secteurs particuliers, mais on ne cherche pas à les mesurer par rapport à des normes particulières.

*   Les programmes spécifiques – le « *Duke of Edinburgh's Award* (R.-U.) par exemple » – dans le cadre desquels des jeunes âgés de 14 à 25 ans entreprennent des activités évaluées dans quatre secteurs à trois niveaux. Ce Prix est bien connu et bien perçu par les employeurs.

*   Les portefeuilles, grâce auxquels les jeunes utilisent diverses méthodes pour fournir la preuve de leur apprentissage et du perfectionnement de leurs compétences. On considère qu'ils encouragent les jeunes à assumer les responsabilités de leur propre processus d'apprentissage.

La plupart des participants sont convaincus que les portefeuilles constituent la méthode la plus appropriée pour reconnaître les compétences théoriques et pratiques ainsi que les réalisations des jeunes en matière d'apprentissage non-formel. Cependant, ils insistent sur le fait que toute méthode d'évaluation doit faire en sorte de ne pas désavantager davantage les jeunes qui sont déjà défavorisés. Les autres points de discussion ont été les suivants :

*   Admettre que le terme de « reconnaissance » peut être utilisé à la fois dans un sens plus large et plus restreint. Dans le sens plus large, la reconnaissance est une reconnaissance individuelle et partagée de la valeur qui constitue le fondement des processus de reconnaissance ; dans le sens plus restreint, c'est-à-dire celui de l'accréditation. Mais l'accréditation peut également mener à la reconnaissance dans le sens plus large en fournissant un point d'entrée à un jeune.

*   On s'inquiète de voir le processus de reconnaissance formel déformer l'éthique du travail jeunesse – le paradoxe de formaliser l'informel.

*   Les arguments en faveur de l'accréditation sont les suivants : il est possible de tester les compétences acquises grâce au travail jeunesse, mais il ne faut pas refuser aux jeunes la possibilité de démontrer ce qu'ils ont appris ; l'accréditation peut offrir aux jeunes des incitations plus fortes à participer et à une reconnaissance de leur participation.

*   Diverses difficultés sont citées par rapport à l'accréditation. Il s'agit notamment des difficultés pour mesurer les processus d'apprentissage non-formel (particulièrement l'activité en groupe), pour garantir l'objectivité et une validation solide, pour évaluer l'échelle des réalisations chez des jeunes et pour établir des comparaisons entre différentes organisations et différents pays.

*   Certaines compétences – celles des TIC par exemple – sont prédéterminées et par conséquent plus faciles à mesurer et à attester ; d'autres sont plus fluides, dépendent davantage du contexte et sont de ce fait plus difficiles à exprimer par le biais de l'accréditation.

Le groupe convient qu'il est nécessaire, indépendamment de l'accréditation, de créer un langage plus cohérent pour le travail jeunesse dans toute l'Europe.

c) Le rôle de la recherche – recommandations

Le débat a fait ressortir des problèmes liés au rôle des chercheurs, aux méthodes de recherche et aux secteurs dans lesquels une recherche supplémentaire s'impose :

* Il existe une tension entre la recherche exigée par le gouvernement – offrant des résultats immédiats et venant appuyer des politiques gouvernementales particulières – et celle qui est nécessaire pour éclairer les politiques jeunesse à plus long terme.

* Les tensions entre d'autres acteurs doivent également être reconnues et abordées, par exemple, les organisations de jeunesse contestant le monopole des chercheurs sur le savoir.

* Il convient d'examiner plus précisément quelles méthodes conviennent à la recherche sur le travail jeunesse. Comment garantir qu'elles soient participatives, inclusives et réfléchies, tout en demeurant solides, et que le niveau d'interaction et la distance entre le chercheur et le sujet de la recherche soient appropriés.

* Le dialogue entre différents acteurs (y compris les jeunes) doit être amélioré. Tous les acteurs doivent être impliqués dans l'établissement de priorités pour la recherche, doivent être informés des résultats de la recherche et impliqués dans l'élaboration des mesures de suivi.

Certains participants citent des modèles de recherche dans leurs propres pays. Il s'agit des suivants :

* Finlande : une tradition de recherche dynamique et de recherche réfléchie, grâce à laquelle les chercheurs coproduisent avec les praticiens.

* Danemark : un institut de recherche réunissant différents intervenants, y compris les pouvoirs publics, les conseils de jeunes et les chercheurs.

* Luxembourg : une évaluation de l'organisation des scouts catholiques, qui a cherché à perfectionner ses capacités en tant qu'organisation d'apprentissage et dans laquelle ceux qui sont impliqués peuvent évaluer le travail accompli ; en outre, des projets de recherche élaborés en partenariat avec les municipalités.

* Royaume-Uni (Angleterre) : une politique de recherche sur les jeunes et un forum de pratiques qui attribuent des places aux milieux de la recherche, de la politique et de la pratique, afin d'aborder des thèmes particuliers liés aux jeunes. On a laissé entendre que cela pourrait être appliqué à l'échelle européenne.

* Pologne : un financement européen pour un projet de recherche dynamique a amené des jeunes à élaborer leurs propres projets. Ce projet de recherche a été utilisé comme base pour demander le soutien des décideurs.

Secteurs dans lesquels une recherche supplémentaire s'impose :

* La recherche paneuropéenne pour produire une compréhension commune des éléments essentiels – l'« ADN » – du travail jeunesse.

* Des études comparatives, notamment une étude des pédagogies du travail jeunesse dans toute l'Europe.

* Une évaluation de l'impact global de l'implication dans le travail jeunesse et dans les activités volontaires (à plus court et à plus long terme) sur les jeunes, les organisations et les collectivités.

* La motivation des jeunes à s'impliquer dans les organisations de travail jeunesse.

* La recherche sur l'impact (positif et négatif) d'une plus grande insistance sur la reconnaissance et l'accréditation, en particulier afin d'évaluer les risques d'une éventuelle déformation de la nature du travail jeunesse.

* Est-ce que les travailleurs jeunesse se considèrent comme des éducateurs non-formels ?

* Des études longitudinales des jeunes, notamment sur les trajectoires biographiques et le rôle du travail jeunesse.

* Les thèmes intergénérationnels, notamment la relation entre les personnes plus âgées et les jeunes dans l'échange de savoir.

3.2. Améliorer l'échange de savoir transsectoriel pour une planification et une élaboration efficaces d'une politique jeunesse

Le groupe de travail 2 était présidé par Peter Lauritzen (chef du Département jeunesse, Direction Jeunesse et Sports, Conseil de l'Europe), assisté par Patrice Joachim (chercheur au CESIJE, Luxembourg).

3.2.1. Le fondement de l'échange de connaissances dans l'élaboration d'une politique jeunesse

par Anthony Azzopardi

Dans ce document, j'examine brièvement les éléments fondamentaux de l'échange de savoir dans le cadre de l'élaboration d'une politique jeunesse. J'essaie de cerner les domaines qui détiennent des poches de savoir particulier, d'évaluer la valeur de ce savoir et de proposer le remaniement des structures établies et de leurs moyens de communication d'une façon plus visible. Le regroupement de ce qui est disponible est préférable à la création d'initiatives entièrement nouvelles.

3.2.1.1. Introduction

Le savoir est un outil puissant. D'aucuns vont même jusqu'à considérer le savoir comme l'incarnation du pouvoir. C'est la connaissance d'enjeux et de contextes particuliers et spéciaux qui fait des hommes politiques des décideurs puissants, qui donne aux éducateurs un « pouvoir » sur les apprenants et qui fait des chercheurs des agents influents. Ainsi, le savoir a le pouvoir de transformer en gardiens des groupes et des secteurs particuliers. Ces gardiens, quant à eux, créent des domaines qui peuvent apparaître inaccessibles à ceux qui souhaitent ardemment acquérir une partie du savoir-faire qui y est entreposé. Si, d'une part, la transmission et le partage du savoir entreposé peuvent être considérés comme un processus risqué, par suite de la perte d'un certain pouvoir, l'échange de savoir est, d'autre part, le ferment permettant de créer des synergies. Contrairement à ce que prétend le dicton, la somme des parties peut être plus grande que le tout.

Compte tenu de ce qui précède, il est essentiel, dans le contexte de la planification et de l'élaboration d'une politique jeunesse, de tenter a) de définir quels sont les domaines qui possèdent de la connaissance pouvant être partagée, b) d'évaluer l'à-propos de ces poches de savoir pour un processus d'élaboration efficient et efficace et c) de proposer des structures pouvant être utilisées pour faciliter l'échange de savoir.

3.2.1.2. La politique jeunesse et les jeunes

La politique jeunesse est une politique publique qui devrait prendre en compte les défis et les possibilités auxquels sont confrontés les jeunes lorsqu'ils doivent affronter la transition de l'enfance à l'âge adulte. Le savoir émanant de la recherche montre que cette transition est devenue fragmentée, plus longue et plus risquée. La définition de la « jeunesse » est presque devenue un cauchemar pour les chercheurs qui essaient de mettre leurs conclusions à la disposition des décideurs. Les multiples contextes dans lesquels les transitions se déroulent sont devenus aussi complexes que la multitude de situations diverses dans lesquelles les jeunes se trouvent. Parler de transitions linéaires, de vie en dépendance et de passages temporisés par le biais du système formel d'enseignement, par exemple, appartient au passé. La même chose vaut pour la catégorisation des jeunes selon leur âge, leur employabilité ou une distinction de classe perçue. Le concept de vie des jeunes est lui-même rétif à l'adaptation à une quelconque catégorie[104]. Au contraire, les jeunes gens doivent affronter la lutte entre les idées socialement construites et leurs propres aspirations et attentes distinctes. Cependant, ni les constructions sociales ni les aspirations individuelles ne se créent dans un vide. Toute tentative de créer une politique jeunesse publique doit donc prendre en compte la relation qui existe entre ces deux enjeux. Comme le disent Freire et Shor[105] : « Est-ce la façon dont pensent les jeunes qui fait de la société ce qu'elle est maintenant ? Ou est-ce une certaine évolution de la société qui crée des préoccupations parmi les jeunes ? »

Compte tenu de la relation qui existe entre la « façon de penser » des jeunes et les « réactions » de la société, l'un des principaux principes qui devrait régir la politique jeunesse publique est celui de l'intégration. Pour être considérée comme intégrée, une politique jeunesse doit en effet s'inscrire à l'appui des points de vue transsectoriels grâce auxquels la coordination des enjeux de la jeunesse est préservée et « une meilleure prise en compte de la dimension jeunesse dans l'élaboration des autres politiques »[106] est garantie. Cet aspect est corroboré par l'une des propositions figurant dans la déclaration émanant de la Conférence du Conseil de l'Europe des ministres chargés de la Jeunesse à Thessalonique (2002), selon laquelle « les politiques jeunesse devraient avoir une dimension transsectorielle ». Un tel critère pourrait faire office de mesure de précaution face à la possibilité que les affaires concernant la jeunesse deviennent le point de mire d'un domaine public particulier, notamment l'enseignement ou l'emploi. Cependant, le besoin d'une autorité de coordination n'est pas rejeté, puisqu'une telle autorité faciliterait la Méthode ouverte de coordination entre les principaux acteurs dans le domaine de la politique jeunesse, en l'occurrence les domaines gouvernementaux et non-gouvernementaux et les jeunes gens eux-mêmes.

Les concepts d'intégration et de coordination sont, par conséquent, considérés comme applicables tant au niveau institutionnel que local. Au niveau institutionnel, on s'attendrait donc à l'implication d'un vaste ensemble de ministères tels que l'enseignement, l'emploi, la santé, le logement, la protection sociale, la politique familiale et la protection de l'enfant, les loisirs et la politique culturelle, la justice pour les jeunes et l'environnement[107]. Au niveau local, on s'attendrait au respect et à la mise en œuvre de ces thèmes prioritaires s'articulant comme une « combinaison de chances et d'expériences »[108], à savoir, la participation, la citoyenneté active, l'apprentissage non-formel, l'information, l'accès aux nouvelles technologies, les services de santé, le logement, le travail rémunéré, le sport et les activités de plein air, l'environnement salubre et sûr, la mobilité, la justice et les droits des jeunes.

Un examen plus approfondi des domaines et des problèmes connexes énumérés ci-dessus contribuerait à déterminer qui sont les gardiens, à un niveau, et les intervenants, à l'autre. Dans le rôle des gardiens, on trouve les décideurs politiques qui sont fondamentalement responsables de la production d'une stratégie particulière. Dans le rôle des intervenants, on peut désigner les ONG, les travailleurs jeunesse et les jeunes qui sont chargés de l'exécution de la politique. On peut envisager une cohorte de professionnels, notamment les membres des professions juridiques et du milieu de la recherche, qui interviennent à ces deux niveaux et qui peuvent respectivement concourir à créer le soutien législatif dont une politique publique a besoin ainsi qu'à produire les données probantes qui rendent les initiatives stratégiques fiables et crédibles.

Un ensemble aussi complexe de gardiens et d'intervenants peut faire du processus d'intégration et de coordination une activité plutôt redoutable. Cependant, une autorité de coordination solidement ancrée au niveau politique et représentative des ministères responsables des éléments de la politique de l'enfance et de la jeunesse ainsi que d'entités nationales et locales (par exemple les organismes d'emploi et le Conseil national de la jeunesse) contribuerait à éliminer ces problèmes qui apparaissent habituellement lorsqu'un projet est considéré comme appartenant à un agent particulier plutôt que d'être sous la coresponsabilité de tous ceux pour lesquels il importe.

3.2.1.3. Échange de savoir pour la politique jeunesse

Une politique jeunesse n'appartient ni aux jeunes ni à l'État. Comme je l'ai signalé dans les paragraphes précédents, les décideurs politiques sont fondamentalement responsables de la production d'une stratégie, tandis que les professionnels et les jeunes sont les principaux agents de l'exécution de la politique. Lorsque les principes et les objectifs ont été établis, l'étape suivante consisterait à mettre en œuvre ce qui a été promis de la façon la plus efficiencte et efficace possible. Le processus de mise en œuvre ne peut pas être considéré isolément ou comme un addenda au processus d'élaboration. Il fait partie intégrante d'un processus global et il doit être planifié conformément aux principes énoncés et en conjonction avec ceux-ci. Cela nous amène à la question de l'échange de savoir entre les divers secteurs impliqués dans la planification d'une politique jeunesse. Au premier abord, ceci soulève plus de questions que cela ne fournit de réponses ou de solutions pour les défis existants. Compte tenu du nombre de variations contextuelles qui entrent en jeu, il faut évaluer la pertinence des poches individuelles/sectorielles de savoir qui appartiennent aux gardiens, notamment l'État ou le milieu de la recherche, et aux intervenants, notamment les travailleurs jeunesse et les jeunes. En effet, n'est-ce pas l'État, en partenariat avec le monde des affaires et les organismes d'emploi, qui est responsable et qui est au courant du développement économique du pays et de la situation du marché du travail ? Et ne sont-ce pas les jeunes qui sont les plus importants et qui ont leurs propres aspirations et attentes dans des domaines tels que l'enseignement et l'emploi ? Il existe une relation dyadique entre le système – qui fournit les moyens et les possibilités pour l'intégration des jeunes dans la société civile – et les besoins sociaux de groupes particuliers d'acteurs sociaux. Il n'est pas rare que cette relation soit gâtée par une planification inadaptée ou par le manque de cohérence entre les programmes de formation fournis et les besoins personnels et sociaux des clients.

L'expérience a montré que la présence d'un intermédiaire entre l'intégration du système et l'intégration sociale est fondamentale. En effet, pour que l'échange de savoir se fasse de façon structurée et organisée, on a besoin d'un intermédiaire fiable et organisé professionnellement – un intermédiaire à multiples facettes qui comprend un solide domaine de recherche constitué d'un ensemble d'experts dans les domaines de la recherche, de la formation au travail jeunesse et du travail jeunesse, qui ont reçu une formation professionnelle. En faisant office de comité consultatif auprès de l'autorité de coordination mentionnée plus haut, aux niveaux local et/ou national, une telle équipe serait en mesure de mettre son savoir en commun avec celui des décideurs. La principale fonction du comité consultatif consisterait à entreprendre une recherche permanente et de fournir aux décideurs des résultats fiables et d'actualité.

3.2.1.4. Un savoir ad hoc et utile ?

La prochaine question qui se pose concerne le genre de savoir qui serait disponible pour être échangé. Il n'existe pas un aspect unique de l'information qui appartiendrait exclusivement à un domaine particulier. Le gouvernement central, par exemple, devrait jouer le rôle principal pour déterminer ce qui doit être fait et pour établir certains paramètres pour la politique, mais il devrait, par la même occasion, s'occuper de créer des conditions propices à la mise en œuvre de cette politique. Par conséquent, la disponibilité de ressources financières et humaines ne peut pas seulement être mesurée à l'aune des contraintes budgétaires sans tenir compte des objectifs établis. En d'autres termes, pour établir des politiques, il faut savoir de quelle manière ces objectifs sont mesurables. Il est donc important d'établir des objectifs qui soient pertinents pour les jeunes, et pas seulement dans la perspective des résultats souhaités, indépendamment de la popularité apparente de ces derniers. Or, les objectifs stratégiques deviennent pertinents lorsqu'ils tiennent compte des besoins des jeunes, et non de ce dont les décideurs pensent que les jeunes ont besoin. Le dialogue et la consultation avec les chercheurs, les ONG et les jeunes peuvent fournir le savoir souhaité. Les chercheurs possèdent les outils avec lesquels ils peuvent mettre en évidence les tendances et faire abstraction des fausses idées populaires ; les ONG peuvent fournir de l'information sur la participation, la mobilité et les questions de droits, par exemple ; et les jeunes, à titre personnel ou par l'entremise de leur représentant du travail jeunesse, peuvent exprimer leurs souhaits particuliers pour leur engagement dans la société civile en tant que citoyens actifs.

La représentation sous forme de diagramme de ce qui a été proposé jusqu'à présent pourrait aider le lecteur à mieux comprendre les ramifications de la structure proposée.

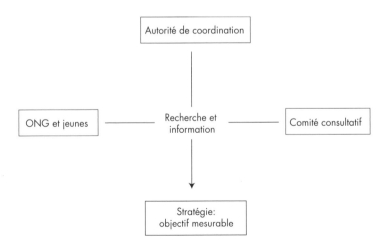

Fig. 4: Ensemble d'acteurs de la recherche et de l'information

Le diagramme montre, de façon simplifiée, que la décision finale au sujet des objectifs stratégiques ne peut être prise sans l'intervention du comité consultatif, des ONG et des jeunes. Les trois entités sont armées du savoir approprié qui, lorsqu'il est amalgamé, devrait produire un résultat consensuel et pertinent. Le diagramme montre que la structure et l'organisation appartiennent aux trois sections. L'autorité est organisée selon sa représentativité et son poids politique ; le comité consultatif, de concert avec les ONG et les jeunes, est structuré dans ses attributions de façon à fournir un savoir local ; et la structure d'ensemble ne peut produire de résultats sans la contribution mutuelle et indispensable de chaque secteur.

3.2.1.5. Modalités pour la diffusion de la connaissance

Si un tel arrangement devait produire un échange structuré et organisé de savoir au niveau national, on espérerait qu'il se solde par un résultat positif, si les concepts impliqués devaient être extrapolés au niveau international.

Lorsque l'on prend comme point de départ la création du « *European Knowledge Centre* » et des accords de partenariat pour la recherche sur les jeunes conclus entre la Commission européenne et le Conseil de l'Europe, on peut constater que l'axe central autour duquel s'articule la réussite est le partage du savoir – savoir qui est fourni par les représentants des divers pays et qui est disponible soit en ligne, soit sous forme d'imprimés. La réussite dépend d'informations dignes de foi et valides qui sont fournies par des correspondants et des experts formés et bien informés.

Si l'on se reporte à la proposition faite plus tôt, on constate qu'en fin de compte, l'efficience et l'efficacité d'une politique jeunesse reposent carrément sur les faits probants fournis par les gardiens et les intervenants nommés plus haut. Il reste à dire que la recherche jeunesse ne devrait pas être l'apanage des universitaires. La situation globale actuelle indique que les chercheurs établis dans le système formel d'enseignement ou en tant que membres d'organismes de recherche et consultatifs sont les principaux contributeurs.

Il est proposé que les praticiens du domaine de l'éducation non-formelle entrent en lice et deviennent des partenaires égaux des chercheurs universitaires. Ceci implique, bien entendu, qu'il faut stimuler une éthique de la recherche parmi les travailleurs jeunesse. Si les aspects théorique et pratique fusionnaient plus solidement, l'échange de savoir qui en découlerait serait bien mieux organisé et structuré. Ceci ne signifie pas que les universitaires n'adoptent pas des approches quantitatives et qualitatives de leur travail, ou que les enjeux pratiques ne sont pas pris en ligne de compte. Cela signifie plutôt que la formation au travail jeunesse devrait comporter plus de méthodes de recherche, de sorte que les futurs travailleurs jeunesse aient les moyens d'effectuer leurs propres projets de recherche, contribuant ainsi davantage à la constitution d'un ensemble de données probantes dont a besoin une politique jeunesse.

Par ailleurs, indépendamment de la quantité de données probantes qui sont produites et de savoir qui est partagé, la diffusion de l'information demeure impérative. L'engagement de la société civile dans le processus de partage du savoir peut être réalisé en utilisant tous les moyens de communication. L'éducation des acteurs sociaux dans ce domaine ne peut être confiée à un support unique particulier, étant donné qu'à l'heure actuelle la création de collectivités virtuelles semble prendre le pas sur tous les autres systèmes. Nonobstant la révolution favorable provoquée par les technologies modernes, il ne faut pas négliger l'importance des supports imprimés sous forme de feuillets d'information et de livres.

3.2.1.6. Suivi du processus et réflexion

Il faut aborder une dernière question à laquelle la logistique peut trouver une réponse ou une solution. L'organisation et la structure sont sujettes à un certain nombre d'échecs découlant d'erreurs humaines, de contraintes financières et de défaillances de gestion. Compte tenu des structures qui sont déjà en place pour le partage du savoir, il faudrait peut-être viser à améliorer la situation plutôt que d'introduire de nouvelles mesures. L'expérience acquise grâce aux douze examens de la politique jeunesse qui ont été effectués jusqu'à présent par des groupes d'experts du Conseil de l'Europe montre que chaque pays a ses propres priorités et sa propre méthode pour aborder les principaux défis que présentent les jeunes. Cependant, on ne peut accepter que l'on s'écarte de quelque façon des principes démocratiques enchâssés dans les lignes directrices pour la formulation et la mise en œuvre des politiques jeunesse établies par le Conseil de l'Europe et la Commission européenne.

Par conséquent, lorsque l'on envisage l'organisation du partage du savoir, on présume que, quelles que soient les structures qui sont établies, les principes de la véritable participation, de l'égalité, de l'équité et de l'apprentissage sous toutes ses formes (formel, non-formel, informel, tout au long de la vie et dans tous les aspects de la vie) sont respectés. Je soulève ce point parce que des enjeux moraux considérables entrent en lice lorsque la puissance de la connaissance est en jeu. La composition de l'autorité de coordination et du comité consultatif qui a été proposée ne peut pas être compromise par la présence de personnel qui n'est pas conscient de l'engagement qu'un tel poste comporte. Les ressources qui sont prévues pour la mise en œuvre de la politique ne peuvent pas non plus entraver les mesures prescrites par les objectifs qui ont été fixés. En outre, les sains principes et compétences de gestion, y compris la cogestion, la responsabilisation et la transparence, sont indispensables.

3.2.1.7. Conclusion

Les implications qui découlent des propositions que je fais dans cette brève intervention tendent vers un regroupement de la plupart des activités qui ont déjà été tentées. La question de l'amélioration de l'échange de savoir transsectoriel est examinée cinq ans après la publication du Livre blanc de la Commission européenne, « Un nouvel élan pour la jeunesse européenne », après douze examens de la politique par les groupes internationaux d'experts du Conseil de l'Europe, après un certain nombre de missions conseils sur l'élaboration d'une politique jeunesse, après six conférences ministérielles et après la publication d'un certain nombre de documents et de rapports pertinents par le Conseil et la Commission. Je suis persuadé que ce n'est pas le moment d'envisager de réinventer la roue !

L'heure a plutôt sonné de parvenir à une meilleure compréhension de la véritable participation à tous les niveaux, dans toutes les structures et sur un front plus vaste. À commencer par l'autorité de coordination et le comité consultatif proposés, la participation de tous les intéressés doit être prise plus au sérieux, particulièrement pour ce qui est de l'engagement et de la compétence. La société civile ne peut pas être exclue de l'équation, soit en raison des restrictions de diffusion, soit en raison de l'utilisation de systèmes technologiques de pointe qui peuvent ne pas être disponibles partout. Les chercheurs et les travailleurs jeunesse sont exhortés à cumuler deux fonctions – leur propre fonction et, respectivement, celle de travailleur jeunesse et de chercheur.

Le slogan des années 1960, « le pouvoir [savoir] au peuple » peut éventuellement être appliqué à la société du XXIe siècle axée sur le savoir !

3.2.2. Faire cause commune en tant que partenaires égaux pour relever le défi d'un avenir commun

par Joao Salviano Carmo

Au fil des ans, la définition de la politique jeunesse a été cause à la fois de satisfaction et de mécontentement chez les organisations de jeunesse. De satisfaction, parce que cela signifie que la jeunesse est considérée comme une priorité par les législateurs et les décideurs ; cela veut également dire que la jeunesse est inscrite à l'ordre du jour politique des différents gouvernements et institutions dans lesquels une telle politique a été élaborée. Cependant, le simple fait d'élaborer une politique jeunesse ne signifie pas que les problèmes, les points de vue et les souhaits de la jeunesse soient pris en compte dans de telles mesures. Par conséquent, au cours des dernières années, le mécontentement des organisations de jeunesse et des jeunes en général a été constant – en réaction aux politiques proprement dites, mais également à tous ceux qui les formulent et les mettent en œuvre.

Manifestement, ce sentiment mitigé à l'égard de la politique jeunesse vise directement le point de vue paternaliste et le manque de participation des jeunes à la formulation de ces politiques, dans lesquelles la jeunesse est souvent considérée comme un problème plus que comme un élément de solution aux problèmes de la société. Des politiques dont l'objectif consistait souvent à occuper les jeunes le plus possible afin que, poussés par l'inactivité, ils ne deviennent pas des fauteurs de trouble en puissance.

Le temps a donné raison aux organisations de jeunesse qui réclament une plus forte participation à l'élaboration, non seulement des politiques jeunesse, mais aussi des politiques en général, car la jeunesse n'est pas un groupe sectoriel végétatif, immuable à travers les époques, mais bien plutôt un groupe dynamique de citoyens qui parcourt tous les chemins de la vie et qui est disposé à participer pleinement à la vie et au développement des sociétés.

La volonté de modeler notre vie et notre avenir et le désir de contribuer à la construction d'un monde meilleur sont la motivation cachée qui nous anime tous lorsque nous réclamons davantage de participation et de contribution à l'élaboration des politiques, indépendamment du secteur qui nous occupe ici.

Au cours des dernières années, un certain nombre d'outils visant à favoriser la promotion des jeunes dans l'élaboration des politiques ont été élaborés au niveau européen. Dans la foulée du Livre blanc de la Commission européenne intitulé « Un nouvel élan pour la jeunesse européenne », la Méthode ouverte de coordination (MOC) dans le domaine de la jeunesse a été le premier outil abordant à la fois des enjeux particuliers qui interpellent la jeunesse, notamment les activités volontaires, et incluant le point de vue et les perspectives des jeunes dans le cadre d'une approche transsectorielle. La MOC donne aux organisations de jeunesse la possibilité de travailler dans des secteurs tels que l'autonomie des jeunes, le logement ou l'emploi, pour ne citer que ces exemples. Pour la première fois, les préoccupations particulières des jeunes ont été prises en compte.

Nous avons franchi une étape supplémentaire il y a quelques mois. Au moment même où nous parlons, tout en ayant recours au concept et au processus de la stratégie de Lisbonne, on adopte le Pacte européen pour la jeunesse en tant qu'outil pour promouvoir horizontalement l'apport des jeunes dans l'ensemble des différents secteurs de l'élaboration des politiques ; il en découle une approche intégrée et complémentaire pour aborder les espoirs et les préoccupations des jeunes, une approche qui leur permet en outre de contribuer à l'élaboration des politiques qui toucheront différents secteurs de leur vie. Le Pacte européen pour la jeunesse cible une grande variété d'enjeux, depuis l'éducation et l'apprentissage tout au long de la vie, l'emploi, la formation et le monde de l'entreprise, jusqu'à l'inclusion sociale, la mobilité et le logement.

Avec ces deux principaux outils, on comprend qu'il est nécessaire de trouver un moyen d'inclure l'apport des jeunes dans une approche transsectorielle.

Le Forum européen de la jeunesse, fort de ses 92 organisations membres réparties en Conseils nationaux de la jeunesse et ONG internationales de la jeunesse, s'est montré déçu du fait que la participation et la citoyenneté active n'aient finalement pas été incluses dans le Pacte européen pour la jeunesse. La participation active des jeunes aux décisions et aux mesures qui les touchent est essentielle si nous voulons bâtir des sociétés démocratiques et prospères. La citoyenneté et la participation ne doivent pas demeurer théoriques ; les jeunes doivent également avoir l'occasion de les pratiquer. Les gouvernements doivent encourager les organisations de jeunesse participatives et leur donner les moyens d'agir en leur fournissant davantage de ressources et en les impliquant dans le processus de prise de décisions liées aux politiques qui les touchent.

L'un des rares espaces dans lesquels les jeunes ont été impliqués avec un certain succès en tant qu'intervenants dans les décisions est le Conseil de l'Europe, plus particulièrement la Direction Jeunesse et Sports. Des représentants du Forum européen de la jeunesse et d'autres organisations de jeunesse compétentes rencontrent des représentants des pouvoirs publics et décident ensemble des priorités et des mesures à prendre en ce qui concerne la jeunesse au Conseil de l'Europe. Certes, la participation des chercheurs jeunesse manque dans ce modèle (bien que ce manque soit d'une certaine façon comblé par le Conseil de l'Europe lui-même et son travail unique qui consiste notamment à produire des rapports nationaux sur la jeunesse), mais il s'agit certainement d'un modèle digne d'intérêt qui pourrait être mis en œuvre, tant au niveau national qu'européen et international. Actuellement, les organisations de jeunesse font la promotion d'un système de cogestion au niveau mondial par le biais du système des Nations Unies, ce qui prouve manifestement que ce modèle fonctionne, et qu'il est en outre satisfaisant pour les jeunes et les gouvernements.

La promotion de la participation des jeunes consiste également à donner un poids politique aux acteurs de la jeunesse et aux questions examinées. Les jeunes, par l'entremise de mouvements organisés, sont capables de mettre en place un vaste processus de consultation impliquant de nombreux jeunes et aboutissant à la réalisation d'un vaste consensus sur des positions stratégiques transsectorielles, allant de l'enseignement à l'emploi, en passant par le logement et la santé, tout en favorisant le développement de citoyens plus participatifs, mieux préparés et mieux informés.

Les connaissances que les organisations de jeunesse peuvent apporter à l'élaboration des politiques contribuent, le cas échéant, à accroître la pertinence et la visibilité des enjeux dont cette politique fait la promotion. Les jeunes tendent à être passionnés à propos de ce qu'ils font, et cette passion exerce souvent un effet contagieux, suscitant toujours plus de soutien pour les causes auxquelles nous croyons et que nous défendons. Grâce à l'énergie et à la créativité avec lesquelles les jeunes s'engagent dans le débat et la promotion de leurs propres points de vue, nous sommes normalement en mesure de lancer de vastes débats de société impliquant différents intervenants, tandis qu'entre nous, nous trouvons des voies qui facilitent la compréhension et le consensus, car nous ne subissons pas autant de restrictions que d'autres générations, et notre vision de ce qu'il est possible de faire tend à être plus vaste, car nous n'imposons pas à nos visions des contraintes inutiles qui limitent ou restreignent notre action.

Cependant, une meilleure compréhension des jeunes s'impose et doit être développée. Les jeunes d'aujourd'hui vivent dans un monde en rapide évolution et, bien souvent, l'information quantitative et qualitative à leur sujet et sur leur situation fait défaut. Pour favoriser une meilleure compréhension des jeunes, il faut s'appuyer sur un savoir fiable, pour lequel il faut des données qui doivent être analysées. Pour cela, il faut une recherche de qualité sur la jeunesse. La recherche jeunesse doit aborder tous les secteurs qui sont pertinents pour les jeunes et prendre en compte la vie quotidienne, les réalités et la diversité des jeunes.

Toute tentative d'élaboration et de mise en œuvre de politiques jeunesse susceptibles d'améliorer la qualité de vie des jeunes mais aussi celle de l'ensemble de la société doit être sous-tendue par une compréhension exhaustive et véritable des jeunes et de leur situation de vie. Dans un certain nombre de secteurs, la politique jeunesse est élaborée ponctuellement, par quelques rares experts, ou en réaction à la plus récente crise ou panique morale. De telles approches tendent à aboutir à une distorsion de la réalité. Par conséquent, l'Union européenne et tous ses États membres doivent s'orienter vers l'adoption d'une approche de la politique jeunesse axée sur la connaissance.

Les politiques jeunesse doivent être élaborées et révisées en s'appuyant sur une recherche universitaire certes solide, mais également en consultant et en faisant participer les jeunes et les organisations de jeunesse.

Une meilleure communication et coordination entre les différents acteurs est l'un des éléments clés de l'amélioration de l'élaboration des politiques. Des événements comme celui-ci, dans lesquels des organisations de jeunesse, des chercheurs et des décideurs se réunissent pour étudier et analyser leurs différents points de vue et parvenir à un terrain d'entente pour poursuivre les travaux, sont une manière de réaliser des progrès. Cependant, ce type de triangle dans lequel la société civile, le monde universitaire et le monde politique unissent leurs efforts pour trouver des solutions aux problèmes actuels doit être étendu à l'élaboration de politiques jeunesse et, plus important encore, au processus de prise de décisions. Faute d'impliquer ces trois secteurs, le processus d'élaboration des politiques sera incomplet et, par conséquent, ne conviendra pas aux fins auxquelles il est destiné.

Ce bilan de la situation étant fait, l'objectif consiste à trouver des façons d'impliquer le plus grand nombre possible de jeunes et d'organisations de jeunesse dans le processus décisionnel, en lui conférant une optique transsectorielle.

Les ressources qui seront proposées par le « *European Knowledge Centre for Youth Policy* » pourraient être l'un des outils axés sur l'approche transsectorielle. Une base de données comme l'EKCYP, qui fournit des ressources fondées sur l'apport du milieu de la recherche et des organisations de jeunesse, pourrait être l'un des piliers du dialogue structuré. Pour que ce travail ne soit pas mené en vain, l'EKCYP doit être rapidement développé – avec des moyens financiers et humains. Cet outil peut contribuer au dialogue entre les acteurs, procurer une vue d'ensemble générale des problèmes que doivent affronter les jeunes dans toute l'Europe, au niveau européen (en matière de mobilité par exemple), mais également au niveau national et local. Cependant, l'EKCYP n'est qu'un outil et ne peut remplacer un dialogue structuré.

Les analyses et les revendications des organisations de recherche et de jeunes doivent être prises en compte pour élaborer et mettre en œuvre les politiques de façon appropriée. Leurs préoccupations et leurs recommandations devraient être inscrites à l'ordre du jour politique, grâce à un dialogue structuré, et ne pas être négligées en raison d'intérêts politiques « plus élevés ». On devrait bien mieux apprécier leur apport afin de planifier des politiques adaptées et efficaces pour les jeunes.

La stratégie de Lisbonne énonce clairement que son objectif est de construire « l'économie de la connaissance la plus compétitive et la plus dynamique du monde, capable d'une croissance économique durable accompagnée d'une amélioration quantitative et qualitative de l'emploi et d'une plus grande cohésion sociale ». Ceci peut paraître un objectif très ambitieux, voire quasi-irréalisable, si l'on examine la situation actuelle en Europe. Dans cette Union européenne où le chômage augmente, où la situation économique est quelque peu frustrante, loin des rêves des fondateurs de l'idéal européen, et où les citoyens prétendent qu'ils se sentent exclus du processus de construction de l'Union et éloignés des centres de décisions, il faut agir pour améliorer la situation.

Nous entendons souvent dire que la jeunesse est l'avenir et que nous devons investir dans nos jeunes générations. Mais la jeunesse, c'est également le présent ! Nous ne réclamons pas davantage de participation par vanité ou par égoïsme, et nous ne critiquons pas en vain. Nous trouvons que nous devons être impliqués le plus possible dans le processus décisionnel, pas seulement en tant qu'héritiers légitimes des conséquences qui peuvent en découler, mais principalement parce que nous sommes à la fois des citoyens et des acteurs de la société. Si nous critiquons, c'est parce que nous voulons le meilleur pour nous-mêmes et ceux qui nous entourent. Si nous réclamons plus de participation, c'est parce que nous sentons que nous avons quelque chose à dire, et que ce que nous avons à dire est tout aussi valable que la contribution de tout autre acteur de la société.

Pour bâtir une société de la connaissance, de la citoyenneté, de l'engagement et de la responsabilité, on ne peut refuser aux jeunes le droit légitime d'exprimer leur point de vue et le fond de leur pensée, partout et chaque fois qu'il convient de le faire.

Le Forum européen de la jeunesse et l'ensemble des organisations de jeunesse défendent les mêmes valeurs et les mêmes principes que ceux qui guident l'Europe, ses pays membres et ses institutions. Par conséquent, nous demandons que nos voix soient entendues et prises en compte dans l'élaboration et la mise en œuvre des politiques qui ne touchent pas seulement la jeunesse, mais également toute la société.

Si nous retournons au berceau de la démocratie, nous nous rendons compte que tous ceux qui étaient considérés comme des citoyens avaient le droit de participer, et que les décisions étaient prises en s'appuyant sur le savoir et la sagesse de ceux auxquels la direction des villes et des États avait été confiée. Ce qui nous attend n'est pas la création de quelque chose de nouveau, mais la résurrection d'un ancien concept qui doit être fondé sur le partage des valeurs modernes et dans lequel les hommes et les femmes sont égaux, dans lequel la race, l'origine ethnique et la religion ne sont pas des obstacles mais des complémentarités favorisant la diversité et la liberté laissée à chacun d'être soi-même. En étant ce qu'il est, chaque citoyen est nécessaire, et sa participation et son intégration dans le processus politique sont les bienvenues.

Ce dont nous avons besoin, c'est d'une société dans laquelle les jeunes, les chercheurs et les décideurs politiques se réunissent et décident, d'égal à égal, de quoi devrait avoir l'air notre avenir commun.

3.2.3. Éléments d'une future politique de gestion de la connaissance de la jeunesse

par Jaakko Weuro

Le groupe de travail a basé son débat sur les allocutions des conférenciers Anthony Azzopardi et Joao Salviano Carmo. Anthony Azzopardi a exposé une proposition pour une structure qui servirait de fondement à l'amélioration de l'échange de savoir transsectoriel. Joao Salviano Carmo a présenté, quant à lui, différents processus d'élaboration d'une politique jeunesse et le rôle que les organisations de jeunesse peuvent y jouer. Il a également soulevé la question du besoin d'une participation efficace des jeunes à l'élaboration des politiques.

Après les exposés des conférenciers, le groupe a soulevé la question du concept de praticien dans le domaine de la jeunesse. Ces praticiens sont-ils considérés uniquement comme des travailleurs jeunesse professionnels qui œuvrent pour et avec des jeunes dans certaines organisations publiques, ou est-ce que le concept de praticien devrait également englober le travail effectué dans les ONG jeunesse, soit par des volontaires (y compris par les jeunes eux-mêmes, notamment dans des organisations de jeunesse participatives) soit par des professionnels ? Il a été convenu que le concept plus vaste devait être retenu. Le groupe considère qu'il est important de comprendre que les organisations de jeunesse peuvent, en fonction de la situation prévalant dans le secteur dans lequel elles sont actives, jouer différents rôles, notamment celui de praticien, mais également celui de décideur.

3.2.3.1. Concept général de la connaissance

Le concept du « savoir » des jeunes a également été examiné. Il est convenu que le savoir n'est pas seulement le résultat de la recherche scientifique, mais également un savoir pratique détenu par les organisations de jeunesse et d'autres praticiens, ainsi que les expériences des jeunes qui sont inaccessibles à d'autres personnes qu'eux-mêmes. Tout en gardant à l'esprit ce concept de la connaissance, le groupe a convenu de ne pas exclure une quelconque forme de savoir comme base de planification d'une politique jeunesse.

3.2.3.2. La participation comme préalable d'une bonne politique

La question de la participation des organisations de jeunesse et du milieu de la recherche à la gestion de l'élaboration d'une politique jeunesse a largement été examinée par le groupe. Celui-ci s'interroge sur le fait de savoir si les jeunes, représentés par leurs organisations, peuvent participer de façon significative au processus décisionnel. Les données probantes émanant d'organisations internationales (notamment le Conseil de l'Europe ou le Conseil nordique) et de certains États membres laissent entendre qu'amener les organisations de jeunesse au même niveau que les autres acteurs relève avant tout d'une question de volonté politique.

Le groupe convient qu'il est urgent de créer des espaces pour les différents acteurs (les décideurs, les représentants des organisations de jeunesse et les membres du milieu de la recherche), afin qu'ils puissent se retrouver autour d'une même table. La participation des jeunes et du milieu de la recherche n'est pas un objectif idéaliste, mais la condition préalable d'un échange efficace de la connaissance. C'est également la participation qui permet de canaliser le savoir que possèdent les organisations de jeunesse et les jeunes, d'une part, et les chercheurs jeunesse, d'autre part, dans le processus d'élaboration des politiques. La participation est un élément constitutif essentiel des politiques jeunesse véritablement fondées sur le savoir.

3.2.3.3. Proposition : une agence européenne de la connaissance de la jeunesse

Pour garantir la gestion du savoir et la participation de tous les acteurs compétents, le groupe propose de créer, au niveau européen, une agence pour la connaissance des jeunes. Cette agence devrait être chargée de gérer et de coordonner la recherche. La direction de l'agence devrait comporter des représentants des trois parties travaillant dans le domaine de la jeunesse : les décideurs, les organisations de jeunesse et les chercheurs jeunesse.

3.2.3.4. Comment coordonner la politique jeunesse ?

La question de la coordination de la politique jeunesse a également été examinée par le groupe. La nature transsectorielle de la politique jeunesse fait surgir la question suivante : dans les instances publiques, que ce soit au niveau national ou au niveau européen, quel est le point d'ancrage de la politique jeunesse ? Pour un ministère chargé uniquement de la jeunesse, il est très difficile de faire en sorte que tous les services administratifs compétents s'engagent et contribuent à la mise en œuvre de la politique jeunesse.

Le groupe a examiné les différentes méthodes permettant d'aborder le problème de la coordination de cet engagement et a convenu que la coordination de la politique jeunesse devrait être rattachée soit à un ministère possédant une autorité et une capacité de coordination élevées (le cabinet du Premier Ministre par exemple), soit à une décision politique exécutoire (loi, décret du Conseil des ministres, etc.).

3.2.3.5. Des défis pour l'échange de savoir

Cinq grands défis pour l'échange de savoir ont été dégagés :

*   Le besoin de structures formelles pour permettre un dialogue structuré.

*   Un organisme pour gérer le savoir.

*   La nécessité de faire participer les jeunes et d'impliquer les organisations de jeunesse.

*   Le besoin de personnes axées sur la recherche.

*   Les canaux utilisés pour la communication.

3.2.3.6. La voie vers l'avant – propositions pour des mesures à prendre

À la fin du débat, le groupe a formulé un certain nombre de propositions concrètes.

Au niveau européen

Pour la Méthode ouverte de coordination de l'UE dans le domaine de la jeunesse, le groupe propose qu'un groupe tripartite soit constitué afin de suivre la mise en œuvre et le développement de l'objectif commun préconisant une meilleure compréhension et une meilleure connaissance de la jeunesse.

Agence européenne de la connaissance de la jeunesse

Il devrait exister une agence européenne, véritable plaque tournante qui devrait être chargée de gérer la connaissance de la jeunesse au niveau européen. Dans le droit fil des conclusions sur la participation pleine et efficace de tous les acteurs du domaine de la jeunesse, le groupe fait observer qu'une telle agence devrait être fondée sur un modèle de gestion tripartite regroupant les États membres, les ONG et les chercheurs. Il devrait y avoir une conférence de coordination bisannuelle des acteurs du domaine de la jeunesse, entre l'Agence européenne et les organismes nationaux, afin d'établir des priorités stratégiques communes pour le travail en matière de connaissance des jeunes et pour garantir le réseautage et le « trialogue » entre les acteurs.

Au niveau national

Il devrait exister une agence indépendante, réunissant les chercheurs, les ONG et les décideurs, qui effectuerait un suivi et des recherches sur les questions de politique jeunesse. La coordination de la politique jeunesse devrait être rattachée à des ministères puissants ou à des budgets appropriés (le cabinet du Premier Ministre par exemple). Pour garantir l'unité et la transsectorialité de la politique jeunesse, il pourrait y avoir des commissions nationales pour la politique jeunesse basées sur une représentation de tous les acteurs du secteur jeunesse. De telles agences de la connaissance seraient chargées de dégager les principales tendances et les besoins des jeunes dans le pays et d'évaluer la planification et l'exécution de la politique jeunesse.

À tous les niveaux

Les dispositions pour la recherche devraient être améliorées dans le secteur jeunesse. Tous les acteurs devraient mieux se comprendre les uns les autres et posséder les qualités leur permettant d'interagir les uns avec les autres ainsi qu'avec les médias, les lobbys politiques, etc. L'UE et les États membres pourraient collaborer avec toutes les organisations et les institutions compétentes qui produisent des connaissances sur la jeunesse et devraient être en mesure de réagir avec de l'information provenant de toutes les organisations européennes et mondiales compétentes. La question de la gestion du savoir doit être abordée à tous les niveaux.

3.3. *Accès au savoir et renforcement des réseaux nationaux*

Le groupe de travail 3 était présidé par Michel Lanners (directeur du Service de coordination de la recherche et de l'innovation pédagogiques et technologiques au Ministère de l'Éducation nationale et de la Formation professionnelle, Luxembourg), assisté par Paul Milmeister (chercheur au CESIJE, Luxembourg).

3.3.1. Comment recueillir des données dans le domaine de la jeunesse à l'appui de la politique jeunesse ?

par Bryony Hoskins

Le travail qui s'effectue dans le domaine de la jeunesse pour maintenir et développer la société civile et la cohésion sociale doit être à la fois reconnu et amélioré ; pour cela, il convient de consentir un effort considérable afin de recueillir des données, d'en vérifier la qualité et de les livrer en temps voulu aux décideurs. Il est important, par exemple, d'effectuer le « mappage » des données sur le nombre de travailleurs jeunesse, de volontaires et de jeunes gens impliqués dans des organisations de jeunesse, dans le domaine du travail jeunesse et de la politique jeunesse, car ces données peuvent permettre de dresser un tableau du nombre de personnes effectuant un travail rémunéré ou non-rémunéré dans le secteur de la jeunesse et du nombre de jeunes qui participent activement. Le secteur de la jeunesse mène une existence cachée dans les « jardins secrets » de l'Europe[109], car il peut échapper aux influences et aux structures de l'extérieur. Cependant, la position qu'il occupe est faible sur le plan politique, tant pour ce qui est du budget que du pouvoir d'influence à l'extérieur de son domaine. Étant donné que, de surcroît, on manque de connaissances sur l'impact qu'exerce la politique jeunesse, sa position s'en trouve davantage affaiblie puisqu'il n'y a guère de moyen de savoir quelles politiques fonctionnent dans le domaine. Pour rendre plus visible la contribution du secteur de la jeunesse, il faut adopter une approche à plusieurs volets dans laquelle la collecte de données pertinentes sur la jeunesse et leur analyse systématique constituent un pilier important, fournissant la preuve que le secteur de la jeunesse procure des avantages à la société civile et sur le plan de l'employabilité. Dans ce document, j'examinerai le processus de collecte de données et je m'attarderai en particulier sur ce processus

dans le contexte de la politique jeunesse du Centre européen de connaissances pour la politique jeunesse – « *European Knowledge Centre
for Youth Policy* » (http://www.youth-knowledge.net) – et de son
réseau de correspondants[110].

Le Centre européen de connaissances pour la politique jeunesse
est un projet de gestion du savoir dans le cadre duquel on recueille
et on organise le savoir de toute l'Europe dans le secteur de la
jeunesse et on le rend facilement accessible sur Internet. Il bénéficie
de l'appui d'un réseau de correspondants qui saisissent les données
directement dans le système. Ces données sont organisées selon un
questionnaire en ligne auquel les correspondants répondent en fonction du pays qu'ils représentent. Les réponses sont ensuite extraites
par sujet, par pays et par année. Le lancement de ce projet s'est
déroulé lors de la conférence sous la présidence luxembourgeoise, et
les détails sur la façon dont le système fonctionne se trouvent ailleurs
dans ce livre (voir ci-dessous : Bryony Hoskins, « Le lancement du
'*European Knowledge Centre for Youth Policy*' »). Dans le présent document, je m'intéresserai davantage au processus de collecte de données.

3.3.1.1. Sur quels secteurs du savoir faut-il se concentrer ?

La première question qu'il faut se poser dans le processus de collecte de données est la suivante : sur quoi voulons-nous recueillir des
données ? Ou du moins, où commencer ce processus ? Les publics
cibles principaux du Centre européen de connaissances sont les concepteurs de politiques jeunesse, auxquels ils fournissent un savoir
venant à l'appui de leur travail. La prochaine étape consiste à découvrir quels sont les besoins des concepteurs de politiques jeunesse. Le
décor pour la politique jeunesse européenne a été planté par le Livre
blanc sur la jeunesse et les objectifs communs de suivi en matière de
participation, d'information, de meilleure compréhension de la
jeunesse et d'activités volontaires ; par conséquent, ces sujets ont été
utilisés comme en-têtes à des fins de collecte de données pour la
politique jeunesse du Centre européen de connaissances. D'aucuns
ont exprimé, au niveau européen, un besoin de données sur ce que
font les différents pays en matière de politique jeunesse, et en particulier sur ce que font les pays pour mettre en œuvre les objectifs

communs de l'Union européenne dans le domaine de la jeunesse. Il faut suivre les éventuelles évolutions favorables pour les jeunes dans les pays européens à la suite de ces initiatives de politique jeunesse, par exemple une augmentation du niveau de participation des jeunes. Quant aux pays du Conseil de l'Europe qui ne font pas partie de l'Union européenne, ils ont désormais la possibilité de participer au processus d'élaboration des politiques de l'Union européenne et de montrer ce que sont leurs politiques jeunesse et comment elles fonctionnent.

3.3.1.2. Quel type de savoir ?

Après que les sujets eurent été arrêtés, il fallait prendre une décision sur le genre de savoir devant être recueilli. Le savoir a été décrit comme « la capacité d'agir efficacement »[111]. Il s'agit du type de savoir dont ont besoin les décideurs. Ainsi, dans ce contexte, le savoir est considéré de façon très pragmatique – comment agir ? L'information peut être fournie par des réponses à une enquête effectuée au moyen d'un questionnaire en ligne, qui donnent quelques données quantitatives et de brèves réponses écrites comportant des explications que les décideurs peuvent comprendre et utiliser rapidement. Les données de ce genre sont recueillies dans le contenu de base de la politique jeunesse du Centre européen de connaissances. La rédaction de ces brèves réponses qui donnent suffisamment d'informations pour comprendre ce qui se passe est un aspect difficile du travail des correspondants. Mais parfois, le savoir est plus complexe. Voici par exemple une autre acception du savoir :

> « un mélange fluide d'expérience contextuelle, de valeurs, d'information contextuelle et de compréhension d'un domaine précis servant de cadre à l'évaluation et à l'assimilation des expériences et des informations nouvelles. Il prend naissance dans l'esprit de ceux qui détiennent le savoir et est utilisé par ceux-ci. Souvent, dans les organisations, le savoir est intégré non seulement aux documents ou aux réserves d'information, mais aussi aux activités, aux processus, aux pratiques et aux normes. »[112]

Pour comprendre ce type de savoir, il faut obtenir davantage de données qualitatives et de réponses plus détaillées. Au niveau européen, ceci est important pour comprendre les différents contextes nationaux. Ce type de savoir est recueilli dans la base de données du Centre européen de connaissances.

3.3.1.3. Comment recueillir les données ?

L'exemple de la « *European Social Survey* (ESS) » (Enquête sociale européenne)[113] montre que, pour recueillir des données au niveau européen, il faut aller les chercher dans chaque pays. Cette approche pourrait être coordonnée à un niveau européen, comme le fut la « *European Social Survey* » – financée par la Commission européenne –, dans le cadre de laquelle un consortium de chercheurs provenant de six universités européennes différentes a élaboré une méthode commune pour la collecte de données et facilité l'organisation de cette collecte dans chacun des 22 pays où le travail était mené, en utilisant des normes de qualité universitaires indépendantes préétablies. Un travail de recherche considérable est consacré à l'élaboration de définitions communes ainsi qu'à la traduction des questionnaires ; il s'agit de faire en sorte que, en règle générale, les données soient comparables et que les mêmes procédures soient appliquées dans le processus de collecte des données à travers l'Europe. Cependant, les ressources à la fois humaines et budgétaires pour ce type d'enquête sont énormes et hors d'atteinte du domaine de la jeunesse pour le moment. C'est pourtant à cela que le secteur de la jeunesse pourrait aspirer à long terme. Cependant, les limites de ces données résident dans leur gestion, qui est loin d'être conviviale pour les décideurs puisqu'elle exige que les chercheurs analysent et expliquent les données qui sont conservées dans leurs bases de données – des outils comme l'ESS ne sont pas créés à l'intention des décideurs comme cible principal, mais pour faciliter la constitution des savoirs dans le secteur universitaire, lui-même susceptible ensuite de traduire ces résultats pour les décideurs.

L'approche plus modeste par laquelle nous avons commencé, dans le cadre de la politique jeunesse du Centre européen de connaissances, consiste à demander aux pays européens d'utiliser les données existantes et, lorsqu'il n'existe pas de données, à les encourager et à les aider à recueillir eux-mêmes des données sur les sujets prioritaires. Les États membres désignent un correspondant du

Centre chargé de la collecte de données. Ces correspondants deviennent les « plaques tournantes » ou les centres de coordination et se trouvent au centre d'un réseau national qui peut leur fournir des données à partir de bases de données existantes et nouvelles. Les données sont ensuite recueillies par le correspondant au niveau national et saisies dans le Centre européen de connaissances pour la politique jeunesse. Un contrôle de la qualité des données est exercé avant qu'elles ne deviennent disponibles dans l'EKCYP.

3.3.1.4. Quels sont les problèmes ?

Cette approche cause un certain nombre de difficultés. En premier lieu, il peut ne pas être possible de recueillir les données dans tous les pays d'Europe parce qu'elles n'existent tout simplement pas – ce qui signifie que, dès la première étape, il existe des lacunes dans les données de certains pays. En deuxième lieu, même si de telles données existent, il faut un certain temps aux correspondants pour découvrir qui les recueille et comment y avoir accès – la première année du travail des correspondants est difficile, car ils doivent commencer à constituer ces réseaux nationaux. En troisième lieu, si les données existent et si elles sont recueillies par les correspondants, les définitions utilisées lors du processus de collecte de données peuvent être différentes de celles qui ont été établies au niveau européen et, par conséquent, les données peuvent ne pas être comparables. En quatrième lieu, comme il n'y a aucun contrôle sur la collecte des données, leur qualité ne peut pas être garantie.

3.3.1.5. Quelles sont les solutions ?

Il n'existe pas de méthode simple pour aller de l'avant. Il faut avancer pas à pas, impliquer tous les acteurs du domaine, afin de faire du lobbying pour la collecte de données de qualité dans un contexte national. Lorsque des données existent, il faut examiner les définitions et créer un langage commun pour le secteur de la jeunesse dans toute l'Europe. Mais il peut s'agir aussi d'élaborer des définitions, comme par exemple celle des termes « rural » et « urbain » dont, à l'heure actuelle, les acceptions sont par exemple très différentes en Suède et aux Pays-Bas. Ces définitions doivent ensuite être graduellement introduites dans le système de collecte de données des pays, afin que lorsque de nouvelles données deviennent disponibles, elles soient comparables dans toute l'Europe. Ceci peut paraître facile, mais en réalité, créer des définitions qui ont un sens dans des contextes nationaux très différents s'avère extrêmement difficile.

Pour garantir l'exactitude des données recueillies dans chaque contexte national, il faut mettre au point une méthode d'assurance de la qualité. Toutes les réponses parvenant au Centre européen de connaissances pour la politique jeunesse sont lues par l'ensemble des partenaires avant validation. Mais dans quelle mesure cela constitue-t-il une assurance quant à la qualité ? Il est possible de vérifier le format, notamment s'il faut utiliser un point ou une virgule, ou encore le niveau d'anglais utilisé mais, à moins que l'information soit manifestement fausse, les partenaires eux-mêmes n'ont pas l'expertise voulue pour connaître tous les détails au sujet des jeunes de chaque pays d'Europe. Ce dont on a besoin à long terme, c'est d'une expertise indépendante et d'un savoir régional permettant d'évaluer si l'information présentée est bien conforme aux résultats actuels de la recherche. Les services d'une université ou d'un consortium d'universités européennes devraient être retenus afin de fournir ce soutien au Centre européen de connaissances et de garantir la fiabilité des données que les décideurs utilisent dans le Centre européen de connaissances.

3.3.1.6. Conclusion

La collecte de données sur les jeunes au niveau européen en est à ses premiers balbutiements. Cependant, pour la politique jeunesse, il faut manifestement disposer de savoirs si l'on souhaite renforcer sa position par rapport à d'autres structures d'apprentissage, notamment le système d'éducation formelle ou l'enseignement et la formation professionnels ainsi que pour être en mesure d'évaluer l'efficacité des politiques actuelles. Le Centre européen de connaissances pour la politique jeunesse a apporté une contribution importante au démarrage de ce processus. Il faut à présent que tous les acteurs du domaine consentent un effort concerté afin d'encourager la collecte de données comparables dans toute l'Europe et de permettre ainsi au Centre européen de connaissances de fonctionner. Au niveau européen, le partenariat entre la Commission européenne et le Conseil de l'Europe doit élaborer une méthode destinée à assurer la qualité des données, méthode comprenant l'externalisation de la validation du côté de consortiums fournissant une expertise indépendante dans le domaine de la jeunesse.

3.3.2. Arrondir le triangle

par Mariana Turcan

Si cette réunion était un séminaire au cours duquel je devais commencer par poser certaines questions aux participants, je vous aurais demandé la chose suivante : existe-t-il un système de cogestion dans votre pays dans lequel les organisations de jeunesse participent activement au processus décisionnel ? Quelle est la situation de la politique jeunesse dans votre pays ? La formule du « multilogue » en forme de triangle fonctionne-t-elle dans votre pays ? Et si elle ne fonctionne pas, pourquoi ? Comment avez-vous l'occasion d'échanger de la connaissance et de l'expérience au niveau européen ?

La promotion et la facilitation du dialogue et de l'échange, qui doivent amener la visibilité du savoir et un dialogue structuré entre les organisations de jeunesse, les chercheurs jeunesse et les acteurs de la politique jeunesse ou les décideurs, sont devenues un objectif hautement prioritaire aux niveaux national et européen. Le Conseil de l'Europe, l'Union européenne et le Forum européen de la jeunesse n'ont pas ménagé leur peine et ont réalisé des progrès considérables en encourageant ce dialogue « triangulaire », ou devrais-je dire ce « multilogue » dans le triangle.

Le renforcement des réseaux nationaux entre les organisations de jeunesse, les chercheurs jeunesse et les décideurs est dû aux efforts à long terme déployés dans le domaine de la connaissance de la jeunesse du Conseil de l'Europe. Le Livre blanc de la Commission européenne, intitulé « Un nouvel élan pour la jeunesse européenne », et l'approbation des objectifs communs par le Conseil occupent une place clé dans la promotion de la politique jeunesse au niveau national, dans le contexte d'une Europe plus vaste.

L'autonomisation des jeunes et leur participation active aux organisations de jeunesse et à la société en général sont le principal point de mire du Forum européen de la jeunesse. On peut s'en rendre compte en constatant à quel point le secteur de la jeunesse est développé dans tel ou tel pays, combien les organisations de jeunesse sont fortes, combien leur participation à la conception et la mise en œuvre des processus de la politique jeunesse est déterminante aux niveaux européen, national, régional et local, et à quel point leurs opinions sont prises en compte dans ces politiques.

Dans le cadre de l'élaboration d'une politique nationale de la jeunesse en Europe, et dans les secteurs du travail jeunesse du Forum européen de la jeunesse, dont je suis responsable, le renforcement de la communication et de la collaboration triangulaires est une condition préalable à l'élaboration et à la mise en œuvre d'une saine politique jeunesse dans un pays. L'élaboration d'une politique jeunesse consiste à transférer le savoir et l'expérience, l'interaction et la collaboration entre tous les acteurs de la politique jeunesse à un certain niveau.

Il s'est révélé qu'« aider » les jeunes et élaborer une politique jeunesse pour les jeunes est inefficace et ne fonctionne pas. Plus que jamais dans l'histoire de l'Europe, les jeunes et les organisations de jeunesse affirment leur droit de participer à la prise des décisions qui les concernent, eux-mêmes et leurs collectivités. Différents modèles, largement couronnés de succès, prouvent que la mise en œuvre d'outils destinés à impliquer et à consulter les jeunes par le biais de structures de jeunesse représentatives, notamment lors de l'élaboration et de la mise en œuvre d'une politique jeunesse nationale, est beaucoup plus avantageuse et durable, et répond bien entendu aux besoins et aux intérêts des jeunes.

Le principe de la participation des jeunes se concrétise dans un système de cogestion, par lequel le Conseil de l'Europe élabore sa politique jeunesse pendant que le Forum européen de la jeunesse et ses organisations membres cherchent à la réaliser dans le travail mené au niveau national. Parfois, différents processus internationaux et européens permettent aux pouvoirs publics de tirer des enseignements, qu'ils peuvent mettre en pratique chez eux. Je peux notamment citer le processus de consultation du Livre blanc de l'UE, qui a réuni des représentants de la jeunesse et d'organisations de jeunesse, des représentants de gouvernements et des chercheurs ; ou encore la Conférence des ministres européens responsables de la jeunesse, qui réunit non seulement les Ministres de la Jeunesse, mais également des représentants des ONG œuvrant pour la jeunesse. La Charte européenne révisée sur la participation des jeunes à la vie locale et régionale est un autre outil pour lequel les organisations de jeunesse font du lobbying et qu'elles utilisent aux niveaux local, régional et national. Félicitations aux pays dans lesquels elle a été effectivement traduite en mesures concrètes.

Par conséquent, le Forum européen de la jeunesse et ses organisations membres demandent que les institutions nationales accordent plus d'attention à la société civile en général et aux organisations non-gouvernementales œuvrant pour la jeunesse en particulier. Les institutions européennes et les structures gouvernementales ont reconnu davantage le rôle des organisations de jeunesse dans la société, mais le niveau de reconnaissance varie toujours dans une grande mesure d'une région à l'autre, d'un pays à l'autre et d'un sujet à l'autre.

Les ONG œuvrant pour la jeunesse ne sont pas seulement des partenaires indispensables de l'élaboration de politiques jeunesse cohérentes et transsectorielles, répondant aux intérêts et aux besoins des jeunes, mais elles apportent également une contribution permanente à la recherche, à l'analyse et à l'élaboration des méthodes. Malheureusement, l'expérience montre également qu'en raison du manque de communication entre les organisations de jeunesse, les chercheurs et les décideurs, différentes informations, recherches et analyses ne viennent pas se compléter et s'améliorer réciproquement. Au lieu de cela, on réinvente sans cesse la roue, on gaspille du temps et de l'argent, on n'exploite pas des informations précieuses.

La synergie entre les parties du triangle ne pourra donc que bénéficier des échanges dans tous ces aspects et de la mise en commun des efforts. La communication et l'interaction régulières entre les différentes parties du triangle créeront un espace ouvert et accessible pour l'échange sur différents aspects de l'élaboration ou de la mise en œuvre d'une politique jeunesse. Je crois qu'il est inutile d'entrer dans les détails pour expliquer toute l'inefficacité d'un travail mené indépendamment par chacune des parties du triangle, sans interagir avec les autres.

Dans certains pays et dans les régions nordiques, le « multilogue » du triangle et l'interaction semblent déjà fonctionner par le plus grand des hasards et de manière tout à fait informelle. Cependant, la grande majorité des pays européens sont en train de soulever cette question et de devenir plus sensibles à l'importance du « multilogue » dans le triangle et aux outils qui permettent de le faire fonctionner au mieux. Dans chaque pays, le contexte est tellement différent que seuls de grands événements européens réguliers peuvent réunir les acteurs du triangle afin qu'ils apprennent les uns des autres, échangent leurs pratiques et les réalisent au niveau national. C'est pourquoi le travail du « *European Knowledge Centre for Youth Policy* » est très bien accueilli et tout à fait reconnu comme un outil utile. Je suis persuadée qu'il s'agit de l'un des meilleurs outils s'adressant au milieu des concepteurs de politiques jeunesse, un outil chargé de recueillir de la connaissance et d'en assurer le transfert à la politique et à la pratique.

En conclusion, j'aimerais revenir aux questions par lesquelles j'ai commencé mon exposé. Je crois qu'après avoir partagé les expériences vécues dans vos pays respectifs, vous serez en mesure de transformer vos réalités en recommandations susceptibles de vous donner un nouvel élan. Portés par cette vague, vous tomberez d'accord sur la manière dont les acteurs du domaine de la jeunesse devraient utiliser la connaissance et la compréhension de la jeunesse pour obtenir des résultats. Il s'agira là d'un nouvel essor, permettant d'arrondir le triangle en une table autour de laquelle s'instaurera un « multilogue » structuré entre les organisations de jeunesse, les chercheurs jeunesse et les décideurs.

3.3.3. Connaissances diverses et réseaux nationaux émergents

par Manfred Zentner

3.3.3.1. Méthode de travail

Le thème de ce groupe de travail était la connaissance de la jeunesse ainsi que les méthodes et les moyens permettant de transférer ce savoir à des groupes ayant besoin de mieux connaître ce domaine.

Le groupe de travail était constitué principalement de représentants du Forum de la jeunesse et de chercheurs. Les décideurs n'étaient que faiblement représentés, ce qui peut être considéré comme un facteur d'influence important pour la dynamique du groupe et a fortement influencé les résultats de ce groupe de travail.

Après les exposés de Bryony Hoskins et Mariana Turcan, les participants ont présenté des rapports sur les réseaux pour la jeunesse existant dans leurs pays respectifs ; ils ont expliqué comment ces réseaux fonctionnaient et quelles fonctions ils assumaient. Le groupe s'est ensuite divisé en deux sous-groupes, qui ont travaillé sur les thèmes des « réseaux nationaux » et du « transfert du savoir ». Enfin, en groupe de travail, les participants se sont attachés à élaborer des recommandations pour la constitution et le renforcement des réseaux ainsi que pour l'accès aux connaissances dans tous les domaines ayant trait à la jeunesse.

3.3.3.2. Contenu

Dans son exposé, Bryony Hoskins, du Conseil de l'Europe, a présenté le « *European Knowledge Centre for Youth Policy* (EKCYP) », nouvellement constitué, et l'a défini comme une source utile d'information et de savoir sur la jeunesse européenne. Durant la phase pilote de l'EKCYP, seize pays mettent à disposition des données sur la jeunesse et sur des thèmes la concernant. Pour l'instant, outre des données statistiques, les domaines visés par les objectifs communs du Livre blanc sur la jeunesse ont été couverts. D'autres domaines thématiques pourraient également suivre, à mesure que les pays participants seront plus nombreux. L'EKCYP ne peut fonctionner rationnellement que s'il est alimenté en données par les pays européens.

Le deuxième exposé a présenté le concept des réseaux nationaux liés à la jeunesse. Mariana Turcan a évoqué la mission du Forum européen de la jeunesse à l'égard de la reconstruction des forums de la jeunesse nationaux et du renforcement d'une politique de la jeunesse reposant sur des faits. Dans ce contexte, on accordera donc une attention particulière à la prise en compte des forums de la jeunesse nationaux dans la politique de la jeunesse. Mariana Turcan a clairement indiqué que, dans un même réseau, les différents participants sont tous intéressés par la même thématique et devraient également travailler à la réalisation du même objectif. Dans la mesure du possible, les forums de la jeunesse devraient englober de nombreuses ONG nationales œuvrant pour la jeunesse afin de pouvoir tenir compte des souhaits du plus grand nombre possible de jeunes.

À la suite des exposés, les questions qu'ils ont soulevées ont été abordées dans deux tables rondes thématiques consacrées aux « réseaux nationaux » et à « l'accès à l'information et au savoir ».

3.3.3.3. Le savoir

Le savoir en question est essentiellement constitué de toutes les sortes de connaissances nécessaires aux applications pratiques, tant dans le domaine de la politique de la jeunesse que dans la pratique de l'animation des jeunes. Il ne s'agit donc pas de savoir et d'information à l'intention des jeunes.

Décisive est la définition du savoir qui doit être mis à disposition grâce à la collaboration au sein des réseaux ; décisif aussi, le choix des domaines dans lesquels de plus amples connaissances sont souhaitables. La définition du savoir et de l'information nécessaires est manifestement liée au pouvoir. Il convient par conséquent d'intégrer déjà tous les groupes actifs au sein des domaines dans lesquels plus de connaissances sont souhaitées. On peut y parvenir en menant, dès le départ, des consultations ainsi qu'un recensement des besoins auprès de tous les groupes s'occupant de jeunes. Le débat sur la question de l'acquisition du savoir n'a de sens que s'il est subordonné à ce recensement. Pour parvenir à une définition commune des connaissances requises, il est incontournable d'arrêter tout d'abord une « langue commune », afin que la signification des différents concepts soit évidente pour tous les participants. Il convient, dès le départ, d'éliminer les divergences de compréhension et les ambiguïtés, afin que le savoir dégagé et mis à disposition soit effectivement exploitable.

Ce sont avant tout les praticiens qui réclament du savoir et une amélioration des connaissances ; ils sont à la recherche de concepts ou de données qui les aident à élaborer des concepts. Il ne s'agit cependant pas seulement de données recueillies par le biais de la recherche. Il s'agit bien plus, pour les organisations de jeunes et pour les praticiens, de pouvoir puiser dans les connaissances empiriques d'autres partenaires. Ce savoir silencieux, qui passe inaperçu, doit être rendu accessible par le réseau et au sein du réseau.

Il faut également veiller à établir une distinction entre les savoirs nécessaires aux différents intérêts – régionaux, nationaux et européens – et faire en sorte que, dans la mesure du possible, les trois secteurs du savoir soient desservis et que ces savoir-faire soient rendus accessibles.

Pour que le savoir demeure valable et exploitable, il est essentiel qu'il soit actualisé en permanence. Par là, nous entendons que chaque banque de données du savoir doit être tenue à jour. Par conséquent, la création, la collecte et la diffusion de savoir, de connaissances et de savoir-faire ne doivent pas être considérées comme des éléments accessoires d'une activité. Il convient donc d'arrêter des mesures structurelles permettant de donner suite à toutes les exigences relatives à la gestion du savoir.

3.3.3.4. Les réseaux

En examinant la perception qu'ont les différents pays de la situation actuelle, on constate de grands écarts dans leur approche de la mission des réseaux nationaux (et des problèmes liés à la constitution de ces réseaux). Ce n'est que dans des cas exceptionnels que les trois domaines s'occupant des politiques de la jeunesse et de l'animation des jeunes – en l'occurrence la recherche sur la jeunesse, l'animation de jeunes et la politique de la jeunesse – sont représentés dans le « triangle magique », comme on se plaît à l'appeler. Très souvent, l'un des groupes est laissé pour compte dans le réseau, et ce délibérément. Dans certains cas, la recherche sur la jeunesse se voyait intégrée plus par hasard que dans un but précis. Mais on constate aussi que la politique de la jeunesse n'est pas toujours représentée au sein du réseau, de crainte qu'elle n'exerce une trop grande influence. Il est vrai, par ailleurs, que la politique de la jeunesse fait appel à la recherche pour obtenir des recommandations, mais ce n'est pas pour autant qu'elle implique activement les organisations de jeunes dans l'élaboration de la politique de la jeunesse.

La collaboration des trois secteurs, qui doit être favorisée et intensifiée grâce aux réseaux nationaux, ne fonctionne donc pas dans de nombreux pays européens, ou bien de façon insuffisante. Compte tenu des conditions d'encadrement prévalentes, il semble également qu'il ne soit pas possible de créer un réseau dans chaque pays au moyen des mêmes mesures.

Il faut par ailleurs partir du principe que l'activité des réseaux ne peut pas être imposée ; elle doit être souhaitée par les participants. Il est donc important d'aviser les organisations et les personnes participantes des avantages qu'elles peuvent retirer de leur participation au réseau. Les réseaux « informels » qui existent souvent déjà dans les pays – en l'occurrence le regroupement d'établissements de recherche ou d'organisations de jeunesse qui entretiennent des formes de collaboration – devraient être mis à contribution, voire intégrés en vue de la création et du renforcement de réseaux nationaux pour la jeunesse. Un réseau a de meilleures chances de fonctionner efficacement s'il a été créé dans un intérêt propre et s'il est au départ constitué de façon informelle, puis transformé, par la suite seulement, en un réseau formel.

Le plus grand nombre possible d'ONG et d'établissements de recherche devrait être représenté dans les réseaux nationaux. Ceci constitue un autre problème : dans de nombreux pays, on ne connaît pas du tout tous les acteurs des trois secteurs, surtout lorsque les pays ont une tradition fondée sur le principe fédéraliste. Dans ce cas, il faudrait commencer par réunir les connaissances nécessaires à la constitution d'un réseau global.

Il faut également se souvenir que le triangle « politique de la jeunesse, recherche sur la jeunesse et animation des jeunes » ne représente pas suffisamment la population des jeunes d'un pays. Il conviendrait d'intégrer également aux réseaux nationaux d'autres institutions qui travaillent avec ces jeunes et auxquels les ONG œuvrant pour la jeunesse ne s'adressent pas.

Il faut également tenir compte d'autres secteurs de la recherche, outre la recherche sur la jeunesse, et les intégrer au réseau. En effet, des connaissances qui ne peuvent être produites par la recherche sur la jeunesse devraient alimenter les réseaux nationaux, en raison non seulement de l'élargissement de la phase de vie jeunesse, mais également en raison des devoirs de plus en plus nombreux qui incombent aux praticiens de l'animation des jeunes.

Les missions essentielles du réseau sont, d'une part, le regroupement des compétences dans le domaine de la jeunesse et l'échange de savoir au sein du réseau, et d'autre part, la transmission et la mise à disposition du savoir à l'extérieur ainsi que la fourniture de logistique et de soutien au correspondant auprès de l'EKCYP dans l'exercice de sa mission.

Somme toute, on a ainsi à faire à un réseau plus étendu qui doit rejoindre de plus vastes secteurs de la société que ceux que la jeunesse peut englober. Le fameux triangle magique est donc devenu un rectangle – voire une figure bien plus complexe.

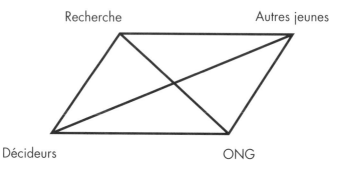

Fig. 5: Modèle du réseau le plus simple qui peut prendre en compte tous les jeunes

Le triangle se transforme en rectangle lorsque les jeunes qui ne sont pas représentés par des ONG œuvrant pour la jeunesse doivent être pris en compte.

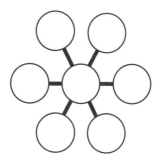

Fig. 6: La plaque tournante du savoir

Les réseaux du savoir devraient posséder un point central qui recueille le savoir et le retransmet – également à l'EKCYP.

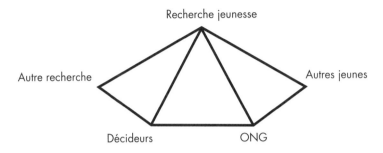

Fig. 7: Le polygone des réseaux

Cette figure montre, de façon simplifiée, que les groupes participant au triangle magique peuvent également être intégrés à d'autres réseaux. On remarque cependant que la complexité augmente dès lors qu'il s'agit de créer un réseau dans lequel tous ceux qui s'occupent de la jeunesse sont intégrés et dans lequel tous les thèmes pertinents pour les trois groupes pris en compte à l'origine trouvent leur place.

3.3.3.5. Recommandations

Les travaux du groupe ont permis de dégager une liste de recommandations en matière de réseaux nationaux pour la jeunesse et de diffusion du savoir et des connaissances.

Fondement

Il faut considérer la jeunesse comme un sujet transversal qui permet d'impliquer le plus grand nombre possible d'acteurs dans l'activité de collecte des savoirs. À cette fin, il faut nouer des liens avec d'autres domaines (notamment la santé, l'enseignement, la justice, etc.) et souligner la signification de la jeunesse dans ces secteurs de la société.

Quel savoir présente de l'intérêt ?

*   Le savoir axé sur l'application : on recherche un savoir et des connaissances permettant de mener des actions et des interventions efficaces, ce qui exige une orientation plus forte de la recherche sur la recherche appliquée.

*   Pas d'information « pour » les jeunes, mais « sur » des thèmes ayant trait à la jeunesse, à l'intention de groupes qui s'occupent de jeunes.

*   Différenciation au plan local, régional, national et européen.

*   Opportunité de la connaissance et, par conséquent, contrôle de la qualité nécessaire.

*   Une définition exacte des connaissances et du savoir qui doivent être dégagés, recueillis et diffusés doit être formulée grâce à des consultations collectives et à des rencontres de tous les groupes participants, ce pourquoi il faut tout d'abord trouver une base de dialogue et d'entente.

*   Thèmes qui peuvent éventuellement être classés comme ayant trait à la jeunesse et qui pourraient par conséquent être considérés comme cadre pour le transfert du savoir et du savoir-faire : marché du travail, migration et minorités, apprentissage non-formel, formation culturelle, valeurs, conditions de vie, délinquance, prévention, modèle de l'animation des jeunes, formation, etc.

Diffusion du savoir et des connaissances/transfert du savoir

*   Au moyen de la constitution d'un réseau national qui travaille en étroite collaboration avec le correspondant national auprès de l'EKCYP.

*   Au moyen de l'EKCYP, dont la promotion doit être assurée par des groupes distincts au plan national dans leurs propres réseaux informels et formels – en tant que source d'information, mais également comme plateforme pour mettre le savoir à disposition.

*   Collecte et mise à disposition de liens pertinents afin de rendre utilisable le plus grand nombre possible de canaux d'information.

Création de réseau

*   Faire appel à des réseaux existants et, dans certaines conditions, jusqu'à présent informels ; intégrer tous les groupes participants à un réseau plus vaste. Ce réseau doit être doté à moyen terme d'une structure et être administré.

*   Comme le « triangle magique » (recherche sur la jeunesse –
animation de la jeunesse – politique de la jeunesse) ne couvre
pas l'ensemble des thèmes ayant trait à la jeunesse, il est
souhaitable et raisonnable d'établir des liens entre les différents
secteurs de la recherche et de les favoriser, ainsi que de faire la
promotion de l'échange de savoir et de connaissances.

*   Les intérêts des jeunes qui ne peuvent être rejoints par les
praticiens de l'animation des jeunes doivent être pris en compte
au moyen de l'inclusion dans le réseau d'autres institutions et
domaines tels l'école, le marché du travail, l'aide sociale.

*   Pour garantir la pérennité du réseau, il faut créer et maintenir des structures qui permettent d'avoir des réunions
régulières, des échanges réglementés et une communication permanente. Il faut également fournir des ressources financières
pour ces structures, ainsi que des ressources humaines et des
ressources en temps, voire des moyens techniques.

*   Pour créer des réseaux nationaux qui doivent également
contribuer à la logistique de l'EKCYP, il ne suffit pas que les
décideurs politiques fassent des vœux pieux. Il faut une véritable
volonté politique afin de fournir le soutien financier nécessaire
pour créer un réseau national de la jeunesse.

3.4. Réflexion sur les sources et les méthodes de coproduction sociale de connaissances sur la jeunesse

*Le groupe de travail 4 était présidé par Francine Labadie (chargée de mis-
sion au Commissariat général du plan, France), assistée par Gaston Stoos
(adjoint à la recherche au CESIJE, Luxembourg).*

3.4.1. Contribution éventuelle de différents acteurs à la production de connaissances sur la jeunesse

par René Bendit

3.4.1.1. Introduction

Réfléchir aux sources et aux méthodes de coproduction sociale de
connaissances sur la jeunesse en Europe, c'est songer aux contributions

que peuvent apporter différents acteurs sociaux – en premier lieu les chercheurs jeunesse, mais également les praticiens qui travaillent sur un plan pédagogique avec les jeunes et les décideurs politiques œuvrant dans le domaine de la jeunesse – à une meilleure compréhension de la vie des jeunes dans les États membres de l'UE. Le savoir engendré par les jeunes eux-mêmes est également pertinent dans ce contexte. Pour réfléchir aux sources et aux méthodes de coproduction sociale de connaissances sur la jeunesse, il convient, en un premier temps, de définir précisément ce qu'il faut comprendre par le concept de « coproduction sociale » de connaissances : que faut-il entendre par là ? Les connaissances sur la jeunesse et la politique jeunesse peuvent-elles être coproduites par différents acteurs sociaux ? Si nous répondons à cette question par l'affirmative, quels rôles peuvent assumer les différents acteurs (chercheurs jeunesse, décideurs politiques, travailleurs jeunesse, jeunes, etc.) dans ce processus ?

D'autres conférenciers ici présents ont analysé et examiné ces questions. Lynne Chisholm, en particulier, nous a proposé, dans son allocution liminaire, un cadre théorique intéressant, qui est également utile aux fins de ce chapitre. Au moyen de la métaphore du « triangle magique », Lynne Chisholm définit une « zone de tension » dans laquelle différents acteurs sociaux, notamment les décideurs politiques, les chercheurs et les praticiens, s'appliquent à produire différentes formes de connaissances sur la jeunesse. Cette zone de tension est caractérisée par la dynamique permanente de la « confrontation et de la formation du consensus », de la « distance et de l'engagement », processus dans lesquels tous les partenaires impliqués doivent apprendre à utiliser ces différences de façon positive pour réaliser le changement et l'innovation. Selon Lynne Chisholm, apprendre à utiliser les différences est également une compétence institutionnelle qui facilite le réseautage et la collaboration transsectorielle, mais il faut voir dans la construction « des espaces structurés pour la négociation entre la recherche, la politique et la pratique – les collectifs de pratique et sur la base de partenariats établis, accessibles et productifs de confiance et de respect mutuels »[114] l'aspect concourant le plus à la construction de connaissances sur la jeunesse. Dans les termes de Lynne Chisholm, pour parvenir à une meilleure connaissance et à une meilleure compréhension de la jeunesse, « il faut bâtir les fondations d'un multilogue fondé sur les

connaissances »[115] ; selon elle, de tels espaces structurés de communication et de négociation sont porteurs de promesses d'avenir à trois
principaux horizons (ou dimensions, comme je les appellerai) :
reconnaître le savoir et les compétences fondés sur la pratique, tirer
parti du potentiel des systèmes de communication et de diffusion
électroniques et créer une plus grande synergie entre la recherche et
la politique, d'une part, et la recherche et la pratique, de l'autre. Pour
renforcer la synergie entre les acteurs sociaux impliqués, « une formation plus poussée des jeunes chercheurs aux perspectives et méthodes comparatives interculturelles ; une série largement accessible de
publications spécialisées en recherche sur la jeunesse et un Centre
européen des affaires de la jeunesse en temps réel qui complète
l'EKCYP afin de créer une culture commune »[116] s'imposent.

Comme nous pouvons le constater, la définition théorique des
conditions concourant à une nouvelle coproduction sociale de connaissances est principalement fondée sur l'hypothèse que la
construction de connaissances sur la jeunesse n'est pas seulement
une affaire de recherche, mais qu'elle découle également des résultats des activités d'autres acteurs, notamment des jeunes eux-
mêmes[117]. Vue sous cet angle, la recherche jeunesse est un facteur
important de la production et de la gestion de savoir, mais pas le seul
qui soit impliqué dans ce processus et en soit responsable.
Néanmoins, et outre qu'elle produit de nouvelles connaissances sur
la jeunesse, il lui incombe la responsabilité supplémentaire de rendre
les résultats de la recherche compréhensibles pour tous les autres
acteurs, puisque l'absence de compétences et de savoir chez les non-
chercheurs impose des limites au « multilogue » que Lynne Chisholm
propose.

Aux fins de ce document, les réflexions et observations examinées
jusqu'à présent sont suffisamment claires pour comprendre ce qui
sous-tend le concept de « coproduction sociale de connaissances »,
ainsi que pour déterminer théoriquement les potentiels de collaboration que l'on pourrait faire naître entre les différents acteurs dans le
domaine de la jeunesse. Il semble inutile sur ce point de continuer
de chercher d'autres définitions et réponses aux questions ci-dessus.
Par conséquent, je me concentrerai principalement sur quatre aspects
dans ce chapitre :

* Les formes concrètes qu'a prises l'action d'acteurs particuliers du « triangle magique », par exemple, la mise en place historique de réseaux de chercheurs et de praticiens au niveau européen, ainsi que les stratégies qu'ils ont élaborées jusqu'à présent pour produire plus de connaissances sur la jeunesse.

* Les avantages et les désavantages liés à chacune de ces initiatives et stratégies.

* Les secteurs et les sujets convenant à une future coproduction sociale de connaissances et de recherche jeunesse comparative européenne.

* Certaines conclusions générales et des questions ouvertes qui pourraient constituer le point de départ des débats au sein de ce groupe de travail.

Avant d'en arriver là, et pour parvenir à une meilleure compréhension de la jeunesse et des problèmes sociaux que les jeunes, les décideurs politiques, les praticiens et les chercheurs doivent affronter de nos jours, il faudra caractériser sommairement les conditions structurelles dans lesquelles les jeunes grandissent de nos jours dans la plupart des sociétés européennes, ainsi que les défis auxquels ils sont confrontés dans le contexte de la mondialisation et de l'européanisation. À mon avis, une réflexion sur la coproduction sociale de connaissances sur la jeunesse doit démarrer à ce point et doit être par la suite étendue aux conséquences que de tels phénomènes macro-sociaux ont pour les jeunes et la société en général.

La contextualisation de la jeunesse dans le cadre de l'évolution des sociétés européennes permet de définir dans quelle mesure la coproduction de connaissances sur la jeunesse peut convenir à l'élaboration plus poussée de politiques sociales dans ce domaine, ainsi que de soutenir les contributions que les différents acteurs peuvent apporter à une meilleure compréhension des jeunes et de leurs besoins.

Sur cette toile de fond, nous serons en mesure de décrire et d'évaluer convenablement les sources centrales de connaissances sur la jeunesse, ainsi que les approches, les instruments et les réseaux méthodologiques qui existent déjà, et nous serons également en mesure de déterminer les éventuels enjeux et problèmes en matière de recherche que la plupart des universitaires participant à des enquêtes comparatives européennes sur la jeunesse, ou qui y sont intéressés, considèrent également comme étant déterminants pour les politiques européennes et les politiques nationales jeunesse de nos jours.

3.4.1.2. Le contexte : évolution des sociétés – les effets du processus de modernisation sociale sur la jeunesse

Depuis quelques décennies, et particulièrement depuis le début des années 1990, l'Europe a traversé au pas de charge des changements économiques, technologiques, politiques et sociaux. Ces processus ont été tellement radicaux que certains auteurs, notamment Beck et Giddens[118] les décrivent et les analysent en utilisant des concepts comme « société postindustrielle » ou même « société postmoderne » ; bien que tous les universitaires n'acceptent pas ces concepts, la plupart d'entre eux reconnaissent que les sociétés contemporaines sont fondamentalement différentes des sociétés industrielles de la période d'après-guerre, c'est-à-dire de 1950 à 1975.

Les sociétés de l'Europe-UE, dans lesquelles la plupart des jeunes et des jeunes adultes d'aujourd'hui vivent, peuvent être décrites comme des sociétés « modernes-modernisantes » ; elles sont caractérisées principalement par des économies de services dans lesquelles le changement structurel et technologique accéléré entraîne des processus de modernisation sociale profonde. Manifestement, les changements les plus radicaux se déroulent dans les nouveaux États membres de l'UE d'Europe centrale et de l'est, qui sont passés, dans un laps de temps relativement court, d'économies d'État fermées au capitalisme moderne ouvert, par suite des transformations de structure qui y ont été entreprises. Bien entendu, tous ces changements ont eu des répercussions sur la situation des jeunes. Pourtant, tous les universitaires ne s'entendent pas sur l'intensité et sur les conséquences des changements subis par la jeunesse considérée comme une catégorie sociale.

Pour les jeunes de toute l'Europe, le plus important de ces changements que nous abordons ici est peut-être l'allongement de l'enseignement scolaire depuis les années 1950. Cette évolution a eu deux conséquences principales : un retard de l'entrée des jeunes sur le marché du travail et le report de la fondation des familles et de la naissance des premiers enfants. Le retard dans la transition au travail a également prolongé la durée de la dépendance économique des jeunes à l'égard de leurs parents.

Les changements qui se produisent dans la famille sont une autre caractéristique dominante des processus de modernisation sociale qui se déroulent en Europe depuis les années 1960. Au cours des dernières décennies, la dominance de la famille nucléaire typique a été sapée par les familles postnucléaires, en l'occurrence des familles formées par des parents divorcés ou célibataires (habituellement des femmes). Cette évolution s'accompagne du fait que les sociétés postindustrielles sont caractérisées par un système de valeur fragmenté dans lequel les droits et les libertés de choix, plutôt que les responsabilités de l'individu à l'égard de la collectivité sont le noyau autour duquel les relations interpersonnelles sont définies. Ceci vaut également pour les relations parents-enfants.

Cependant, malgré toutes ces évolutions et l'augmentation de la dépendance matérielle de leur famille d'origine, les jeunes d'aujourd'hui sont plus indépendants sur le plan sexuel, culturel et psychologique que par le passé. Cette émancipation est le résultat de changements des valeurs et des styles d'éducation au sein des familles modernes et de l'âge moyen plus élevé des individus qui doivent encore achever leur transition à l'émancipation économique et résidentielle intégrale, par exemple pour « devenir complètement adulte ».

En résumé, les processus de modernisation technologique et économique ont des conséquences profondes, pas seulement pour le marché du travail, mais également pour la vie quotidienne et les possibilités personnelles des citoyens européens, particulièrement des jeunes. Ainsi, selon des auteurs comme Münchmeier[119], le processus d'européanisation qui se déroule dans tous les États membres de l'UE produira des chances biographiques plus nombreuses et meilleures pour certains groupes de jeunes, par exemple, pour ceux qui sont bien qualifiés, tandis que pour les groupes moins bien qualifiés, il est probable que les risques de chômage et d'exclusion du marché du travail et/ou de marginalisation sociale augmenteront fortement. Dans le droit fil de cette hypothèse, l'accentuation des inégalités économiques et sociales qui existent déjà entre différents pays et régions européens engendrera probablement une plus forte accentuation de la différenciation sociale dans toutes les sociétés européennes ; or, cette différenciation, surtout celle qu'éprouvent certains groupes de jeunes, peut saper la cohésion sociale en Europe[120].

Les effets sociaux des processus de modernisation et l'à-propos d'une connaissance plus poussée de la jeunesse

Les changements décrits ci-dessus ont eu plusieurs effets et conséquences sociaux avec lesquels bon nombre des sociétés européennes d'aujourd'hui sont aux prises. Les plus marquants sont les suivants : évolution démographique négative de la plupart des pays de l'UE et écart croissant entre les jeunes (adultes) et le groupe de population plus âgée. Cette disproportion a des conséquences sur le « contrat intergénérationnel » dans la plupart des États membres de l'UE et leurs sociétés. Qui plus est, l'évolution des structures familiales, ainsi que des relations entre les sexes et entre les générations, a été constatée dans l'ensemble des États de l'UE.

La différenciation et la prolongation des parcours des carrières éducatives et de formation professionnelle des jeunes occasionnent leur entrée tardive sur le marché du travail, imposant l'actualisation des systèmes d'enseignement et de formation dans la plupart des pays de l'UE afin de les adapter aux exigences des sociétés d'information modernes et des économies postfordistes. En outre, la situation précaire de certains groupes de jeunes sur différents marchés du travail nationaux à l'intérieur des États membres de l'UE et les taux surproportionnés de chômage des jeunes dans de nombreux pays semblent être une tendance commune, particulièrement dans les sociétés du sud et de l'est de l'Europe.

La cohabitation prolongée des jeunes avec leurs parents et les problèmes découlant pour les deux générations dans le contexte de familles « fortement regroupées dans le nid familial », dans lequel les jeunes continuent de dépendre de leurs parents sans atteindre le statut d'adulte intégral, ainsi que les difficultés qu'éprouvent les jeunes adultes pendant qu'ils essaient de combiner leur carrière professionnelle (qui dans bien des cas exige une mobilité géographique) avec la fondation de leur propre famille, sont également des problèmes que partagent de nombreuses sociétés européennes.

La plupart des sociétés européennes ont également en commun des changements d'orientation des valeurs des jeunes dans le contexte des processus d'individualisation et de la « transnationalisation », soutenue par les masses médias, de cultures et de modes de vie axés sur la consommation. Ces processus d'individualisation peuvent également être liés à l'adoption d'attitudes négatives à l'égard des formes traditionnelles de participation sociale et politique et envers les institutions nationales et européennes.

On peut observer d'autres effets sociaux qu'exercent les processus de modernisation en Europe dans l'évolution de l'inégalité de la situation économique et des conditions de vie des jeunes entre régions, sexes et ethnies ainsi que dans de nouvelles formes d'inégalités sociales et culturelles, particulièrement celles concernant la pauvreté, l'exclusion sociale et la marginalisation de certains groupes de jeunes, particulièrement les membres de minorités ethniques et les jeunes issus de l'immigration.

Enfin, l'accentuation des tendances à différentes formes de comportement malsain ou à risque (tabagisme, alcool et abus de stupéfiants, accidents de circulation, suicide, comportement violent, etc.) peut être constatée chez certains groupes de jeunes dans différents pays européens.

Toutes ces tendances et leurs conséquences pour l'intégration et la cohésion sociales des sociétés européennes constituent le cadre à partir duquel on peut déduire la valeur politique d'une coproduction sociale européenne de connaissances et particulièrement de la recherche jeunesse comparative. Elles présentent de nouveaux défis politiques à la fois aux États membres de l'UE ainsi qu'aux institutions de l'Union européenne elle-même et, partant, leur imposent de produire de meilleures connaissances et en plus grande quantité pour comprendre les nouvelles questions qui surgissent à propos de la vie des jeunes dans l'Europe d'aujourd'hui (comme le reconnaît le Livre blanc de la Commission européenne sur la jeunesse[121]).

Ces considérations nous portent à assumer que la politique jeunesse, le travail jeunesse et la recherche jeunesse de la plupart des pays de l'UE doivent prendre en ligne de compte les tendances européennes mentionnées plus haut, particulièrement pour ce qui est de certaines questions fondamentales qui, de notre avis, valent non seulement pour le développement social effectif, mais également pour la coproduction sociale de connaissances sur la jeunesse dans tous les États membres de l'UE, notamment :

* Comment les processus de transnationalisation économique et politique influencent-ils les conditions de vie, les possibilités d'éducation et les occasions sur le marché du travail, ainsi que la prise de conscience des jeunes en Europe ?

* Quels nouveaux problèmes et conflits sociaux surgiront de ces processus dans différentes sociétés européennes ?

* Quelles nouvelles formes adoptera la formation identitaire dans un tel contexte et comment ces nouvelles identités peuvent-elles être reliées à des entités nationales, régionales et locales plus traditionnelles ?

* Quels nouveaux défis et quels nouveaux élans pour les politiques sociales et les politiques jeunesse européennes émanent déjà des tendances décrites ?

* Quel sera le rôle futur des interventions politiques nationales et européennes dans le domaine de la jeunesse, particulièrement lorsqu'il s'agit du développement de différentes conditions de vie économiques et sociales régionales ?

* Comment de telles politiques peuvent-elles être élaborées en tenant compte de l'équilibre nécessaire entre les exigences imposées par la mondialisation et le respect des traditions locales et régionales ?

Ces questions générales doivent être comprises comme des indicateurs menant à la détermination d'enjeux thématiques particuliers pour la coproduction sociale de connaissances sur la jeunesse, et particulièrement pour la future recherche comparative européenne.

3.4.1.3. Sources et méthodes pour la coproduction sociale de connaissances sur la jeunesse en Europe

Comme nous l'avons vu, la mondialisation et les processus d'intégration européens ont donné naissance à des tendances et à des problèmes sociaux semblables dans différentes sociétés européennes. Ceci a entraîné la création de réseaux transnationaux de décideurs politiques, de praticiens et de chercheurs qui doivent permettre de s'adapter à ces évolutions. Au cours des treize dernières années, la tendance à l'européanisation de la politique jeunesse et de la recherche jeunesse s'est accrue. Ainsi, à la fin des années 80, un « mémoire » sur la politique jeunesse et la recherche jeunesse a été produit par le Groupe de travail Éducation, formation et jeunesse (*Task Force Human Resources, Education, Training and Youth*) de la Commission européenne ; on y a adopté pour la première fois quelques idées générales pour une politique jeunesse européenne commune[122]. Entre-temps, les institutions européennes, nationales, régionales et locales chargées des politiques jeunesse évaluent déjà la mise en œuvre de certaines des priorités et des objectifs généraux formulés et définis dans le contexte du processus du Livre blanc de l'UE et de la Méthode ouverte de coordination pour la collaboration européenne dans le secteur jeunesse. Parallèlement, et dans le cadre du renouvellement de la stratégie de Lisbonne de l'UE, un nouveau « Pacte pour la jeunesse » a également été signé par tous les États membres de l'UE.

Tous ces nouveaux cadres politiques imposent des exigences toujours plus rigoureuses aux chercheurs et à d'autres acteurs sociaux, y compris les jeunes (voir le processus de consultation du Livre blanc) pour de l'information fiable et comparable sur les conditions de vie sociale, les besoins, les souhaits et l'orientation des valeurs des jeunes Européens, ainsi que de l'information fiable sur les « pratiques exemplaires » novatrices dans le domaine des politiques jeunesse et du travail jeunesse. En d'autres termes, le processus de modernisation des sociétés européennes a progressivement fait augmenter l'utilité et le besoin de connaissances sur la jeunesse européenne[123]; il incombe aux différents acteurs sociaux et à leurs collectivités de répondre à ces exigences.

Cette nouvelle situation a mené à la création de nouveaux réseaux de chercheurs et de praticiens, à de nouvelles formes de consultation et d'implication des jeunes dans l'élaboration d'une connaissance de la jeunesse et à de nouveaux instruments et bases de données de recherche élaborés par des institutions spécialisées au nom de la Commission européenne. Comme l'a dit Wallace[124], il a été donné suite à ces exigences au moyen d'une série d'initiatives émanant de la base, ainsi qu'au moyen d'autres qui sont lancées depuis le

« sommet », par exemple, par la Commission européenne, notamment les programmes-cadres de recherche de l'UE et les études Eurostat. J'ajouterais à cette classification un troisième type d'initiative que l'on pourrait appeler « mixte », et qui permettrait à des institutions politiques, de concert avec des chercheurs, des travailleurs jeunesse et d'autres praticiens œuvrant dans le domaine de la jeunesse, d'élaborer de nouvelles formes de production de connaissances sur la jeunesse et de politique jeunesse. Ceci vaut par exemple pour le « European Knowledge Centre », qui est constitué aujourd'hui dans le contexte d'une initiative commune des « Correspondants nationaux pour la recherche jeunesse » au Conseil de l'Europe, organisée dans le cadre de la Direction Jeunesse du Conseil de l'Europe et de la Commission européenne. Un bref résumé historique de la constitution et des principales réalisations de certaines de ces initiatives est présenté dans les pages suivantes.

Initiatives ascendantes : réseaux et groupes de recherche

Selon Wallace, les premières initiatives de réseautage dans le domaine de la jeunesse et de la recherche jeunesse ont été lancées à la fin des années 70 et 80 par le « Comité de recherche 34 » – Sociologie de la jeunesse – de l' « Association internationale de sociologie (AIS) ». Ce comité a joué un rôle stratégique important ; il a réuni les chercheurs jeunesse européens des deux côtés du « rideau de fer », soit à l'occasion de conférences européennes, soit à l'occasion de Congrès mondiaux de sociologie (tous les quatre ans). Grâce aux efforts de ses trois premiers présidents, il a joui d'une très bonne réputation en Europe centrale et de l'est à l'époque de la Guerre froide. Ce comité de recherche a tout récemment contribué à l'élaboration de la recherche jeunesse dans les pays du sud de l'Europe.

Wallace laisse également entendre qu'il existe une autre initiative ascendante, entreprise par les chercheurs et les praticiens jeunesse pour produire et diffuser plus de connaissances sur la jeunesse, en l'occurrence la création du « *Circle for Youth Research Cooperation in Europe* (CYRCE) » (cercle pour la collaboration en recherche sur la jeunesse en Europe). Il a été créé au printemps 1990 à Berlin par quatre présidents (anciens et postérieurs) du RC34 ainsi que par des représentants du Conseil de l'Europe et de l'UE. Ce groupe est

devenu – une décennie durant – un « terrain de formation » professionnelle pour des incitatifs axés sur l'européanisation de la
recherche jeunesse. Ce cercle, qui est actif dans bon nombre de
domaines connexes, a concouru à réunir différents aspects de la
recherche et de la politique jeunesse en Europe et a produit deux
excellents annuaires européens sur la politique et la recherche
jeunesse : « *The puzzle of integration* » (Le puzzle de l'intégration)
(1995) et « *Intercultural reconstruction : Trends and challenges* » (La
reconstruction interculturelle: tendances et défis) (1999). Mais
depuis le tournant du siècle, le réseau CYRCE a cessé ses activités et
il est actuellement hors d'activité.

Le réseau du « *Nordic Youth Research Information* (NYRI) »[125] (information nordique sur la recherche jeunesse) est une autre initiative
ascendante qui nous intéresse au plus haut point ; elle a été créée au
début des années 80 afin de stimuler et de coordonner la recherche
jeunesse dans cette région de l'Europe[126]. Dans ce contexte, et grâce à
un financement des gouvernements scandinaves, des chercheurs
nordiques du Danemark, de la Suède, de la Norvège, de la Finlande et
de l'Islande ont, au cours des deux dernières décennies, créé des structures conjointes pour la recherche jeunesse dans tous leurs pays ; ces
structures leur ont permis d'assumer une sorte de leadership dans la
constitution de savoir-faire en matière de recherche jeunesse dans
toute l'Europe. Cette expérience les a également amenés à devenir
plutôt autosuffisants pour ce qui est du réseautage. Leur expérience a
été diffusée dans toute l'Europe et a contribué avant tout à créer des
réseaux d'experts en recherche jeunesse, particulièrement dans le
cadre des activités du Conseil de l'Europe.

Au milieu des années 1990, l' « Association européenne de sociologie (AES) » a été créée ; elle tient ses conférences tous les deux
ans et possède un excellent réseau axé sur la jeunesse, principalement
sous forme électronique, pour l'échange de nouvelles et de documents. Pour cette raison, le réseau « *Youth and Generation* » (jeunesse
et génération) de l'AES est plus inclusif que la plupart des autres
réseaux ; il n'est pas nécessaire d'appartenir à l'association pour en
devenir membre.

On peut considérer comme d'autres initiatives ascendantes la
création d'instruments à l'appui de la recherche jeunesse comparative

en Europe, notamment la création de revues spécialisées qui publient régulièrement des résultats de la recherche jeunesse en langue anglaise, ainsi que les revues nationales paraissant dans différents États membres de l'UE, qui publient des articles sur la jeunesse et les résultats de la recherche jeunesse dans leurs langues nationales[127]. Depuis le milieu des années 90, une nouvelle revue, intitulée *Journal of Youth Studies*, a fait son apparition, et bien qu'elle soit réalisée à Glasgow (Royaume-Uni), elle est devenue de plus en plus un forum pour la recherche jeunesse européenne. La revue nordique (bien plus ancienne) *Young Nordic Journal of Youth Research*, qui est produite en anglais et qui est désormais publiée par un éditeur international qui a accès à un plus vaste public, est un second forum. Ces deux initiatives concourent à créer un meilleur échange de recherche jeunesse dans toute l'Europe. Cependant, la première revue présente toujours des approches anglocentriques, tandis que la seconde se préoccupe davantage des tendances et problèmes propres à la jeunesse nordique. Ni l'une ni l'autre n'ont conquis entièrement le milieu de la recherche transeuropéen qui est en train de se constituer, bien que cela puisse encore arriver.

Au-delà de ces ressources existantes, qui s'inscrivent à l'appui de la recherche comparative européenne, nous devons également compter plusieurs programmes de recherche universitaires et « observatoires de la jeunesse » ainsi que les instituts de recherche non-universitaires publics et privés qui se spécialisent en jeunesse et en recherche sur la politique jeunesse, et dont certaines participent également à des projets de recherche européens transculturels ou transnationaux. On trouvera de l'information plus précise sur cette question dans le rapport de 2001 de l'IARD[128].

Initiatives descendantes : les bases de données statistiques et empiriques de l'UE

Depuis le début des années 90, nous pouvons constater une amélioration considérable des instruments quantitatifs, qui porte non seulement sur l'harmonisation des indicateurs et des variables sociaux, mais également sur la quantité, la qualité et la disponibilité des données statistiques au niveau européen, ce qui améliore la qualité de l'information obtenue[129]. Différentes initiatives entreprises par Eurostat dans ce sens ont abouti à une amélioration importante des statistiques sociales européennes comparatives dans différents secteurs dans lesquels la jeunesse joue un rôle important (comme l'enseignement, l'emploi, le logement, la santé, etc.) et dans l'élaboration et la qualité des enquêtes, en se concentrant directement ou indirectement sur les conditions de vie des jeunes dans l'UE. Dans le cadre de cette enquête, nous pouvons mentionner ce qui suit : l'enquête « *European Community Household Panel* » (enquête du panel des ménages de la Communauté européenne), la « *European Labour Force Survey* » (enquête européenne sur la population active), la « *European Social Survey* » (enquête sociale européenne), l'Eurobaromètre 47.2 (« Les jeunes européens »), la « *European Values Survey* » (enquête européenne sur les valeurs).

L'information et les sources de données propres à l'UE sont complétées par d'autres enquêtes qui ne sont pas spécifiquement européennes, notamment le « *International Social Survey Programme* » (programme international d'enquêtes sociales) et la « *World Values Survey* » (enquête mondiale sur les valeurs). À ces améliorations, ajoutons les autres approches quantitatives et qualitatives, données et résultats de recherche obtenus par plusieurs enquêtes comparatives européennes menées dans le contexte des programmes de recherche de la Commission de l'UE, particulièrement dans le contexte des Cinquième et Sixième programmes-cadres[130]. Au moyen de telles données comparatives, quantitatives et qualitatives, les connaissances sur la jeunesse des États membres de l'UE se sont sensiblement améliorées, approfondies et répandues.

Initiatives « mixtes »

Le Conseil de l'Europe s'est servi de l'événement « Participation, développement, paix » qui s'est déroulé en 1985 dans le cadre de l'Année internationale de la jeunesse des Nations Unies, comme point de départ pour mettre en branle plusieurs initiatives de grande envergure dans l'intention de favoriser et de documenter la recherche jeunesse européenne produite par l'évolution sociale et politique. À cette fin, le Conseil de l'Europe, fortement guidé par l'expérience des pays scandinaves, a installé et institutionnalisé le réseau d'experts sur la recherche et l'information jeunesse, parrainé et coordonné par la Direction Jeunesse et Sport du Conseil de l'Europe[131].

L'objectif central de ce réseau était d'étayer le travail de la Direction Jeunesse du Conseil de l'Europe. Les membres de ce réseau ont échangé de l'information sur les activités de recherche jeunesse et les résultats de la recherche et ont diffusé ce savoir dans leurs pays respectifs. Dans le cadre de ce réseau, plusieurs importantes initiatives ont également été mises en œuvre. Il s'agit notamment des suivantes :

*   Création d'une bibliothèque spécialisée sur la jeunesse et la recherche jeunesse au Centre européen de la jeunesse à Strasbourg.

*   Création et mise en œuvre d'une base de données électronique sur la recherche jeunesse et la politique jeunesse en Europe.

*   Publication de rapports statistiques et analytiques sur la situation des jeunes en Europe.

*   Séminaires sur la jeunesse et la recherche jeunesse à l'intention des jeunes chercheurs.

La politique jeunesse du Conseil de l'Europe a également donné lieu à des examens de politiques jeunesse nationales dans lesquels les membres du réseau de jeunes chercheurs ont été impliqués.

Ces initiatives du Conseil de l'Europe ont contribué à planter le décor pour définir la « jeunesse » européenne depuis le milieu des années 80. Plus récemment (2002), Lynne Chisholm et Siyka Kovatcheva ont examiné la « mosaïque de la jeunesse européenne », c'est-à-dire la situation sociale des jeunes en Europe, dans les 44 États membres d'alors du Conseil de l'Europe[132].

Après une période de stagnation à la fin des années 90, le réseau de correspondants nationaux de recherche jeunesse a été réactivé dans le cadre de la convention entre la Commission européenne et le Conseil de l'Europe. Sa principale tâche depuis lors a consisté à prodiguer de l'information et d'autres genres de soutien pour la mise en œuvre et la mise à l'essai du « European Knowledge Centre » (voir le chapitre de Bryony Hoskins sur le lancement du « *European Knowledge Centre for Youth Policy* »).

Nous pouvons observer, depuis le milieu des années 90, une accentuation de la tendance formulée, en termes plus spécialisés et soutenue par le financement de la recherche de l'UE, à un réseautage plus poussé dans le domaine de la recherche jeunesse dans la partie occidentale de l'Europe. Ceci s'est manifesté notamment par la création de réseaux informels ou de consortiums regroupés autour d'enjeux et de projets de recherche thématiques particuliers, financés principalement par les programmes-cadres de la Commission de l'UE ou par la Fondation européenne de la science (*European Science Foundation*). Je citerai comme exemple d'un tel réseau de recherche dans le secteur de la jeunesse le « European Group for Integrated Research (EGRIS) » (groupe européen pour la recherche intégrée) créé en 1993 en tant que réseau de recherche européen (domicilié en Allemagne). Au début, il avait une double finalité : élaborer un concept européen de « jeunes adultes » et intégrer la dimension européenne à la recherche sociale sur la jeunesse. Après dix ans, EGRIS est devenu un forum pour un débat paneuropéen sur l'intégration sociale et la politique sociale, ainsi qu'un réseau de recherche qui essaie d'élaborer des méthodes empiriques pour des approches interculturelles[133].

Des initiatives mixtes semblables, qui se concentrent principalement sur des questions d'emploi des jeunes, se sont concrétisées dans les réseaux YUSEDER ; ces derniers travaillent sur le projet « *Youth Unemployment and Risk of Social Exclusion* » (chômage et risque d'exclusion sociale des jeunes) ou CATEWE, axé principalement sur le projet « *Comparative Analysis of Transitions from Education to Work in Europe* » (analyse comparative de l'insertion professionnelle des jeunes en Europe), qui repose sur la « *European Labour Force Survey* » (enquête européenne sur la population active) de la Communauté européenne. D'autres réseaux importants ont été créés pendant la deuxième moitié des années 90, notamment le Réseau sur l'insertion sociale et professionnelle des jeunes[134] et le réseau IARD « *Task Force for Research in Europe* (TREU) » (groupe de travail pour la recherche en Europe)[135].

Outre ces exemples de réseaux de recherche jeunesse, nous pouvons mentionner ceux qui ont été conçus comme réseaux d'information et de coopération virtuels et qui se concentrent sur la documentation des données sur la jeunesse, les politiques jeunesse et les pratiques exemplaires. Ils comprennent le réseau « *European Youth Observatory* » (observatoire européen de la jeunesse), le réseau « *Youth and Generation* » (jeunesse et génération)[136], et le réseau

« *Virtual Community of Young Researchers* » (collectivité virtuelle de jeunes chercheurs).

Au cours des deux dernières années, un autre réseau a connu le succès : il s'agit du Conseil international sur les politiques nationales de jeunesse (« *International Council for National Youth Policy* (ICNYP) ») qui, bien qu'il se préoccupe principalement de constituer des réseaux stratégiques plutôt que des réseaux de recherche, s'est étendu énormément et a réussi à nouer des contacts internationaux à l'intérieur ainsi qu'à l'extérieur de l'Europe. Ceci contribue à définir l'idée de la jeunesse et à la faire inscrire à l'ordre du jour politique, ce qui influe en aval sur les orientations transnationales que la recherche jeunesse peut adopter.

Comme nous pouvons le constater à partir de ce bref résumé historique, de nombreuses stratégies et initiatives ont été élaborées pour parvenir à différentes formes de coproduction de connaissances sur la jeunesse et la politique jeunesse dans différents contextes institutionnels, avant même que l'idée d'un « *European Knowledge Centre* » soit née.

3.4.1.4. Avantages et désavantages des différentes formes de coproduction de connaissances sur la jeunesse

S'agissant de la coproduction sociale de connaissances, les différentes initiatives et stratégies décrites ci-dessus présentent, bien entendu, plusieurs avantages et désavantages qui doivent être pris en ligne de compte lorsque l'on essaie de construire les espaces de dialogue et de collaboration. Parmi les avantages des initiatives et stratégies européennes émanant de la base, nous remarquons qu'elles permettent d'entamer des discours théoriques avec des personnes qui ont les mêmes objectifs généraux et un langage technique plus ou moins commun. Elles stimulent un libre dialogue avec d'autres acteurs sociaux (chercheurs, décideurs politiques ou travailleurs jeunesse) et permettent de concevoir ou de faciliter la conception de nouvelles idées sur le développement social et celui de la jeunesse ; elles sont donc également très utiles pour l'élaboration de nouvelles questions de recherche et d'interventions pédagogiques ou politiques. Elles nous permettent par ailleurs d'acquérir une meilleure connaissance des structures politiques de la jeunesse et des problèmes des sociétés étrangères et des jeunes étrangers, mais également de comprendre nos propres structures et problèmes de la jeunesse en dégageant les contrastes et en projetant notre situation sur le miroir des « autres ». Par conséquent, elles stimulent également l'élaboration d'une vision moins ethnocentrique de la jeunesse et des politiques jeunesse dans les différents États membres de l'UE. Ces initiatives « ascendantes » produisent également des conditions subjectives et objectives (psychologiques, informationnelles et organisationnelles) pour une meilleure collaboration européenne dans les domaines de la recherche jeunesse et du travail jeunesse transnationaux/transculturels. Enfin, elles permettent une meilleure diffusion des connaissances sur la jeunesse dans différentes sphères, par exemple, parmi les décideurs politiques, les travailleurs jeunesse et les chercheurs.

Parmi les principaux désavantages dont il faut tenir compte par rapport à de telles initiatives « ascendantes », nous pouvons mentionner les suivants : les réseaux de chercheurs et de praticiens présentent une tendance à élaborer leur propre discours, parfois en fort isolement des autres acteurs sociaux, perdant ainsi le contact avec les perceptions et les points de vue sociaux des intervenants. Les planificateurs jeunesse, les travailleurs jeunesse, les praticiens dans d'autres domaines (par exemple les enseignants) et les jeunes gens eux-mêmes. Dans un tel contexte, les professionnels manifestent également une tendance à considérer les jeunes principalement comme « sujets de recherche », comme un « domaine d'activité » ou comme un « groupe à problèmes » exigeant des interventions « politiques, sociales ou pédagogiques ». Dans cette perspective, les chercheurs jeunesse et les travailleurs jeunesse se distancent également trop des sujets dans lesquels ils veulent travailler. Les réseaux de chercheurs manifestent parfois également une tendance à développer de fortes attitudes universitaires sans tenir compte suffisamment des ramifications pratiques ou politiques de la connaissance qu'ils produisent. Dans un tel contexte, les chercheurs sont parfois plus intéressés par leur propre carrière universitaire que par la volonté d'influencer la société et la politique. Les chercheurs et les réseaux de chercheurs ne sont presque pas présents dans les structures régionales et locales de politique jeunesse. Il faut en voir la raison principalement dans le manque d'initiatives locales de politique jeunesse visant à les intégrer et à utiliser leurs ressources, et éventuellement aussi dans le support financier inexistant de la part des instances locales et d'autres institutions de financement à ce niveau.

Parmi les avantages des initiatives descendantes, citons le fait qu'elles permettent la constitution et l'étoffement de grandes bases de données statistiques fiables dont de nombreux chercheurs et d'autres acteurs sociaux peuvent également profiter. Elles stimulent la collaboration entre de grandes institutions de recherche universitaires et non-universitaires existantes dans les différents pays et jettent ainsi les fondations de rapports sociaux réguliers. Les institutions politiques aux niveaux européen, national, régional et local peuvent tirer parti des résultats de ce type de collaboration, particulièrement au moment où elles doivent dégager des problèmes sociaux d'actualité, définir et légitimer les opinions ou les objectifs politiques ainsi que les domaines d'activité et les programmes sociaux. Par suite des avantages mentionnés ci-dessus, les genres de réseaux émanant de telles initiatives ont des liens plus étroits avec des acteurs politiques aux niveaux national et européen. Ils considèrent les données et le savoir engendrés par ces institutions et les réseaux de recherche comme la principale source de conseils scientifiques en matière de politique.

Au titre des désavantages que présentent ces initiatives, mentionnons les suivants : les données et les visions et interprétations panoramiques qu'elles produisent sont fortement déterminées par le genre d'instruments quantitatifs et normalisés qui sont utilisés. Cela signifie qu'elles produisent un savoir fondé sur des indicateurs sociaux généraux et des réponses aux enjeux et sujets formulés du point de vue des chercheurs, et structurés précédemment dans des questionnaires comportant principalement des questions fermées. Ces genres d'instruments ne sont pas en mesure de saisir le côté subjectif des problèmes auxquels il faut trouver une réponse ou qu'il faut régler ni, bien entendu, d'intégrer les perceptions et interprétations d'autres acteurs sociaux. Comme dans ce type d'initiatives de réseautage institutionnel, le contact avec d'autres acteurs sociaux pendant le processus de production des connaissances est très réduit ou presque inexistant, l'interprétation et les explications des données proposées ont souvent un fort biais technocratique. Les acteurs politiques se servent souvent de la connaissance produite dans le contexte de telles méthodes et de tels réseaux pour légitimer les options et les décisions politiques qui ont été prises précédemment ou qui seraient prises quand même en fonction de leurs propres intérêts politiques. Ce savoir peut facilement être adapté à des fins politiques. Enfin, elles exigent d'importantes ressources financières pour leur travail et dépendent par conséquent fortement de la fonctionnalité « politique » de leurs conclusions.

Les avantages des initiatives mixtes peuvent être résumés comme suit : aux niveaux européen et national, elles réunissent souvent (mais pas toujours) les chercheurs avec d'autres acteurs, notamment des fonctionnaires nationaux, des agents de l'Union européenne et du Conseil de l'Europe, des représentants des organisations de jeunesse, etc.. Elles donnent ainsi la possibilité d'apprendre les uns des autres et de transmettre leur propre savoir dans d'autres contextes. Sur la toile de fond de ce savoir réciproque, elles comportent la possibilité d'entamer de nouveaux projets communs et de mettre à l'essai, de suivre ou d'évaluer des pratiques novatrices. Elles ouvrent également des possibilités de participation à des projets, des conférences, des séminaires, des publications européens intéressants. Elles offrent des liens vers un vaste éventail d'acteurs sociaux et un grand ensemble d'informations qui peuvent fort bien être utilisées à des fins de diffusion et de réseautage supplémentaires.

Ces initiatives mixtes comportent bien entendu leurs propres désavantages : elles peuvent notamment se transformer très facilement en « clubs de débat » sans véritable pertinence théorique ou sans conséquences pratiques. Les réseaux financés par l'UE (particulièrement les réseaux de chercheurs) dépendent trop des changements de priorité de la Commission européenne (particulièrement ceux des programmes-cadres) et risquent par conséquent de disparaître lorsque le financement de projet arrive à terme. Les réseaux européens de ce type sont également confrontés à des difficultés lorsqu'il s'agit d'insérer les discours élaborés au niveau européen ou transnational dans le discours national. Lorsqu'ils s'acquittent de cette tâche, ils risquent souvent d'être stigmatisés par les milieux de la recherche ou par les praticiens nationaux qui les considèrent souvent comme des initiatives « de beau temps », inadaptées pour régler les problèmes aigus aux niveaux local, régional et national ou pas suffisamment fondées sur des critères scientifiques classiques.

3.4.1.5. Domaines et sujets pour une future coproduction sociale de connaissances et de recherche comparative européenne sur la jeunesse

La définition de secteurs de recherche et d'enjeux pertinents de la recherche comparative sur la jeunesse européenne actuelle et future est possible ; il faut en premier lieu prendre en ligne de compte certains documents stratégiques de la Commission européenne, notamment le Livre blanc sur la politique jeunesse « Un nouvel élan pour la jeunesse européenne » (2001). Cet ouvrage a produit, grâce à une vaste consultation des décideurs politiques, des experts de la jeunesse et des jeunes eux-mêmes, des enjeux propres à la politique jeunesse comme « participation », « information des jeunes », « engagement civil/travail volontaire » et « plus d'information sur la jeunesse », ainsi que d'autres enjeux liés à la jeunesse tels que « éducation », « emploi », « logement » et « santé », qui ont été définis comme secteurs d'action prioritaires pour de futures politiques jeunesse dans les États membres de l'UE.

Les programmes parrainés par la Commission européenne (particulièrement les Cinquième et Sixième programmes-cadres) sont une autre source importante pour déterminer les enjeux de recherche pertinents qui se concentrent sur la jeunesse en Europe. On tient compte des priorités en matière de politique et de recherche établies dans ces programmes. En les reliant avec d'autres enjeux sociaux européens, plus généraux mais tout aussi pertinents, par exemple : « cohésion sociale », « migration », « l'éducation et la société de la connaissance », « éducation et apprentissage tout au long de la vie », « rôle des régimes de bien-être et des politiques sociales », etc.[137], nous pouvons conclure que les secteurs et les enjeux qui suivent seront les plus pertinents pour les futures exigences en matière de savoir au sein de l'Union européenne :

    *   Facteurs aboutissant à la solidarité ou à des tensions des relations entre générations, par exemple ceux concernant les garde-fous sociaux, les rôles des hommes et des femmes, les structures familiales, les modes de vie et la transmission de savoir entre générations.

* La société de la connaissance et le rôle de l'information, de la communication et de l'apprentissage tout au long de la vie dans la vie de la jeunesse moderne.

* L'éducation dans la société de la connaissance et les stratégies pour l'inclusion et l'intégration des jeunes de différentes origines sociales ou ethniques.

* Les formes changeantes du capital social et de la participation politique, sociale et économique des jeunes en Europe.

* La modernisation des structures économiques et les nouvelles formes d'emploi, de chômage et d'inégalité sociale ; conséquences pour les jeunes hommes et femmes en Europe.

* Vie autonome et facteurs sociétaux favorisant/entravant le processus d'émancipation des jeunes en Europe.

* Les conséquences de la mondialisation et de l'européanisation pour les constructions d'identité des jeunes.

* Les effets économiques et sociaux de l'entrée tardive des jeunes hommes et femmes sur le marché du travail et les répercussions que ceci exerce, particulièrement sur la fondation de la famille et les taux de fécondité.

* Les comportements à risque et l'état de santé des jeunes en Europe ; politiques de prévention et pratiques exemplaires.

* La comparaison de différentes politiques jeunesse et de politiques ciblées sur la gestion des relations entre générations aux niveaux national et européen, y compris l'évaluation des « pratiques exemplaires ».

Dans le cadre de cet article, il n'est évidemment pas possible d'examiner les contenus et les significations particuliers de chacun de ces domaines et enjeux thématiques, dont on pourrait déduire des questions pour la future recherche comparative européenne et la coproduction sociale de connaissances sur la jeunesse. On constate que les enjeux et les questions ont été concrétisés dans une certaine mesure dans le Sixième programme-cadre de la Commission européenne[138].

3.4.1.6. Résumé, conclusions et questions ouvertes

Comme je l'ai indiqué dans ce chapitre, les sociétés contemporaines sont caractérisées par des processus de changements économiques et sociaux accélérés. Ces changements sautent aux yeux dans différents phénomènes touchant les jeunes, par exemple, le prolongement de la durée pendant laquelle des personnes restent dans la situation de jeune, c'est-à-dire une situation dans laquelle l'âge adulte biologique et intellectuel ne correspond pas à l'âge adulte social. Ceci rend difficile de déterminer avec certitude la durée de vie individuelle pendant laquelle un homme ou une femme peut être considéré comme « jeune ».

Le processus de modernisation exerce certes un effet puissant sur la vie des jeunes, mais il ne rend pas égaux les jeunes dans toute l'Europe. Comme je l'ai signalé plus haut, le processus de modernisation est lui-même une source de diversification et d'individualisation de la vie sociale. À cet égard, même si les conditions structurelles de la vie des jeunes en Europe ont été moins fréquemment étudiées d'un point de vue comparatif que d'autres enjeux sociaux, les données statistiques et la recherche comparative empirique existante ont montré que les aspects structuraux des conditions de la jeunesse varient sensiblement à l'heure actuelle au sein de l'Union européenne et, bien entendu, en comparaison avec la situation des jeunes des pays européens qui n'appartiennent pas à l'UE. Dans un certain sens, cette dernière affirmation s'applique également aux aspects culturels de la condition de jeune.

Nous avons vu par ailleurs que pendant les dernières années, la Commission européenne et le Conseil de l'Europe étaient vivement intéressés à soutenir différentes formes de production de connaissances sur la jeunesse, notamment en intégrant et en renforçant un milieu européen de la recherche dans le domaine de la jeunesse. À cette fin, des programmes de recherche et des réseaux de chercheurs intéressés par les enquêtes transculturelles/transnationales sur la jeunesse ont été constitués et financés par la Commission européenne et d'autres institutions européennes. Dans ce contexte, la recherche comparative européenne a réalisé quelques progrès importants depuis les années 90, même si elle s'est principalement concentrée sur l'élaboration d'enquêtes quantitatives fournissant de l'information statistique normalisée au niveau européen. Cependant, la recherche ne suffit pas à elle seule si nous souhaitons parvenir à une meilleure compréhension et connaissance de la jeunesse.

Comme l'a dit Lynne Chisholm dans son exposé liminaire, une meilleure compréhension et connaissance de la jeunesse exige la construction de structures et d'espaces sociaux permettant d'entamer un dialogue fondé sur le savoir entre différents acteurs sociaux impliqués dans la production de connaissances sur les jeunes. Dans ce but, il faut également prendre en compte le fait que, par rapport aux jeunes gens, il existe des formes multiples de savoir (théorique, empirique, pratique, subjectif, etc.), qui doivent toutes être acceptées comme étant appropriées pour la politique jeunesse et le travail jeunesse et qui doivent être rapprochées, si l'on souhaite parvenir à une coproduction sociale de connaissances grâce au dialogue.

Vu sous cet angle, il est manifeste que les différents acteurs impliqués dans un tel processus de dialogue considèrent la jeunesse de leur propre point de vue, à travers leur propre logique, en fonction de leurs intérêts et que, par conséquent, les relations de tension entre acteurs seront toujours une partie constituante d'un « pacte pour davantage de connaissances » sur la jeunesse. Ce qui semble être important dans un tel « pacte », c'est que chaque acteur doit occuper sa propre place dans le processus de coproduction de connaissances, afin que l'on puisse éviter des confusions et, bien entendu, jeter des passerelles entre ces différentes positions, ces différents intérêts et ces différents rôles.

Qui plus est, il faut également définir ce qu'il convient de comprendre par le terme « cogestion des connaissances » sur la jeunesse. Songeons-nous là à des initiatives communes avec des jeunes afin de produire de nouvelles connaissances sur la jeunesse (consultations des jeunes, recherche dynamique, etc.) ou pensons-nous à des activités et à de nouveaux projets produits à la suite de la recherche jeunesse, notamment la constitution de base de données sur la jeunesse et la politique jeunesse, un « *European Knowledge Centre* » ou des pages d'accueil spécialisées qui informent sur la jeunesse, la politique et les politiques jeunesse ?

À partir de l'analyse des différentes initiatives présentées dans la deuxième partie de ce chapitre, nous pouvons conclure que

l'élaboration de nouveaux espaces structuraux d'échange et de négociation avec d'autres acteurs – et donc l'implication dynamique dans
le « triangle magique » – donne la possibilité d'élaborer de nouvelles
idées pour la recherche et le travail pratique. Nous pouvons également conclure que l'implication dans de telles initiatives ainsi que
dans les consultations des jeunes peut donner aux chercheurs et aux
praticiens une signification plus profonde et un autre genre de motivation pour leur propre travail. Par ailleurs, les problèmes et les
questions non-résolus, liés à la mise en œuvre d'une stratégie visant
la coproduction sociale de connaissances, ne sont pas négligeables :

* Comment le réseautage et la communication fondés sur le
dialogue entre les différents acteurs sociaux compétents peuvent-
ils être organisés aux niveaux local, régional et national ? Et comment les jeunes gens défavorisés peuvent-ils être impliqués dans
ces processus ?

* Est-il possible de produire des « pactes pour plus de
connaissances sur la jeunesse » à différents niveaux ? En d'autres
termes, comment pouvons-nous amener des jeunes, organisés et
non-organisés, des travailleurs jeunesse, des chercheurs jeunesse
ainsi que des décideurs et des agents responsables de projets
jeunesse à se retrouver pour élaborer des initiatives communes
de coproduction de connaissances par le biais, par exemple, de
consultations structurées des jeunes et de méthodes de coordination ouvertes comme moyen de mise en œuvre des priorités du
Livre blanc ; pour élaborer des projets de recherche qualitative
ou quantitative axés sur les enjeux particuliers utiles au travail
jeunesse et à la planification jeunesse locale ou régionale ou
nationale, ou pour produire des rapports locaux, régionaux ou
nationaux sur la jeunesse ?

* Est-il par ailleurs possible de produire un « pacte de
connaissances sur la jeunesse » ayant également un rapport avec
d'autres aspects connexes de la politique jeunesse, par exemple,
la conception, le suivi et l'évaluation de pratiques novatrices dans
le domaine de la jeunesse ou l'élaboration de supports pédagogiques ainsi que la diffusion d'information pertinente sur la
jeunesse, élaborée par des jeunes pour des jeunes ?

* Comment les jeunes concernés peuvent-ils s'impliquer et s'intégrer dans des projets de recherche jeunesse et quel rôle les chercheurs professionnels pourraient-ils jouer à cet égard ?

* Quelles stratégies et quelles méthodes les chercheurs jeunesse devraient-ils élaborer eux-mêmes pour présenter leurs résultats d'une façon qui puisse être comprise par tous les autres acteurs ?

Comme nous l'avons constaté dans ce document, les stratégies existantes pour l'élaboration de la coproduction sociale de connaissances sont très différentes, et toutes présentent des avantages et des désavantages. Nous devons apprendre à vivre avec ces ambiguïtés et ces contradictions. Les problèmes et les questions présentés dans cette section finale se veulent des apports pour notre réflexion commune dans le contexte de cet atelier. L'intention était de stimuler l'imagination des participants afin de lancer des dialogues qui peuvent nous aider à améliorer les structures de coproduction de connaissances déjà existantes.

3.4.2. Coproduction sociale : le moyen de travailler à la politique jeunesse

par Alix Masson

Je commencerai mon exposé avec la question-clé concernant la façon dont les organisations de jeunesse voient le processus de coproduction sociale et sa gestion, et je reviendrai aux sources et aux méthodes de coproduction sociale.

On peut considérer la coproduction sociale comme ce qui existe au Conseil de l'Europe en termes de structure de cogestion spécifique mise en place au sein de la Direction Jeunesse et Sports. Les décideurs et les jeunes sont également représentés et ont les mêmes pouvoirs. De nos jours, ce système est un acquis, mais les organisations de jeunesse se sont battues pour cette cogestion pendant des décennies et aujourd'hui, nous devons encore nous battre pour montrer qu'elle a son utilité et qu'elle est utilisée à bon escient, et pour faire avancer cette structure de gestion. Le Forum européen de la jeunesse pense qu'il s'agit de la meilleure façon de collaborer à la production d'une politique jeunesse pour et avec les jeunes.

Au niveau de l'UE, nous pouvons parler davantage de consultation que de toute autre chose, quoiqu'il existe certaines tendances positives, que nous ne pouvons cependant pas qualifier de cogestion. S'agissant des structures de gestion des politiques jeunesse, les situations varient dans les États membres européens. Certaines structures, par exemple celle de la Lituanie, fonctionnent en cogestion. D'autres pays (notamment le Portugal, la Finlande et l'Irlande) ont mis en place un organisme consultatif qui peut être considéré comme la première étape vers la cogestion.

L'objet de cette conférence, et plus particulièrement de cet atelier, consiste à trouver des moyens et des outils concrets pour mettre en exergue un tel besoin. La coproduction sociale est la façon de travailler à la politique jeunesse tout en faisant aboutir l'expérience et les approches différentes à une fin commune.

Pour ce qui est des sources, le fondement est l'expérience individuelle vécue par les jeunes eux-mêmes, ainsi que leurs attentes. Les organisations de jeunesse sont porteuses de sources collectives. Nous pouvons parler de besoins identiques, mais qui ne sont pas présentés de la même façon. Je citerais, comme exemple concret, le chômage.

Les jeunes gens sont préoccupés par les réalités de leur vie. Que signifie pour eux d'être au chômage, par exemple ? Cela signifie être exclu, cela signifie être gaspillé, cela signifie ne plus être indépendant et bien plus encore. Les organisations de jeunesse traduisent ces problèmes différents et les besoins connexes afin de s'y attaquer et de proposer des solutions pratiques. Pour ce qui est du chômage, ces organisations soulèvent différentes questions, concernant notamment la façon de lutter contre le chômage et le besoin d'obtenir des emplois de meilleure qualité et en plus grand nombre pour les jeunes. Ces affaires peuvent être réglées éventuellement par une taxation particulière, l'éducation en entrepreneuriat ou des politiques de formation professionnelle.

Ainsi nous produisons et obtenons la véritable revendication. Cette revendication pour plus d'emplois émane des jeunes et parvient directement aux décideurs par le biais d'une consultation politique aux niveaux local/régional, ou elle passe par les organisations de jeunesse et acquiert des points de vue structuraux et des mesures pratiques concrètes pour y répondre. À partir de ce point, les organisations de jeunesse sont compétentes comme productrices de demandes fondées sur le savoir.

Sous cet angle, les organisations de jeunesse sont des productrices compétentes de revendications fondées sur le savoir. Nous devons donc nous demander quels sont les besoins des jeunes, de quelle façon nous les déterminons et quelles méthodes nous utiliserons pour les recueillir ?

Les données disponibles sur la situation des jeunes au niveau national ou au niveau européen nous permettent de montrer de façon probante les problèmes que les jeunes affrontent pour des enjeux très différents. Qui plus est, les organisations de jeunesse peuvent présenter des faits probants par le biais des cas de réussite locaux dans le règlement de ces problèmes. C'est de cette façon que le projet d'une politique jeunesse reçoit un appui structurel.

Les organisations de jeunesse présentent des histoires vécues à l'appui de statistiques sèches et pour les compléter. Lorsqu'on présente les pourcentages de jeunes chômeurs, on ne montre pas les différentes réalités de la vie que ces jeunes doivent affronter. Chômage signifie exclusion pour des raisons raciales, religieuses, sexuelles ou d'invalidité. En outre, être au chômage signifie ne pas être en mesure de profiter d'une vie sociale, d'avoir de bonnes conditions de vie, d'avoir un toit au-dessus de la tête. Les organisations de jeunesse, confrontées aux problèmes des jeunes, y répondent par le biais d'activités qu'elles organisent et qui leur permettent de recueillir des témoignages. Mais ce n'est pas la seule source des organisations de jeunesse. Elles rejoignent des jeunes de milieux différents qui sont confrontés à des situations très diverses et les affrontent. Les jeunes gens s'expriment également et parlent de leur situation pendant les activités organisées par les organisations de jeunesse.

Dans le cadre du dialogue structuré fondé sur le partenariat égal dans le processus décisionnel, tous les acteurs (organisations de jeunesse, décideurs et chercheurs jeunesse) sont censés collaborer sur une même base, partager leurs preuves particulières afin de faire inscrire les priorités les plus sensibles à l'ordre du jour politique. Puis vient le moment de se demander quels sont les résultats, les fruits de la coproduction sociale que nous pourrions désigner et reconnaître. On peut les classer sous deux points.

a) La nécessité de mettre en pratique la nature transsectorielle de la politique jeunesse.

Le rôle des organisations de jeunesse consiste à réunir toutes les structures gouvernementales travaillant à des problèmes touchant les jeunes afin de réfléchir sur la jeunesse en tant que groupe social. Le résultat de la coproduction sociale est la reconnaissance d'une politique jeunesse fondée sur onze indicateurs qui émanent de la recherche produite dans ce domaine.

b) Le besoin de réaliser la jeunesse comme ressource pour la société civile

Les organisations de jeunesse présentent de nombreux exemples de contribution à la vie de la société en termes positifs.

Les résultats de la coproduction sociale reconnaissent le potentiel existant et soulignent la nécessité en l'encourageant à tous les niveaux de gouvernance – l'un des outils particuliers qui existe est la « *European charter on the participation of young people in local and regional life* » (charte européenne sur la participation des jeunes aux niveaux local et régional), produite par le Conseil de l'Europe.

Il est important d'insister sur le fait que la coproduction sociale n'est pas une industrie qui fabrique un produit pour le marché et le met en vente. Il s'agit davantage de mener une réflexion constante sur l'évolution des réalités de la jeunesse et d'apporter des ajustements par rapport aux tendances qui sont présentes dans la société dans son ensemble.

Un certain nombre de problèmes abordés par le passé exigent que nous leur accordions notre attention aujourd'hui. En raison des changements permanents, nous devons engager une réflexion permanente sur des enjeux centraux, notamment les tendances démographiques, l'autonomie des jeunes, la participation des jeunes et la santé. Ces enjeux gagnent en importance au fur et à mesure que la société évolue et à la suite des expositions différentes auxquelles les sociétés sont confrontées.

3.4.3. À propos des positions et des rôles dans la production de connaissances en participation

par Jean-Louis Meyer

3.4.3.1. Introduction

L'atelier était composé d'un échantillon des différents partenaires travaillant sur les questions de la jeunesse (organisations de jeunesse, praticiens, représentants d'administrations et chercheurs). En ouverture des débats, deux exposés ont souligné les intérêts distincts mais convergents des divers partenaires travaillant sur les thématiques de la jeunesse. Si les besoins de connaissances sont manifestes, comme par exemple sur la question du chômage des jeunes, ils ne coïncident pas systématiquement, les logiques d'investigation empruntées communément par les chercheurs, initiées au niveau européen ou au niveau national, ne répondant pas entièrement aux préoccupations des utilisateurs directs de ces recherches, à savoir les praticiens de terrain, les responsables politiques locaux et les populations juvéniles.

Le groupe s'est rapidement accordé sur l'idée que les chercheurs n'ont pas le monopole de la production de la connaissance, et qu'une coproduction de cette connaissance représentait une piste féconde pour avancer dans les travaux de recherche sur la jeunesse. Reste à préciser les conditions de mise en œuvre de cette coproduction, le rôle respectif des acteurs et les méthodologies à développer.

3.4.3.2. Le débat

Les débats de clarification des postures de recherche et des rôles respectifs de chacun ont essentiellement porté sur trois objets de réflexion : celui des connaissances, celui des méthodes et enfin celui du niveau d'analyse.

La connaissance

Certes, la connaissance académique reste un objet central des recherches fondamentales sur la jeunesse, la construction de modèles d'analyse, l'élaboration de théories propres à rendre compte des spécificités des populations juvéniles demeurant un objectif central de la démarche universitaire. Pour autant, à côté de cette production universitaire standardisée de connaissances, d'autres types de connaissances sont indispensables aux acteurs de terrain. Celles-ci émergent bien souvent d'une rencontre entre la recherche fondamentale et les tentatives d'appropriation, par les acteurs eux-mêmes, d'une forme d'expertise des pratiques qui sont les leurs. Il n'est d'ailleurs pas sûr que l'on puisse isoler, autrement que sous forme d'hypothèse d'école, chacune des dynamiques productrices de connaissances.

Toutefois le groupe de travail s'est accordé, dans une perspective heuristique, pour relever les modes de production distincts et les spécificités des connaissances nécessaires à la compréhension de l'objet jeunesse : connaissances pratiques, connaissances liées à l'évaluation d'actions et connaissances scientifiques liées au travail de théorisation et de modélisation. S'il ne s'agit pas d'imaginer une quelconque suprématie d'un type de connaissance sur les autres, il convient de penser l'articulation de ces productions.

Une quantité importante de sources existe déjà alors que leur utilisation reste malheureusement confinée aux seuls spécialistes capables de s'approprier les données, mais aussi (et surtout) de déchiffrer sur quelles bases conceptuelles et selon quelles méthodes ont été construites ces données. En lui-même, un chiffre statistique ou un résultat plus qualitatif n'a guère de sens ; ce qui importe est de resituer l'observation dans son contexte de construction, de maîtriser son mode de recueil afin d'évaluer la portée de l'indicateur et son extension possible à un champ plus vaste de la connaissance. Or, de ce point de vue, le groupe a souligné les difficultés que pouvaient représenter, d'une part, la vulgarisation des connaissances scientifiques auprès de publics de non-spécialistes, mais aussi, d'autre part, l'inévitable diversité des expérimentations de terrain constitutives de dispositifs complexes de connaissances pratiques locales. Le caractère utilisable des connaissances est essentiel.

Les méthodes

La question des méthodes a été largement débattue par le groupe. La réflexion méthodologique ne peut s'autonomiser des pratiques de recherches concrètes ; sinon celle-ci risque de sombrer dans une forme de dogmatisme. Ainsi les chercheurs ne doivent pas abandonner la discussion de la méthodologie pour en faire une spécialité coupée du travail de recherche effectif et des besoins des praticiens de terrain.

Les modes de collectes sont variés et la construction de données pertinentes nécessite de ne rejeter aucune voie d'enquête susceptible de renseigner sur les dynamiques sociales dans lesquelles s'inscrivent les populations juvéniles. Le groupe a, en particulier, passé en revue les types d'investigations propices à une meilleure compréhension des questions de jeunesse.

Dans cette panoplie, les démarches quantitatives jouent un rôle important. L'attention a en particulier été retenue par la nécessaire imagination méthodologique réclamée par la mise en œuvre d'un instrument dont on ne retient souvent que les caractéristiques les plus standardisées.

De même, on a souligné l'indispensable recours aux investigations d'ordre qualitatif : entretiens biographiques, observation participante, etc. Là encore, il faut rappeler combien les données produites au cours de ces enquêtes sont loin d'être le fruit de l'application d'un outil technique neutre mais, au contraire, le produit d'une interaction sociale à part entière, où la définition sociale de la situation et des intervenants est cruciale. D'où la nécessité, là encore, d'informer les utilisateurs de ces données des possibilités mais aussi des limites de ces méthodes.

Enfin la recherche action, si elle postule que la connaissance n'est pas le produit d'une étude sur la réalité, mais la conséquence d'une transformation de la réalité, alloue au chercheur un rôle d'impulseur, de facilitateur, d'évaluateur. Toutefois, ce sont tous les acteurs en situation et en temps réel qui sont porteurs de la recherche-action : ils posent le cadre et la problématique de travail, les outils d'expérimentation et de vérification, ce qui requiert là aussi une compétence spécifique.

Ces méthodes qualitatives présentent un intérêt certain pour mieux appréhender des publics « fuyants » – certaines catégories de jeunes difficilement saisissables à travers les méthodes classiques –, voire pour les impliquer dans le processus de production de connaissances. Elles soulèvent cependant des difficultés méthodologiques, les questions en débat étant celle de la distance pouvant exister entre jeunes et experts ou celle de la finalité de la production de connaissances : pour qui et pour quel usage ?

Il a aussi été souligné que ces types de recherche (recherche participative, recherche action), s'ils ne sont pas nouveaux, ne sont pourtant pas bien considérés au sein de la communauté scientifique. Si l'accent devait être mis sur ce type de méthodes, il faudrait alors aider les chercheurs à ne pas être rejetés par leur propre milieu.

Compte tenu des difficultés à s'approprier spontanément une culture méthodologique partagée, le groupe de travail a souligné l'intérêt que pouvait présenter la mise en place de formations visant ce partage des méthodes et des concepts.

Les niveaux de production des connaissances

S'interroger sur les niveaux de production des connaissances, c'est indirectement poser la question de l'utilisateur, du « client » qui va mobiliser cette connaissance pour prendre des décisions et agir sur la situation des populations juvéniles. Trois niveaux pertinents ont été retenus : le niveau local, le niveau intermédiaire et le niveau européen.

Le niveau local est certainement celui où l'action publique est la plus valorisée de nos jours, au nom du principe de subsidiarité. C'est aussi le niveau où elle apparaît la plus adaptée aux besoins des populations. On considère communément ce niveau comme une forme de maillage territorial opéré pour optimiser l'intégration sociale des populations et plus particulièrement des jeunes. Ce niveau intéresse plus particulièrement les populations juvéniles elles-mêmes, leurs organisations, les décideurs politiques, les praticiens œuvrant dans les institutions locales.

À ce niveau, l'intérêt est de pouvoir produire des savoirs pratiques, de mieux saisir certaines facettes de la réalité des jeunes et surtout d'impliquer la jeunesse dans la production des connaissances. L'inconvénient majeur est le risque d'éparpillement des expérimentations, la faible standardisation des matériaux recueillis et donc le faible niveau de généralisation possible à partir d'investigations fortement hétéroclites.

Le groupe s'est attaché à déterminer les conditions propices pour la création d'un processus ascendant de production de savoirs où l'information émergerait du local pour remonter vers l'international. Ce transfert de connaissances suppose la création d'un dispositif intermédiaire permettant la capitalisation des informations issues du local, leur généralisation et leur comparabilité. Le groupe a également fortement insisté sur la nécessité de renforcer le lien entre le niveau local et le niveau européen afin d'éviter en particulier que les instances européennes ne soient trop éloignées des préoccupations des jeunes. L'identification de bonnes pratiques et leur diffusion peuvent y contribuer.

Autre niveau de production de connaissances, le niveau européen. Celui-ci apparaît comme le lieu majeur de capitalisation des diverses formes de recherche. La question de la vulgarisation et de la diffusion des informations au niveau européen a ainsi été débattue (Portail Jeunesse, Centre européen de connaissances pour la politique jeunesse).

En outre, ce niveau apparaît aujourd'hui de plus en plus comme le lieu d'initiative d'actions engagées dans le domaine de la recherche. La Méthode ouverte de coordination (appliquée à la production de connaissances) est un processus descendant dont l'usage apparaît plus aisé dans les pays décentralisés. A ce stade, on ne voit pas bien quelles articulations sont faites entre cette démarche et les consultations menées dans le cadre du Livre blanc. De même, il est important de mieux penser la comparabilité des connaissances collectées dans le cadre de la MOC.

Enfin, nous avons souligné l'incitation à la structuration de réseaux que présentait ce niveau en particulier à travers les programmes de recherche coordonnés.

L'organisation de la production de connaissances et de sa diffusion nécessite enfin l'institutionnalisation d'un niveau intermédiaire. Le rôle alloué à ce niveau serait double : il devrait être un niveau de « traduction » des connaissances scientifiques (le terme de traduction étant à emprunter dans le double sens de mise à portée des connaissances aux non-spécialistes, mais aussi de traduction dans la langue du pays des productions scientifiques). Ce niveau intermédiaire devrait également se présenter comme le lieu de capitalisation et d'agrégation des connaissances locales. Reste que les débats n'ont pas pu trancher la question de la pertinence des espaces où s'inscrirait ce niveau intermédiaire. Selon les pays d'appartenance, les personnes du groupe se sont prononcées soit pour un niveau régional (du type Land allemand) soit national, soit subrégional.

3.4.3.3. Les recommandations

Il est apparu incontournable au groupe de structurer les canaux de production et de communication des dispositifs de production de connaissances, qu'ils soient de nature universitaire ou praticienne, à chacun des trois niveaux définis ci-dessus.

Niveau local

À ce niveau, pourquoi ne pas décliner le Pacte européen pour la jeunesse en un pacte de connaissances jeunesse ? Ce pacte de connaissances s'appuierait sur une organisation, pouvant emprunter la forme du réseau, composée des divers acteurs jeunesse (organisations non-gouvernementales, praticiens, politiques, jeunes, chercheurs) et capable de proposer différentes formes de soutien et d'accompagnement de la production et de la diffusion des connaissances. L'intervention des chercheurs pourrait se faire par l'intermédiaire des étudiants en formation, qui se verraient offrir des lieux de stage dans ces instances locales. Bien évidemment, un encadrement sérieux de ces étudiants serait requis. La vulgarisation de la connaissance pourrait prendre la forme de « cafés de la connaissance », de sites Internet, de formations délocalisées au plus près des besoins de terrain. Avant tout, cette démarche supposerait d'imaginer une grille d'analyse commune sur tous les territoires, ce qui permettrait une comparabilité des données et une montée en généralité de la connaissance sur la jeunesse. Ce processus de production de connaissances serait finalisé dans la coproduction de politiques de jeunesse au niveau local et dans l'inscription des savoirs pratiques locaux dans une dynamique de transition vers les niveaux supérieurs.

Niveau intermédiaire

Le groupe s'est prononcé pour la création de centres de ressources « régionaux »[139] afin de mutualiser les connaissances produites par le local et les confronter à des connaissances générales. Un objectif fort fixé à cet organisme serait d'impulser une politique de transfert de « technologies » sur les questions touchant à la jeunesse. Il serait très important que ces structures puissent lancer des travaux propres sur des problématiques spécifiques touchant aux questions de jeunesse. Ces organismes intermédiaires pourraient également produire de façon régulière un « état des lieux » de la situation des jeunes sur le modèle des rapports élaborés par les *Länder* allemands.

De ce point de vue, les organisations de jeunesse pourraient tenir un rôle de catalyseur. Cette dynamique autonome de production de connaissances apparaît en effet nécessaire pour pouvoir alimenter le centre de ressources européen.

Niveau européen

Le groupe de travail s'est prononcé en faveur d'un organisme collecteur et diffuseur d'informations. Toutefois, bien que la standardisation des données soit une exigence au niveau européen, et ce pour permettre la comparabilité entre les divers États de l'Union, il est apparu indispensable au groupe de travail d'enrichir la collecte de données d'informations plus qualitatives permettant de mieux visualiser certaines réalités occultées par les chiffres et les fascicules administratifs. Cet organisme, dans la mission de diffusion des informations qui serait la sienne, pourrait être enrichi par une instance d'échange de type « comité d'orientation, de suivi », qui apporterait des propositions pour améliorer le dispositif.

Conclusion : la question de l'appropriation de la connaissance

L'idée de base de cette recommandation est de faire fonctionner de manière cohérente et coordonnée les trois niveaux. La stratégie préconisée pour favoriser les échanges entre ces différents niveaux serait la mise en place de formations spécifiques dans la mesure où les difficultés liées à une maîtrise partielle des compétences vont avoir une incidence sur la volonté de partage des savoirs. Ces actions de formation devraient se fixer pour objectif d'impliquer l'ensemble des acteurs dans la démarche de coproduction et permettre ainsi à la connaissance jeunesse de se développer en Europe.

4. Conclusions et perspectives

La séance de clôture s'est employée à tirer des conclusions et à évoquer des perspectives de développement. Bryony Hoskins a présenté et lancé le « European Knowledge Centre for Youth Policy (EKCYP) », Howard Williamson, le rapporteur général de la conférence, a commenté de façon critique les argumentations et les ambitions mises en exergue. Nathalie Stockwell, Charles Berg et Nico Meisch ont trouvé quelques mots pour clore la conférence luxembourgeoise.

4.1. Le lancement du « European Knowledge Centre for Youth Policy »

par Bryony Hoskins

> *« Un immense trésor de savoir, qui ne cesse de s'accroître, est éparpillé dans le monde d'aujourd'hui : un savoir qui suffirait probablement à résoudre toutes les redoutables difficultés de notre époque, mais qui est dispersé et désorganisé. Nous avons besoin d'une sorte de chambre de compensation mentale pour l'esprit : un dépôt dans lequel les connaissances et les idées sont reçues, triées, résumées, digérées, clarifiées et comparées. » (Wells, 1938)*

4.1.1. La connaissance de la jeunesse

Ainsi que l'exprime ce texte cité en préambule, ce que l'on sait du secteur de la jeunesse est dispersé dans l'ensemble du domaine européen de la jeunesse, logé dans les discours et les communications des chercheurs, des experts et des décideurs, ou encore dans la pratique des travailleurs jeunesse, des formateurs de jeunes, des travailleurs d'ONG de jeunesse et dans celle des jeunes eux-mêmes. La richesse de ce savoir n'est jamais plus manifeste que dans le dialogue qui s'établit entre les différents acteurs, comme celui auquel nous assistons lors de cette conférence et qui porte sur une meilleure connaissance de la jeunesse. Je précise cependant que, jusqu'au démarrage du projet du Centre européen de connaissances pour la politique jeunesse – « *European Knowledge Centre for Youth Policy* » –, les connaissances sur la jeunesse n'étaient pas recueillies systématiquement. Dans cette allocution, je commencerai par décrire l'état des connaissances sur la jeunesse au départ de ce projet et les difficultés qui ont surgi. J'examinerai ensuite le Centre européen de connaissances pour la politique jeunesse en me penchant sur le savoir auquel les utilisateurs peuvent avoir accès et de quelle façon. Ce faisant, je montrerai comment le Centre européen de connaissances aborde les défis que pose la gestion du savoir dans le secteur de la jeunesse. Enfin, je finirai par le lancement officiel du Centre européen de connaissances pour la politique jeunesse.

4.1.2.   Accès

L'accès au savoir dans le domaine de la jeunesse a été limité, non pas délibérément mais simplement faute d'une approche systématique pour le recueillir et l'entreposer. Le savoir est de ce fait resté dans les têtes, les discours, les bibliothèques et les pratiques. On n'a guère essayé d'y avoir accès, tout simplement parce que personne ne sait où se trouve l'information et que, par conséquent, la recherche et l'extraction de données comparables sur la jeunesse en Europe peut prendre beaucoup de temps.

4.1.3.   Manque de connaissances sur la jeunesse

Jusqu'à présent, les connaissances ont été réunies plus ou moins au hasard, et les lacunes sont probablement plus importantes que le terrain couvert. Ces lacunes passaient inaperçues jusqu'à ce que l'on commence la collecte systématique des données. Le Centre européen de connaissances pour la politique jeunesse a été l'un des premiers à recueillir systématiquement des données dans toute l'Europe. À cet égard, le travail des correspondants du Centre européen de connaissances, dont la tâche consiste à recueillir des données factuelles sur la jeunesse dans leur pays, a rapidement permis de constater qu'il y avait une pénurie de données brutes sur la jeunesse, notamment pour déterminer le nombre de volontaires, le nombre de jeunes appartenant à des organisations de jeunesse, le nombre de personnes travaillant dans le secteur de la jeunesse, puis de connaître l'équilibre hommes/femmes, rural/urbain, minorité/majorité. Le processus de collecte de données du Centre européen de connaissances et les objectifs portant sur une meilleure compréhension de la jeunesse ont donné un élan décisif à la recherche des faits fondamentaux.

4.1.4. Qualité

Dans le domaine de la jeunesse, les données recueillies par le passé étaient de qualité inégale, et leur collecte, ainsi que l'analyse des résultats, ne s'effectuaient pas avec une même rigueur. Des données peu fiables pouvaient entraîner de mauvaises interprétations de la situation des jeunes et des comparaisons sujettes à caution. Le moyen de garantir la qualité des données demeure un problème qui nuit à la crédibilité du Centre européen de connaissances.

4.1.5. Durée

Dans le monde d'aujourd'hui, le temps est compté et le changement social est rapide. Les situations dans lesquelles se trouvent les jeunes, leurs besoins et leurs modes de vie, évoluent plus rapidement que jamais. Le savoir doit être instantanément accessible pour la politique et la pratique, faute de quoi il risque d'être redondant. Cette notion du temps se trouve en complet décalage avec le monde universitaire traditionnel et avec la lenteur de publication des institutions, dans lesquelles plusieurs années sont parfois nécessaires avant qu'une recherche ne soit publiée. Il s'ensuit que ce savoir, lorsqu'il devient finalement disponible, témoigne davantage d'une évolution historique que des besoins des jeunes de l'époque. Notons également qu'il faut beaucoup de temps pour lire des documents de recherche longs et complexes, alors que nos congénères, qui subissent les contraintes du temps, ont besoin qu'on leur résume succinctement l'information et qu'on leur indique éventuellement où trouver d'autres renseignements sur le sujet. Ces résumés doivent être organisés de façon systématique, afin que les utilisateurs puissent trouver rapidement ce qu'ils cherchent.

4.1.6. Langage commun

Les difficultés que présente la collecte des données au niveau européen sont aggravées du fait que les mots sont compris de multiples façons dans toute l'Europe. Lors de la construction du Centre européen de connaissances, on a craint quelque temps que le travail des correspondants ne soit paralysé par les différences de langue, et que la recherche des données ne soit plus envisageable. Si les correspondants recueillent des types de données différents parce qu'ils comprennent les termes de façon différente, les données ne seront plus comparables. Lors de la constitution du Centre européen de connaissances, un travail considérable a été consacré à l'élaboration de quelques normes communes fondamentales. Elles reposent sur les définitions de la Commission européenne, notamment le groupe d'âge pour les « jeunes » (13 à 30) et les termes pour les activités volontaires qui sont arrêtés dans les objectifs communs. Pour ce qui est des autres définitions, les correspondants entretiennent un dialogue permanent afin de convenir d'un langage commun. À ce stade, une grande quantité de travail est en cours.

4.1.7. Savoir tacite ou pratique

Une grande quantité du savoir dans le domaine de la jeunesse est un savoir tacite ; un savoir qui est fondé sur le « savoir-faire », et non sur la raison ou sur ce qui explique le processus par lequel il s'est constitué. Ceci rend le transfert de savoir difficile entre les acteurs du domaine de la jeunesse et, à plus grande échelle, il peut également créer des malentendus et empêcher le dialogue avec nos voisins sur les sujets de l'éducation formelle, l'éducation et la formation professionnelles et l'éducation des adultes. Pour faire la démonstration de ce savoir, pour le partager avec d'autres et pour prendre appui sur lui pour accroître la qualité et l'élaboration de politiques et pratiques efficaces, il faut le rendre explicite et le recueillir de façon systématique. Tous les acteurs du domaine de la jeunesse peuvent jouer un rôle à cet égard, et tout particulièrement les chercheurs, qui peuvent contribuer à ce partage en facilitant ce processus.

4.1.8. Gestion du savoir

Nous avons examiné la théorie de la gestion du savoir pour aborder les questions soulevées par l'état des connaissances sur la jeunesse. L'objet de cette théorie est de déterminer comment analyser l'état actuel des connaissances, en l'occurrence sur la jeunesse. La gestion du savoir nous aide à déterminer comment le savoir peut être mesuré, en particulier le processus de collecte, de partage et de traitement, sans oublier les besoins des utilisateurs, qui sont ici les décideurs en matière de politique jeunesse, les chercheurs jeunesse et les praticiens.

Cette théorie nous a aidé à analyser l'état des connaissances dans le domaine de la jeunesse et à proposer diverses techniques pour résoudre les difficultés décrites ci-dessus. Le résultat est le projet pilote du Centre européen de connaissances pour la politique jeunesse(http://www.youth-knowledge.net).

4.1.9. Le Centre européen de connaissances pour la politique jeunesse

Le Centre européen de connaissances pour la politique jeunesse est un système de gestion du savoir de pointe. Base de savoir vivant, il apporte une solution aux difficultés de la collecte systématique de connaissances dans le domaine de la jeunesse. On ne peut prétendre qu'il a réglé immédiatement toutes ces difficultés, il a permis de trouver des réponses aux questions posées. Il s'agit d'un projet pilote qui doit être évalué, puis développé davantage pour s'adapter aux besoins des utilisateurs.

Les objectifs du Centre européen de connaissances consistent à fournir, de façon conviviale, des données probantes systématiques, fiables et actuelles sur la jeunesse. Il devrait en particulier faciliter le transfert du savoir émanant de la recherche dans le domaine de la jeunesse à celui de la politique et de la pratique, permettant ainsi aux décideurs d'avoir facilement accès aux plus récentes preuves apportées par la recherche sur les priorités des jeunes de toute l'Europe. Cet outil s'inscrit à l'appui du suivi de la politique jeunesse du Conseil de l'Europe et de la Commission européenne, et particulièrement des objectifs communs de l'Union européenne en matière de participation, d'information, d'activités volontaires et d'une meilleure compréhension de la jeunesse. Il sert également à recueillir et à communiquer les activités du partenariat jeunesse et les résultats obtenus avec les intervenants dans le domaine de la jeunesse. La portée du projet consiste à fournir aux concepteurs de politiques jeunesse aux niveaux européen, national et local, un point d'accès unique à la recherche fondée sur le savoir, afin de réduire au maximum la nécessité de rechercher l'information sur de nombreux sites

Web. Il ne s'adresse pas aux jeunes en général, comme le fait, par exemple, le portail européen de la jeunesse de la CE, mais à une collectivité particulière d'utilisateurs, comprenant des décideurs ainsi que les personnes qui concourent à l'élaboration des politiques, tels que les ONG œuvrant pour la jeunesse, les chercheurs jeunesse et les travailleurs jeunesse.

Le Centre européen de connaissances a été mis sur pied dans le cadre du Partenariat de recherche sur la jeunesse conclu entre le Conseil de l'Europe et la Commission européenne, et il est dorénavant l'un des piliers du partenariat global pour la jeunesse. Il correspond aux priorités des deux institutions en ce qu'il facilite l'élaboration des politiques et la pratique fondée sur les faits, et permet d'établir un lieu central pour structurer des connaissances sur la jeunesse et faciliter le dialogue afin de parvenir à une meilleure compréhension de la jeunesse. Il s'agit d'un outil lié à la mise en œuvre du Livre blanc sur la jeunesse, et en particulier aux objectifs communs de la Commission européenne pour une meilleure compréhension de la jeunesse. Il s'agit d'un outil susceptible d'aider le Conseil de l'Europe dans ses activités de suivi de la politique jeunesse, d'exécution d'examens nationaux et d'élaboration d'indicateurs de la politique jeunesse.

4.1.10. Correspondants du Centre européen de connaissances

L'EKCYP bénéficie de l'appui d'un vaste réseau européen de correspondants du Centre européen de connaissances, qui ont été désignés par les ministères des États membres. Seize pays ont participé au projet pilote : l'Autriche, la Belgique, la République tchèque, le Danemark, l'Estonie, la Finlande, l'Allemagne, la Grèce, l'Islande, la Lettonie, le Luxembourg, Malte, le Portugal, la Slovénie, la Suède et le Royaume-Uni. En 2006, les 46 pays européens (membres du Conseil de l'Europe) seront invités à participer.

Les correspondants ont apporté leurs réponses à des questionnaires de l'EKCYP sur les sujets suivants : politique jeunesse, participation, information, activités volontaires et meilleure compréhension de la jeunesse. Les questions étaient semblables à celles posées aux ministères dans le cadre du processus de Méthode ouverte de coordination. Dans le domaine de la politique jeunesse, on peut donc trouver des statistiques, des renseignements sur les acteurs et les structures impliquées dans la politique jeunesse, la législation, les programmes, les plans d'action, les budgets, le contexte des politiques jeunesse nationales. Prenons par exemple la figure 8, tirée du questionnaire, qui compare le nombre de jeunes du Royaume-Uni à celui du Luxembourg. S'agissant de l'amélioration de la compréhension de la jeunesse, on trouve de l'information sur les structures et les acteurs impliqués, le fondement juridique, le financement, la diffusion, les méthodes, l'assurance de la qualité, la promotion, le travail comparatif et des exemples de dialogue. Pour ce qui est de l'information, on trouve des renseignements sur les services, l'accès, la qualité et les niveaux de participation. Dans le cas de la participation, on trouve de l'information sur les structures, des statistiques sur la participation, les mesures/le soutien, la participation au scrutin, les mesures pour promouvoir la démocratie, les obstacles à la participation et les méthodes pour apprendre à participer. Quant au volontariat, on trouve des statistiques sur les volontaires, les types d'activité, les finances, les acteurs, le fondement juridique, les programmes, la relation entre les services, la qualité du volontariat, les obstacles, la promotion, la reconnaissance, le réseautage, les études et les enquêtes.

Les réponses que les utilisateurs trouveront sont à la fois de type quantitatif (par exemple le nombre de jeunes appartenant à des organisations de jeunesse, le nombre de personnes votant lors des élections par rapport au nombre de jeunes) et qualitatif (par exemple un aperçu de la politique jeunesse dans le pays, les mesures prises dans l'année sur différents sujets et les méthodes pour renforcer la citoyenneté).

Pour chercher les réponses dans le Centre européen de connaissances, les utilisateurs doivent se rendre sur le site et cliquer sur « core content » dans le menu. Un mécanisme de recherche spécifique contient les questions sous forme d'une arborescence (Fig. 8, étape 3) et permet également à l'utilisateur de consulter l'information par pays pour une question et pour une année (Fig. 8, étape 1 et étape 2), et sur plusieurs années pour une question et un pays. Afin de faciliter la compréhension des termes clés du questionnaire, un glossaire est mis à la disposition de l'utilisateur.

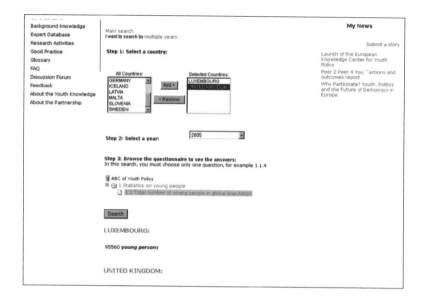

Fig. 8: Politique jeunesse (consulté en juin 2005)

4.1.11.   Comment régler le problème du temps ?

Pour régler le problème du temps, on a créé une procédure de travail qui relie les personnes se trouvant à proximité des données (celles qui sont au contact des réalités des jeunes dans un pays particulier) et leur donne un accès direct pour la saisie de données. À l'EKCYP, par le biais de cette procédure de travail, la responsabilité de la collecte et de la saisie des données est attribuée aux correspondants du Centre européen de connaissances. En effet, ceux-ci sont désignés par les ministères nationaux de la jeunesse comme experts pour les questions concernant la jeunesse de leur pays. Ils disposent, par conséquent, du meilleur accès à la recherche la plus actuelle sur les réalités de la jeunesse de ce pays. Les correspondants sont également chargés de tenir les données à jour tout au long de l'année, selon les résultats des nouvelles données de recherche, des changements de politique, des nouvelles élections et de l'organisation de nouvelles activités. Étant donné que les correspondants se trouvent sur place pour fournir des données, le temps nécessaire pour réunir les résultats de la recherche et les mettre à la disposition de l'EKCYP est réduit. Élément important, le Centre européen de connaissances est donc constamment tenu à jour grâce aux correspondants. Les données finales saisies chaque année sont les données stockées au fur et à mesure.

Pour trouver des données et rassembler toute l'information nécessaire, les correspondants de l'EKCYP travaillent avec les ministères, analysent les résultats de la recherche, collaborent avec les réseaux de chercheurs et recourent à des bases de données locales, nationales et internationales. Comme il s'agit d'une nouvelle tradition, la collecte des données a été très difficile pour les correspondants lors de cette première année. Les correspondants impliqués dans la phase pilote du projet posséderont donc une expérience cruciale leur permettant d'aider les nouveaux correspondants dans le processus de collecte des données.

4.1.12. Pour garantir la qualité

Le deuxième élément de la procédure de travail est la validation des données. Elle est actuellement effectuée par l'équipe du partenariat. Afin de garantir la qualité, toutes les réponses sont vérifiées en interne avant d'être rendues publiques. Pour l'instant, ceci procure un niveau de sécurité élémentaire. Cependant, le système qui consiste à vérifier la qualité doit être lui-même examiné et développé davantage, à mesure que le projet prendra de l'ampleur. Il convient de fixer des normes de qualité en même temps que l'on crée un modèle de réponses – ce qui constitue un mode de pratique exemplaire. Il faut donc appliquer le modèle et les normes pour fournir l'assurance de la qualité voulue. Un groupe responsable de la qualité a été constitué pour élaborer les normes. Les partenaires proposent de confier la validation de la qualité à une instance externe, une université ou à un consortium d'universités européennes, ce qui augmentera l'objectivité et l'assurance de la qualité des données.

4.1.13. Autres types de connaissances sur la jeunesse disponibles à l'EKCYP

Si l'on est davantage intéressé par de l'information sur la politique jeunesse, il est possible d'extraire les données les plus récentes au niveau européen sur les sujets prioritaires de la politique jeunesse en se reportant à la page « background knowledge ». Là, on peut trouver des informations sur le Livre blanc de la Commission européenne, sur la Méthode ouverte de coordination et le Pacte jeunesse ; il est également possible d'obtenir du Conseil de l'Europe le cadre pour la politique jeunesse et les comptes rendus internationaux.

Si l'on souhaite extraire de l'information plus approfondie sur les jeunes, on dispose d'une puissante base de données de documents émanant des secteurs de la recherche, de l'élaboration des politiques et de la pratique. Bon nombre de ces documents ont été élaborés dans le contexte des séminaires de partenariat sur la recherche, où ont pu dialoguer des chercheurs, des praticiens et des décideurs.

4.1.14. Rendre le savoir systématiquement disponible

À la fonction « search the database », il est possible d'utiliser des mots clés, des titres, des noms d'auteurs, des types de documents, la langue ou le pays, pour permettre de trouver les documents pertinents (Fig. 9). Si l'on obtient trop de résultats au premier essai, on peut affiner sa recherche ou la sauvegarder afin d'y revenir plus tard et d'examiner les résultats trouvés. La figure 9 présente l'écran permettant de consulter la base de données au moyen de trois mots clés.

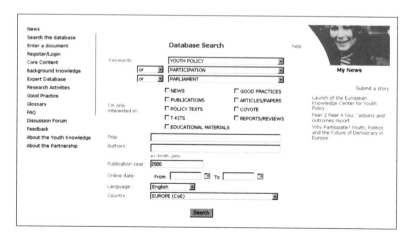

Fig. 9: Consultation de la base de données (consulté en juin 2005)

La fonction « news » filtre également le fonds de connaissances selon les intérêts. Lorsqu'un utilisateur s'inscrit, il recevra les « news » selon son profil, selon qu'il est un chercheur ou un décideur, intéressé par la participation ou l'autonomie. Un utilisateur peut mettre à jour son profil en allant à la section « my profile ».

L'organisation systématique des données dans un seul portail centralisé procure un meilleur accès aux connaissances sur la jeunesse. Ainsi, toutes les personnes ayant accès à l'Internet peuvent extraire ce savoir. Le portail se plie aux besoins des utilisateurs. Grâce à la configuration, au format succinct et au confort de consultation, l'information s'avère très simple à utiliser. Les utilisateurs trouvent des réponses brèves ainsi que des résumés, et leur recherche peut s'appuyer sur une arborescence contenant des questions ou des mots clés.

4.1.15. Contributeurs

Tout utilisateur de l'Internet peut s'inscrire et utiliser librement l'EKCYP. Tous les inscrits peuvent participer au développement du Centre européen de connaissances en apportant des contributions aux connaissances. Un utilisateur peut, par exemple, ajouter des documents à la base de données en téléchargeant des textes sur la recherche, la politique et la pratique dans le domaine de la jeunesse. Ceci permet un partage du savoir. Il lui est possible également d'envoyer des informations grâce à la fonction « submit a story », et donc de faire connaître certaines activités au public intéressé. Les utilisateurs peuvent aussi présenter certaines expériences exemplaires susceptibles d'intéresser d'autres persones. Toutes les entrées, avant que les documents, les informations ou les pratiques puissent être extraites, passent par un processus de validation garantissant le respect des normes de qualité élémentaires. Les utilisateurs peuvent présenter des observations sur l'outil EKCYP en utilisant les sections destinées à recueillir les réactions et en discutant des informations fournies dans des forums.

Le Centre européen de connaissances ne prendra vie que grâce à la participation de tous les acteurs du domaine de la jeunesse, qui partageront leur savoir-faire. Les correspondants de l'EKCYP jouent un rôle clé en entrant et en actualisant les connaissances sur les différents pays, de concert avec les correspondants de la Commission européenne, du Conseil de l'Europe et du Forum européen de la jeunesse. Cependant, tous les acteurs du domaine de la jeunesse jouent un rôle essentiel dans la constitution du savoir et, pour réussir, ce projet doit intégrer la collaboration entre ces acteurs, chacun devant contribuer au processus d'acquisition de connaissances.

4.1.16. L'avenir du projet

L'avenir à moyen terme du projet consistera à impliquer les 46 pays membres du Conseil de l'Europe. Des normes de qualité seront élaborées et on mettra au point un système ou une structure de validation de la qualité des données.

En 2006, dans le cadre d'une évaluation, nous prêterons l'oreille aux souhaits de tous les intervenants et nous donnerons suite à l'information extraite des statistiques fonctionnelles sur l'utilisation du site (des statistiques sont recueillies par rapport aux différentes fonctions de l'EKCYP, par pays et par profil professionnel) et aux commentaires des utilisateurs. Grâce à cette information, nous serons en mesure d'améliorer le portail.

4.1.17. Visions d'avenir pour la deuxième phase du projet

Sur le plan des normes, le Centre européen de connaissances pour la politique jeunesse suit le « Dublin Core » européen pour le codage des données, permettant l'interconnexion – le partage des données – avec d'autres bases de données européennes sur Internet. Ceci rendrait possible l'accès aux données d'autres bases de données pertinentes à partir du mécanisme de consultation du Centre européen de connaissances. Le codage normalisé permettra à long terme d'extraire des données d'un plus vaste éventail de sources.

Parmi les moyens permettant d'améliorer l'utilisation des données, on trouvera probablement la création de graphiques à partir des statistiques comparatives et l'évolution des forums de discussion en collectivités virtuelles, qui amélioreront la capacité de développement du savoir partagé. On a récemment proposé que le Centre européen de connaissances devienne un centre mondial des connaissances et que des partenaires de pays éloignés, tels le Canada, l'Afrique du Sud et la Chine, puissent participer.

4.1.18. Lancement

Ce jour marque le premier lancement du Centre européen de connaissances pour la politique jeunesse. Le deuxième lancement se déroulera lors de la Conférence des ministres de la jeunesse du Conseil de l'Europe en septembre 2005. À l'occasion d'un tel événement, il importe de remercier tous ceux qui ont été impliqués dans ce projet : la présidence luxembourgeoise – y compris le CESIJE et l'Université du Luxembourg qui nous ont donné l'occasion de lancer l'EKCYP aujourd'hui –, les correspondants du Centre européen de connaissances dont le travail et l'engagement sont cruciaux pour la réussite du projet. J'aimerais remercier ceux qui ont soutenu le projet : le personnel du partenariat et la Direction Jeunesse et Sports du Conseil de l'Europe, l'équipe de politique jeunesse de la Commission européenne et le Forum européen de la jeunesse. Pour ce qui est du contenu, j'aimerais également remercier l'Université d'Innsbruck et le Réseau de recherche européen pour les contributions individuelles. Pour le soutien pratique et le savoir-faire, je voudrais également exprimer ma gratitude au CEDEFOP et à Steria – la société de TI qui a élaboré le Centre européen de connaissances pour la politique jeunesse.

4.2. Faire route commune vers l'élaboration de politiques fondées sur la connaissance

par Nathalie Stockwell

4.2.1. Quatrième objectif commun concernant la priorité d'une « meilleure connaissance » : le dialogue par les réseaux

Comme je l'ai dit dans mon allocution d'ouverture, cette conférence revêt une grande importance pour la Commission, puisqu'elle lance littéralement la réflexion et le débat sur la mise en œuvre des objectifs communs adoptés pour la quatrième priorité de la Méthode ouverte de coordination (MOC) portant sur une meilleure compréhension et une meilleure connaissance de la jeunesse. Je souhaite remercier la présidence luxembourgeoise, l'Université du Luxembourg et le CESIJE d'avoir réagi si rapidement et de nous avoir donné à tous la possibilité de réfléchir à des enjeux tels que le réseautage et le dialogue transsectoriel. La délégation finlandaise m'a permis d'annoncer que son pays prévoit de poursuivre le processus en organisant un événement semblable sous la présidence finlandaise. Compte tenu de l'expérience et de l'expertise de la Finlande en matière de réseautage dans le domaine de la jeunesse, nous pouvons être rassurés sur l'évolution de cette question.

J'accueille bien entendu chaleureusement les recommandations exprimées aujourd'hui et je me félicite d'entendre qu'un consensus s'est dégagé pour la création d'espaces pour un dialogue plus structuré entre tous les acteurs du domaine de la jeunesse. Comme je l'ai déjà dit aujourd'hui, cette idée n'aurait peut-être pas reçu un accueil aussi unanime il y a seulement quelques années. Les chercheurs et les décideurs de l'époque ne se sentaient pas tout à fait à l'aise en compagnie les uns des autres. Faire route ensemble vers l'élaboration d'une politique fondée sur le savoir ne signifie pas cependant que l'un soit mené par l'autre. Les acteurs devraient bien entendu demeurer totalement indépendants et collaborer à la réalisation d'un objectif commun.

J'apprécie aussi tout particulièrement que l'on ait dit de la Méthode ouverte de coordination (MOC) qu'elle donne une nouvelle dimension aux politiques jeunesse en Europe en aménageant un espace structuré pour l'échange et le débat. Depuis que le Livre blanc sur la jeunesse a été rédigé, la Commission n'a pas ménagé ses efforts pour consulter tous les acteurs du domaine et créer des espaces voués au dialogue et aux échanges. Ces éléments demeurent au cœur des préoccupations de la Commission, puisque le dialogue est la seule façon de faire en sorte que les politiques soient respectées, d'améliorer la vie des citoyens et de faire naître une plus grande confiance dans les résultats et dans les institutions qui les produisent. C'est pour cette raison que, parmi les objectifs communs pour une « meilleure connaissance de la jeunesse », la Commission propose que de tels espaces pour le dialogue soient encore mieux structurés grâce à l'établissement de réseaux nationaux désignés.

Lorsque des réseaux nationaux clairement désignés auront été mis en place, la Commission, comme convenu dans les lignes d'action au niveau européen du quatrième objectif commun, « coordonnera les réseaux nationaux grâce à la constitution par la Commission, conjointement avec le Conseil de l'Europe, d'un réseau européen de la connaissance de la jeunesse ». Ce réseau européen pourrait être une première étape vers une « plaque tournante » des affaires de la jeunesse européenne mentionnée au cours de cette conférence.

4.2.2.   Mise en œuvre des trois premiers objectifs communs de la priorité concernant une « meilleure connaissance » et suivi du processus MOC

Cette conférence n'a pas seulement été une tribune pour l'étude des enjeux importants tels que le dialogue par l'entremise des réseaux. Grâce à la présentation du « *European Knowledge Centre for Youth Policy* (EKCYP) », ce rendez-vous a également permis une réflexion sur d'autres aspects de cette priorité concernant une « meilleure connaissance » de la jeunesse et sur l'ensemble du processus MOC. Le « *European Knowledge Centre* » est en effet tout à fait approprié pour le processus de Méthode ouverte de coordination, et ce de deux façons : en premier lieu, il constitue une première étape vers la mise en œuvre des trois premiers objectifs communs pour une meilleure connaissance de la jeunesse ; en deuxième lieu, il constitue un bon outil pour le suivi de tous les objectifs communs adoptés dans le cadre du processus MOC.

4.2.2.1. Premier, deuxième et troisième objectifs communs de la priorité concernant une « meilleure connaissance » : recenser les données, les rendre disponibles et en garantir la qualité

Pour ce qui est de la mise en œuvre des deux premiers objectifs communs pour une meilleure connaissance de la jeunesse, dans les lignes d'action au niveau européen, la Commission a entrepris de « tirer le meilleur parti des instruments en cours d'élaboration par la Commission en coopération avec le Conseil de l'Europe ». Le « *European Knowledge Centre for Youth Policy* (EKCYP) » répond précisément à cet impératif ; en élaborant ensemble cet outil avec le Conseil de l'Europe, la Commission fait sa part du travail. De même, la ligne d'action au niveau européen pour le troisième objectif commun stipule que la Commission devrait « coopérer à la détermination et à la définition de concepts communs et d'un contenu de base sur lequel doivent se concentrer les efforts afin de renforcer la compréhension commune des thèmes prioritaires retenues ». Dans ce cas encore, un

« contenu de base » a été créé pour chaque priorité de la MOC, de même qu'un glossaire visant à améliorer cette compréhension commune mentionnée plus haut. Le contenu de base et le glossaire ne sont cependant pas statiques. Le « contenu de base » devrait évoluer en même temps que les nouvelles priorités qui se présentent, et le glossaire devrait être complété par de nouvelles définitions arrêtées par consensus grâce à des débats et au dialogue.

Au niveau national, le « *European Knowledge Centre* » donne aux États membres un outil pour mettre en œuvre les deux premiers objectifs communs. Comme je l'ai dit auparavant, une structure – c'est-à-dire un « contenu de base » – a été créée pour chaque priorité de la MOC, constituée de questions auxquelles le correspondant de chaque pays accepte de répondre régulièrement. Ce faisant, les correspondants recensent des connaissances sur chaque thème prioritaire, puis les rendent disponibles en saisissant les données dans le « *European Knowledge Centre* » et en mettant à jour régulièrement ces données. Ceci est exactement ce que les États membres avaient convenu de faire lorsqu'ils ont adopté les deux premiers objectifs communs. De ce fait, en désignant un correspondant qui saisit les données suivant la structure du « contenu de base », les États membres mettent effectivement en œuvre les deux premiers objectifs communs de la priorité de la « meilleure connaissance ». C'est pour cela qu'il est tellement important que chaque État membre désigne un correspondant et prenne sa tâche au sérieux ; la qualité du « *European Knowledge Centre* » dépend directement de la qualité et de la régularité du travail du correspondant, et je souhaite remercier ceux qui l'ont compris et ont déjà contribué à alimenter le « *European Knowledge Centre* ». En effet ce centre a une importance primordiale pour la mise en œuvre des objectifs communs.

4.2.2.2. Suivi, orientation et échange de pratiques exemplaires

Cependant, comme je l'ai déjà dit, le « *European Knowledge Centre* » convient également à des fins de suivi et d'orientation. Lorsque les correspondants répondent aux questions sur le « contenu de base », ces réponses, et tout particulièrement l'évolution des réponses au fil des ans, donnent une idée de la façon dont chaque pays met en œuvre les objectifs communs. Si cet outil évolue aussi bien que nous l'espérons, les décideurs, les chercheurs, les animateurs de jeunes et les jeunes intéressés par le processus de Méthode ouverte de coordination de la jeunesse auront à leur disposition un outil précieux, qui leur permettra de suivre ce qui se fait nationalement à l'égard d'enjeux tels que la participation des jeunes, l'information des jeunes, les activités volontaires, une meilleure connaissance de la jeunesse, l'apprentissage tout au long de la vie et d'autres priorités futures. L'orientation et les possibilités d'échanger des pratiques exemplaires en seront bien entendu améliorées.

4.2.3. Conclusions

Comme on l'a mentionné pendant cette conférence, les documents d'orientation ne présentent de l'intérêt que s'ils aboutissent à des mesures stratégiques. Cette conférence a produit une réflexion fructueuse sur ce que devraient être ces mesures pour l'élaboration d'un dialogue transsectoriel et plus structuré devant amener une meilleure connaissance de la jeunesse. J'espère sincèrement que les États membres, de concert avec leurs partenaires dans le domaine de la jeunesse, utiliseront au mieux les recommandations qui ont été faites aujourd'hui pour l'établissement de réseaux nationaux reliant les différents acteurs du domaine de la jeunesse. Cette conférence a également montré que certaines lignes d'action des textes de politique ont déjà abouti à des résultats concrets, notamment le « *European Knowledge Centre for Youth Policy* », qui devrait servir d'outil pour l'élaboration d'une politique jeunesse et d'un travail jeunesse plus éclairés. Je souhaite sincèrement que de nouveaux pays se joignent à l'EKCYP et que leurs correspondants prennent à cœur leur responsabilité. La conférence de suivi sous la présidence finlandaise, qui a été annoncée, pourrait être l'occasion d'étudier les progrès réalisés par rapport à ces enjeux et de déterminer les difficultés potentielles qui devront être abordées.

4.3.   Le triangle de la recherche, de la politique et de la pratique : potentiel et problèmes.

Remarques conclusives du rapporteur général

par Howard Williamson

4.3.1.   Introduction

Nous pouvons rêver d'une plaque tournante intergalactique, ou tout au moins mondiale, de la connaissance pour la recherche jeunesse, les politiques et la pratique ; contentons-nous cependant, pour l'instant, de célébrer la création et le lancement du « *European Knowledge Centre for Youth Policy* » – EKCYP –, qui résonne à nos oreilles comme le terme « équipe », comme nous l'a fait observer Nathalie Stockwell. Le cadre du « *European Knowledge Centre* » est le produit du travail acharné de Bryony Hoskins et des nombreuses autres personnes qu'elle a remerciées lors du lancement. Désormais, cet outil survivra ou périra, selon les efforts déployés par les 16 correspondants nationaux (46 l'année prochaine…) de l'EKCYP durant le projet pilote ; il aura nécessairement besoin de ressources plus importantes et d'un degré soutenu d'engagement politique pour réaliser son potentiel considérable.

L'innovation et l'évolution technologiques ne constituent pourtant pas le seul pilier sur lequel on peut prendre appui afin d'améliorer les relations entre ce qu'on a appelé, lors de cette conférence, le triangle « magique » de la recherche jeunesse, de la politique jeunesse et de la pratique jeunesse (ONG œuvrant pour la jeunesse, travailleurs jeunesse et jeunes). Hors de cette « plaque tournante » virtuelle créée par l'EKCYP, le besoin de contacts plus personnels (par l'entremise du réseau européen de correspondants de recherche sur la jeunesse par exemple) n'a pas disparu ; il faut constamment produire des documents (les universitaires continueront à publier dans les revues) et les décideurs doivent s'engager dans un champ plus vaste.

Cette conférence a abordé une pléthore d'enjeux et elle est parvenue à une vision générale en même temps qu'à des aspirations plus détaillées. J'aimerais certes me féliciter du débat qui s'est déroulé – après tout, il y a moins de dix ans, il aurait été tout à fait inconcevable de réunir des chercheurs jeunesse, des représentants des pouvoirs publics et des membres d'ONG œuvrant pour la jeunesse –, mais il convient de ne pas seulement essayer de saisir certains des principaux thèmes issus des débats ; il faut également mettre un bémol à une part de l'enthousiasme engendré. Certaines réalités et certaines difficultés demeurent, qui signifient que le triangle auquel on aspire, un triangle où la communication entre les trois angles est parfaite, reste encore bien souvent un ensemble de droites disjointes, comme l'a laissé entendre Manfred Zentner.

Il y a à peine cinq ans, la Commission européenne réunissait des chercheurs jeunesse de toute l'Europe afin qu'ils contribuent à la réflexion autour du Livre blanc sur la politique jeunesse. Loin de témoigner d'une quelconque convergence naturelle, les événements de Lisbonne ont mis en évidence les gigantesques écarts qui existent entre les fonctionnaires responsables de l'élaboration des politiques et les chercheurs jeunesse, particulièrement sur le plan de la langue dans laquelle ces enjeux ont été examinés. Du côté de la Commission, le besoin d'une autoréflexion découlant de la postmodernité, de l'individualisation et de la mondialisation croissantes n'a guère servi de guide vers une pratique concrète... À l'époque, j'ai fait valoir que le milieu de la recherche jeunesse devait faire preuve à la fois d'une totale arrogance et d'une totale humilité. Son arrogance devait naître de la confiance qu'il avait en sa « connaissance » de la jeunesse ; son humilité, de la prise de conscience que la politique n'est pas fondée uniquement sur des faits avérés par la recherche. En réalité, la politique s'élabore à partir d'un ensemble de points de départ, et même les « données probantes », qui peuvent avoir été utilisées pour éclairer une politique ou une pratique, sont inévitablement sélectives et peuvent faire l'objet d'une contestation. J'ai laissé entendre néanmoins que les chercheurs – qui font souvent carrière grâce à des études sur le dénuement et l'exclusion sociale – ont la responsabilité morale d'essayer de concourir au débat sur l'élaboration des politiques et que, pour le faire le plus efficacement possible, ils doivent apprendre à mieux communiquer avec les décideurs et à s'écarter du langage ésotérique du spécialiste universitaire. S'ils ne le font pas, les politiques ne s'enliseront pas pour autant, mais leur élaboration reposera sur des faits plus ténus et fera d'autant moins l'objet d'un débat critique. Comme je l'ai déjà dit à plusieurs occasions, il existe toujours une politique jeunesse, qu'elle soit le résultat d'une action délibérée et concertée ou celui de la négligence et de l'omission. C'est en faveur d'une politique jeunesse volontariste, efficace et réaliste que la recherche doit renforcer sa contribution.

Au cours des deux dernières journées, une grande partie des travaux de la conférence a consisté à examiner à la fois la recherche et la pratique. J'aimerais donner ici une place plus grande à l'angle politique. Comme l'a laissé entendre Lynne Chisholm dans son allocution d'ouverture, le triangle « tourne », et différents acteurs se trouvent potentiellement au sommet à divers moments du processus d'élaboration et de mise en œuvre de la politique. Dans le rapport de synthèse sur les sept premiers examens des politiques jeunesse nationales effectués par le Conseil de l'Europe, on a proposé une certaine « dynamique de la politique jeunesse » :

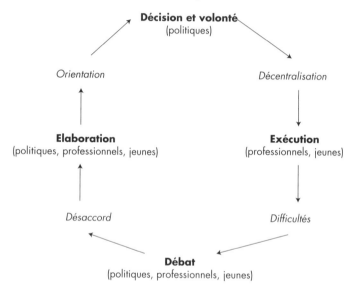

Fig. 10: Le schéma de Howard Williamson

On pourrait prétendre que la connaissance découlant de la recherche est largement en mesure de contribuer à de nombreuses étapes de ce processus et de concourir à la création d'un cercle vertueux et d'un cycle de développement. Elle pourrait être le point d'ancrage du parrainage et de l'engagement politiques, éclairer des pratiques efficaces et les débats menés, tout en arrondissant les angles afin que l'on parvienne à des propositions consensuelles sur le développement. Mais la connaissance pourrait aussi n'exercer d'influence à aucun moment. Les hommes politiques et les décideurs sont en effet capables de façonner les politiques sans s'y reporter (zone d'élaboration de politiques « libres de preuves ») ; les praticiens peuvent également estimer que la connaissance provenant de la recherche est inaccessible et trop complexe, et les professionnels examiner les enjeux d'un point de vue plus idéologique qu'informé. Il n'est donc aucunement garanti que l'on rejoigne le triangle ou qu'on y soit même invité. Indépendamment des dilemmes qui se posent à la recherche (compromettre son indépendance ou ne pas souhaiter consacrer du temps à une activité qui demeure en grande partie non rentable en termes institutionnels), il reste à savoir si les décideurs et les praticiens souhaitent que les chercheurs fassent partie de l'équipe. Après tout, comme l'a relevé Helmut Willems, les décideurs préfèrent entendre des messages simples et ne souhaitent pas qu'on leur dise qu'une question est complexe et qu'elle peut faire l'objet d'une multitude de points de vue et d'explications.

À l'époque où je faisais moi-même mes premières armes en tant qu'être hybride – en partie chercheur universitaire, en partie travailleur jeunesse et en partie conseiller politique –, je me souviens que j'étais intentionnellement subversif et provocateur, et que je communiquais à chacun de ces groupes la position et le point de vue des deux autres. En d'autres termes, lorsque je parlais aux fonctionnaires, j'essayais de présenter la connaissance universitaire et les difficultés pratiques entourant la mise en œuvre de la politique jeunesse. Lorsque je m'adressais aux milieux universitaires, je leur transmettais le contexte stratégique et les besoins des praticiens. Et lorsque je m'adressais aux travailleurs jeunesse, j'évoquais les preuves émanant de la recherche (principalement que les réalisations en matière d'éducation formelle demeurent, du moins pour l'instant, le meilleur facteur de protection contre l'exclusion). C'était, à l'époque, dans les années 80, une tentative toute personnelle pour renforcer les liens et la compréhension entre ce que Lynne Chisholm appelle les trois « collectifs de pratique », bien avant qu'il n'existe pour cela des cadres institutionnels, en un temps où subsistait un large fossé culturel entre les domaines professionnels.

Manifestement, les choses se sont énormément améliorées depuis lors, et l'événement qui nous réunit est en soi symptomatique des relations plus étroites entre les jeunes (et les ONG œuvrant pour la jeunesse), les chercheurs et les représentants des gouvernements. Nous avons entendu de bonnes nouvelles venant du plan local (de la part du maire de Trèves) et d'un certain nombre de petits pays d'Europe (notamment la plateforme de politique jeunesse en Belgique flamande). Pour ce qui est du Royaume-Uni, il possédait pendant un certain temps un « *Research, Policy and Practice Forum on Young People* » (Forum de recherche, de politique et de pratique sur les jeunes), qui bénéficiait de l'appui de la « *National Youth Agency* » (Agence nationale de la jeunesse), de la « *Joseph Rowntree Foundation* » (une importante institution de recherche philanthropique) et du gouvernement britannique. Pour diverses raisons – principalement financières –, ce forum ne fonctionne pas à l'heure actuelle, mais l'espoir demeure de le ressusciter.

Il ne s'agit cependant pas seulement de dire « dans les petits pots, les bons onguents… », ce qui impliquerait que c'est autant le contact personnel que la connexion structurelle qui permet au triangle de fonctionner. L'évolution du travail jeunesse et du travail sur la politique jeunesse de la Commission européenne et du Conseil de l'Europe – et, élément crucial, le renforcement de leur partenariat sur ces questions – permet d'envisager, avec beaucoup d'optimisme, le bon fonctionnement du triangle au niveau transnational. La politique, la formation (pratique) et la recherche sont à présent des questions qui s'inscrivent dans le dialogue mutuel entre les deux institutions, et l'accord de partenariat de mai 2005 (reposant sur des conventions distinctes antérieures autour de la formation, de la collaboration Euromed et de la recherche) annonce un renforcement de ces liens en matière de Programme jeunesse. Le « *European Knowledge Centre* » est manifestement un élément crucial de cette activité, mais nous observons également des développements moins visibles dans le cadre du partenariat, ainsi que des développements plus vastes (notamment l'éventuel programme de cycle supérieur en études jeunesse européennes) qui sont reliés, soit explicitement, soit implicitement, à cette trajectoire générale.

Voici donc le contexte dans lequel les débats de cette conférence ont pris place et auquel ils apportent une importante contribution. Les quatre groupes de travail ont abordé différents mandats mais, comme l'ont indiqué les rapports présentés en plénière, ils ont

produit des conclusions et des recommandations légèrement différentes, qui ne manquent cependant pas de se chevaucher sur certains points. Je souhaite dégager ce que je considère être les thèmes
prédominants, puis étudier un certain nombre de problèmes que
vous avez peut-être légèrement minimisés, emportés que vous étiez
par votre désir enthousiaste d'être optimistes et constructifs.

4.3.2. Un instantané de la situation

Dans le diagramme ci-dessous, j'essaie de décrire le cadre des
enjeux qui ont été examinés lors de la conférence, sans entrer dans
les détails de l'un des sujets importants ayant été abordés.

Le diagramme est censé représenter un chemin, depuis la
« constitution de la connaissance » jusqu'à la « diffusion de la
connaissance », en passant par la « gestion du savoir » et par son
utilisation potentielle dans le but d'éclairer à la fois la politique et la
pratique, mais aussi de produire une réflexion critique à leur égard.

La recherche servant à produire des données et des connaissances
sur les jeunes et les problèmes des jeunes peut découler de nombreuses sources et de nombreux catalyseurs. Pour simplifier la réflexion, il suffit de distinguer une enquête qui peut être commandée
par des décideurs (et financée par le gouvernement ou dans le cadre
de la recherche assistée) d'une autre, qui peut être déterminée plus
indépendamment (travail « universitaire » assisté par des conseils et
des fondations de recherche). Cette dichotomie est souvent décrite
comme celle de la « recherche appliquée » par rapport à la « recherche pure », bien que la ligne de démarcation soit rarement aussi évidente. En outre, on trouve à mi-chemin ce que l'on appelle une
« étude d'évaluation », qui peut être commandée directement par les
responsables des politiques ou entreprise plus indépendamment,
parce qu'elle est considérée comme étant importante par le milieu de
la recherche jeunesse.

Il peut également exister des enquêtes quasi-indépendantes,
lancées éventuellement par des ONG, ou encore des travaux effectués par des chercheurs individuels indépendants, qui peuvent néanmoins présenter un intérêt pour l'élaboration des politiques et/ou les
praticiens. La forme, l'équilibre et le poids de ces différents fondements prospectifs pour la « production de connaissances sur la

jeunesse » seront inévitablement tributaires des cadres institutionnels (structures universitaires, structures politiques), des possibilités et des modalités de financement, de l'engagement et de l'intérêt professionnels et politiques.

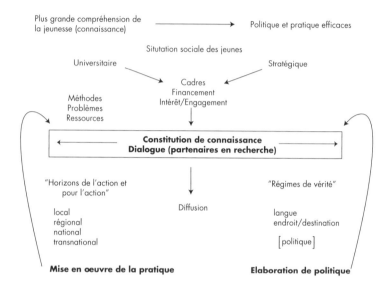

Fig. 11: La gestion des savoirs dans son contexte

Voilà donc les fondements sur lesquels on établira une base de connaissances, bien que celle-ci puisse être stérile à certains moments et fertile à d'autres. Il peut y avoir des variations d'un pays à un autre, d'un gouvernement à un autre, d'une institution de recherche à une autre, et il peut y avoir, dans le temps, des moments de progression et de repli. Mais pour constituer une base de connaissances sur la jeunesse européenne cohérente, crédible et uniforme, la convergence des capacités et de l'engagement, à l'intérieur des pays impliqués et entre ces pays, doit aller en s'affirmant.

Le décor est ainsi planté pour la création éventuelle d'une base de connaissances. À l'intérieur de cette plateforme de développement, on trouve certaines questions et certaines difficultés épineuses autour « des priorités et des partenaires ». C'est cet espace qu'il conviendra de retenir pour un dialogue entre les chercheurs jeunes, les pouvoirs publics et les ONG œuvrant pour la jeunesse (et les jeunes en général). Il s'agira de réfléchir aux problèmes clés qui doivent être abordés, aux méthodes et aux ressources nécessaires permettant d'effectuer correctement le travail ; et de se rappeler, comme cela a été dit à plusieurs reprises durant ces rencontres, que les ONG œuvrant pour la jeunesse (notamment par l'entremise du Forum européen de la jeunesse) doivent être considérées comme des partenaires dans la production et l'exploitation des connaissances.

La « diffusion » comporte deux défis essentiels qui sont inhérents à la production de données et d'information et la dépassent tout en même temps. Le premier a trait à ce que l'on pourrait nommer les « horizons pour l'action ». À quel moment convient-il de produire et d'utiliser les connaissances au niveau local, quand vaut-il mieux faire appel à des approches transnationales ? À moins que la « stratégie de la connaissance » doive se situer quelque part entre les deux. Bien entendu, la réponse est à chercher dans des combinaisons multiples qui se chevauchent. Le maire de Trèves, Georg Bernarding, a évoqué le principe de la subsidiarité et l'élaboration d'une stratégie pour les enfants et les jeunes à un niveau très local. Par contraste, on pourrait faire valoir que la Méthode ouverte de coordination du Livre blanc de l'UE a servi de catalyseur pour des objectifs globaux (sur l'information, la participation, les activités volontaires et une meilleure compréhension de la jeunesse) que tous les États membres devraient chercher à réaliser. Par ailleurs, on a constaté dans des pays ayant des régions fortement autonomes (notamment l'Espagne, l'Allemagne, la Belgique et le Royaume-Uni) que la contribution de la connaissance à la formulation d'une politique jeunesse est vraisemblablement plus efficace au niveau « régional ».

Le deuxième point porte sur les « régimes de vérité ». La rhétorique de la politique et de la pratique « fondées sur des données probantes » dissimule le fait que des données brutes sont invariablement interprétées différemment, tant pour ce qui est de la légitimité de la production (la méthode utilisée, la portée de l'enquête) que des incidences de leurs conclusions. De telles conclusions sont guidées et régies par des « faits » ancrés et empiriques « ascendants », mais également par des perspectives théoriques « descendantes ». Ceci fonctionne à un certain nombre de niveaux, et la conférence a évoqué au moins trois exemples. Dans un contexte donné, des statistiques sur le chômage des jeunes pourraient indiquer des niveaux enracinés de pathologie et de dénuement chez les jeunes chômeurs, alors que dans un autre, elles pourraient évoquer un dynamisme de la créativité et de l'entreprise. Ainsi, les mêmes données, par suite de leur contextualisation, pourraient être interprétées de façon différente. Des données différentes sur une même question (l'exemple typique donné lors de la conférence est celui des courtes peines d'incarcération pour les délinquants juvéniles) peuvent produire des incidences contradictoires au niveau des politiques. On a également relevé le fait que nous traversons des « paradigmes de savoir » changeants, qui influent sur l'interprétation. Pour la génération antérieure, le mode de pensée a été sensiblement influencé par la pensée (non-européenne) de Freire, Illich et Fanon, tandis que, de nos jours, il est permis de penser que le cadre théorique prédominant est celui du « risque », que préconisent Giddens et Beck. Le Livre blanc de l'UE a probablement insisté fortement sur l'« autonomie » des jeunes, en puisant dans les connaissances mises en avant lors des consultations entreprises par les ONG œuvrant pour la jeunesse. Pourtant, la recherche jeunesse pourrait avoir déjoué cela en insistant sur le besoin d'un plus fort soutien, compte tenu de la complexité en matière de transition chez les jeunes et des risques connexes de marginalisation et d'exclusion. Par conséquent, il ne sera jamais simple de trouver une « voie interprétative » utile pour la politique, entre les mondes individualisés axés sur l'identité, les chercheurs sur la culture des jeunes et les mondes plus structurés axés sur l'aspect socio-économique, et les chercheurs sur les problèmes liés aux transitions chez les jeunes.

Cependant, quel que soit le message, il faut envisager soigneusement comment et, dans la mesure du possible, à qui il est communiqué. Il s'agit là de poser la question du « langage et de l'endroit ». Les chercheurs jeunesse tendent à recourir à des formes de présentation qui ont peu de signification pour ceux qui se trouvent à l'extérieur de ce milieu. Cependant, leur travail et leur pensée sont en grande partie transmis, par l'entremise de revues et de conférences, à des secteurs dans lesquels les autres membres du triangle trouvent rarement leur place – bien qu'il y ait eu certains changements à cet égard au cours des dernières années, par suite d'une plus large participation à des conférences universitaires et à une implication plus vaste dans certains types de documentation universitaire. Pour les chercheurs jeunesse, il convient de produire des documents d'un autre type et d'adapter les supports de présentation aux différents publics auxquels ils s'adressent. Un article conçu pour une revue universitaire ne risque guère de produire d'effet s'il est présenté dans un forum politique ou dans une réunion de jeunes praticiens. Il faut le remanier, le présenter dans un langage différent, adapté au public, si l'on souhaite transmettre efficacement le concept essentiel. Encore faut-il que les chercheurs jeunesse souhaitent réellement assumer ce travail et cette responsabilité, et c'est ce que nous allons rapidement examiner ici.

Indépendamment des mises en garde et des difficultés mentionnées plus haut, la base de connaissances que nous venons d'évoquer permet d'améliorer la formulation des politiques et la mise en œuvre de la pratique, par le biais du développement, de la gestion et de la diffusion des connaissances. Cependant, en dernier ressort, la décision appartient aux décideurs politiques. Les chercheurs doivent donc être sensibles à la « *realpolitik* » car certaines de leurs propositions rationnelles et techniques risquent tout simplement de ne pas être entendues par les décideurs, étant donné qu'elles ne recoupent pas leurs préoccupations du moment. Cela ne signifie pas que de telles propositions doivent être abandonnées par opportunisme. Les chercheurs doivent faire preuve de courage pour faire avancer ces éléments fondés sur le savoir, mais ils doivent aussi savoir aiguiser la réceptivité politique. En effet, les idées basées sur le savoir sont rapidement écartées si elles ne sont pas adaptées aux réalités et aux priorités politiques du moment.

4.3.3. Quelques problèmes choisis

On a tenté de se pencher sur le cadre global d'élaboration d'une politique jeunesse et d'une pratique fondées sur la connaissance, ainsi que sur leur mise en place, mais la conférence a mis en évidence un certain nombre de problèmes importants qui méritent attention. L'intérêt pour l'amélioration du dialogue et de la collaboration entre les acteurs du domaine de la jeunesse est manifestement ancré dans la stratégie de Lisbonne et dans le souhait émis de faire de l'Europe une économie de la connaissance avancée d'ici 2010. Cependant, comme l'a souligné Tommi Hoikkala dans son exposé au sein du premier groupe de travail, le secteur de la jeunesse ne doit pas se préoccuper exclusivement des questions d'économie et de marché du travail, mais également des enjeux liés à l'apprentissage civique, à la citoyenneté et à la participation à la société civile.

La conférence a relevé très clairement que l'amélioration des relations, de la compréhension et du dialogue entre la recherche jeunesse, les décideurs et les praticiens présente des avantages communs – ce que Lynne Chisholm a désigné par le terme « *trading-up* », soit « procéder à l'échange à un niveau supérieur », ce que je pourrais décrire aussi par le terme « *trading-off* », soit un échange donnant-donnant. Chaque angle du triangle peut avoir à faire certains sacrifices pour préserver sa propre indépendance, mais les gains seront supérieurs aux pertes ; le « trading-up » permettra la création d'un ensemble de pratiques plus cohérent dans le domaine de la jeunesse.

Il n'est pas question que les angles du triangle se fondent en un seul. La relation entre chaque angle de ces « réseaux d'échange de pratiques » continuera de faire l'objet de négociations ; aucun d'eux ne souhaite en effet être bloqué par des prescriptions fermes sur la façon dont il devrait conduire dans ses relations avec les autres. De toute manière, cela serait impossible à réaliser car le contexte – à différents niveaux – est souvent trop fluide pour pouvoir être modifié. La conférence a également été le lieu d'un autre débat sur la définition de l'apprentissage « non-formel » : à quel endroit se situe-t-il, entre « formel » et « informel » ? Recoupe-t-il la même chose que le « travail jeunesse » ? Dans son allocution d'ouverture, Helmut Willems a signalé l'évolution rapide de la situation des jeunes en Europe sur le plan de la démographie, du multiculturalisme, de l'accès à la vie professionnelle et de la participation à la société européenne. René Bendit a parlé brièvement de la recherche qui conteste les théories « yo-yo » de la transition chez les jeunes.

Le domaine de la jeunesse est donc immensément complexe en raison de sa « gouvernance ». À maintes reprises, la conférence a exprimé des préoccupations au sujet de la collecte d'une trop grande quantité de données aux dépens de la « connaissance utile » ; il est facile de s'enrichir en données, mais aussi de s'appauvrir en informations. Il est très difficile de déterminer ce qui vaut en tant que « connaissance utile » : la crédibilité et la légitimité des connaissances peuvent être définies – et peut-être contestées – par ceux qui les ont reçues ou souhaitent les utiliser. La conférence a cependant énoncé clairement qu'il y avait une grande différence entre « information » et « connaissance » ; en fait, on a souligné que le « *European Knowledge Centre* » est une source très précieuse d' « informations », mais que la production de « connaissances » exige une étape supplémentaire. Ceci a débouché sur le point de vue selon lequel tous les acteurs du domaine de la jeunesse doivent s'ouvrir davantage à la recherche, non pas nécessairement pour devenir des praticiens de la recherche eux-mêmes, mais pour réfléchir de façon critique à leur propre pratique et devenir plus aptes à évaluer et à utiliser les « preuves » disponibles. On a considéré que les éléments suivants s'imposent pour cultiver cet « esprit axé sur la recherche » :

* Poser des questions importantes liées aux jeunes.

* Envisager des méthodes de recherche et d'enquête appropriées.

* Rassembler les données et les informations recueillies.

* Engager le dialogue sur l'interprétation et l'argumentation.

* Produire de la connaissance empirique/théorique.

* Réflexion et analyse.

* Incidences et orientations sur le plan de la politique.

* Plateformes pour la diffusion et le débat.

* Dépasser la « *realpolitik* ».

Les multiples complexités qui surgissent inévitablement dans l'« esprit axé sur la recherche » doivent être distillées sous la forme de messages politiques clés, fondamentaux et « simples » ; pour que l'information et les connaissances ne restent pas sans effet ou demeurent enfermées dans le monde d'un seul groupe d'intérêt, il convient de les rendre disponibles et accessibles à différents publics. Bien entendu, comme je l'ai dit auparavant, pour les chercheurs jeunesse, il s'agit d'un travail qui procure peu d'avantages pour la carrière universitaire, dans laquelle il faut « publier ou périr ». Pour les jeunes chercheurs, il doit se produire un profond changement de paradigme pour les critères servant à évaluer la rentabilité de l'enseignement supérieur, afin que ceux-ci puissent inclure les contributions au processus d'élaboration des politiques. En fait, de telles contributions au niveau européen ont été en grande partie le produit de l'engagement personnel (et du sacrifice « universitaire » allant de pair) d'un groupe relativement modeste de chercheurs jeunesse qui, fort naturellement, prennent de l'âge et doivent être remplacés.

4.3.4. Conclusion

On a laissé entendre que toute la logique des débats qui se sont déroulés à la conférence consistait « à contribuer à prendre des décisions éclairées fondées sur une connaissance confirmée ». Je fais valoir cependant que la quête de « connaissances confirmées » risque d'être problématique car les connaissances sont toujours contestées pour diverses raisons. Mais comme le laisse entendre la dynamique d'élaboration des politiques jeunesse, décrite au début de ce document, un débat nourri peut produire des désaccords et de la dissension. Pourtant, si l'on souhaite que le processus d'élaboration des politiques ne s'interrompe pas, une certaine forme de consensus devra être dégagée. En d'autres termes, il s'agit de s'entendre sur « les meilleures connaissances dans les circonstances du moment ». Ce n'est sans doute pas définitif, mais tant qu'il existe un accord autour d'une orientation particulière ou autour d'une voie permettant l'élaboration d'une politique ou d'une pratique, et tant que cet accord est clair, les étapes suivantes du processus peuvent être raisonnablement franchies. La confiance sera d'autant plus grande que la base de connaissances aura été constituée au moyen de méthodes à la fois quantitatives et qualitatives, permettant ainsi d'avoir une idée précise de ce qui se passe et de comprendre pourquoi cela se passe.

Ce qui importe, c'est que la recherche et « la connaissance » prennent conscience de leurs propres lacunes afin de pouvoir emboîter le pas à l'élan notoire qui, un peu plus fortement chaque année, guide le processus d'élaboration des politiques. Or, cet élan en matière d'élaboration des politiques n'attendra pas que les chercheurs essaient de régler le détail de leurs problèmes. Lynne Chisholm a fait observer qu'il y aura toujours des problèmes pour ces trois « collectifs de pratique » (chercheurs, décideurs et praticiens), de même qu'il y aura toujours des problèmes entre eux. Ce que nous devons améliorer, c'est la possibilité de bâtir sur les potentialités découlant de l'amélioration du dialogue et de la communication. Pour ce faire, il doit exister des espaces dans lesquels les partenaires peuvent se réunir et collaborer à l'amélioration de la « perméabilité » des frontières qui les séparent, notamment grâce à une meilleure compréhension des besoins des uns et des autres.

Pourtant, toutes les aspirations visant à la création de centres de connaissances destinées à produire une base de données probantes servant à l'élaboration des politiques jeunesse, doivent être relativisées par quelques vérités difficiles à admettre. L'« élaboration » d'une politique peut certes être souvent fondée sur des données probantes, mais dans la formulation des politiques et dans la planification opérationnelle, ce fonds factuel sera vraisemblablement, sinon éliminé, du moins partiellement atténué. Comme l'a fait observer Renaldas Vaisbrodas, les données ont tendance à se perdre dans une zone d'ombre, qui m'a fait penser à un autre triangle que celui de Lynne Chisholm, le triangle des Bermudes... Les pressions, les promesses et les priorités politiques font dévier des trajectoires politiques fondées sur la connaissance.

Je dirais donc, en conclusion, qu'il faut une connaissance de la politique et de la pratique, mais aussi des connaissances pour faire avancer la politique et la pratique. La recherche est mise au défi de combler ses lacunes en contribuant à la formulation des politiques, mais également d'évaluer l'écart entre cette formulation et son fonctionnement, ainsi que les résultats et les « extrants» de la pratique. Il faut qu'il y ait production de connaissances pour la contribution des « intrants » à la politique et à la pratique, et il faut qu'il y ait une évaluation et un examen critique des « extrants ». Il est de plus en plus commun de voir que, en raison de l'absence de structures et de ressources appropriées, certaines formulations politiques crédibles deviennent presque des fins en soi, au lieu d'être mises en œuvre efficacement. Par conséquent, il faudra peut-être éclairer les zones d'ombre pour comprendre comment certaines idées créatrices en matière de politique ont disparu.

De tels rôles – sous différentes formes de production de connaissances et à différentes étapes du processus d'élaboration des politiques – sont porteurs de tensions importantes pour la recherche.

Ceux qui formulent des critiques à l'égard de l'inaction dans l'élaboration des politiques ne verront vraisemblablement pas leur gouvernement les appeler à l'aide pour qu'ils apportent leur concours à l'élaboration de nouvelles politiques ou les inviter à présenter des soumissions pour des projets d'évaluation. Il existe donc des risques politiques (notamment du point de vue économique et de celui de la carrière) pour les chercheurs jeunesse qui se sont engagés à assumer leurs responsabilités en travaillant à un ensemble de connaissances. Pour que le triangle fonctionne efficacement, il a donc besoin non seulement de relations structurelles, mais également d'un changement culturel qui reconnaisse les pleines responsabilités des différents groupes. Les décideurs (et leurs responsables politiques) doivent davantage accepter les faiblesses et les limites des politiques et de la pratique pour que puisse se dérouler un débat sur les manières de les améliorer. Comme l'a récemment fait valoir un chercheur australien (Ani Wierenga), il faut qu'il y ait des points d'eau autour desquels toutes les parties peuvent se réunir – le principe essentiel du point d'eau étant que lorsque les différents animaux boivent, ils ne se dévorent pas les uns les autres ! Cette métaphore n'est pas tout à fait appropriée puisque, chez les animaux, les prédateurs dévorent les plus vulnérables dès qu'ils ont quitté le point d'eau... Nous devons nous assurer que cela ne se produise pas grâce à une pratique négociée et à une confiance renforcée, ceci pouvant permettre de façonner une base de connaissances sur la jeunesse européenne (bâtie à partir des modèles locaux et nationaux) et d'optimiser son utilisation dans les politiques et les pratiques liées à la jeunesse.

4.4. *Une pièce du casse-tête : un dernier mot au sujet de la conférence de Luxembourg*

par Charles Berg et Nico Meisch

Une analyse rétrospective de la conférence que le gouvernement du Luxembourg, en sa qualité de président du Conseil de l'Union européenne, a organisée en collaboration avec l'Université du Luxembourg et le CESIJE en juin 2005 permet d'éclaircir plusieurs points et de formuler des orientations pour une évolution future.

Si l'on en juge par les paramètres factuels, on peut considérer que la conférence a été une réussite. En effet, 94 participants de 26 pays ont assisté à l'événement. L'atmosphère a été chaleureuse autant qu'amicale et les débats témoignent d'un engagement intense. On peut donc prétendre que la conférence de Luxembourg, à mi-chemin entre un congrès universitaire, une conférence politique réunissant des représentants des pouvoirs publics et un atelier de praticiens, est une expérience réussie. Étant donné la diversité des représentants présents ici, on peut voir à quel point la production des connaissances et la gestion du savoir dans le domaine de la jeunesse exigent une interaction de personnes issues de milieux différents. L'un des principaux défis pour ce volume consiste sans doute à saisir le climat extrêmement positif qui a animé la réunion pendant ces deux jours à Luxembourg.

Le moment fort de la conférence fut le lancement du « *European Knowledge Centre for Youth Policy* », dont le ton a été donné par un impressionnant exposé de Bryony Hoskins. Nathalie Stockwell de la Commission européenne nous a rappelé que l'acronyme du « *Knowledge Centre* », EKCYP, peut se lire « équipe » en français. Cette allusion à l'équipe rend bien l'esprit qui a animé la conférence de Luxembourg, mais elle ne doit pas pour autant nous faire négliger la mise en garde lancée clairement par Howard Williamson : nous ne devons pas nous laisser bercer par l'illusion que le triangle magique est la panacée permettant de régler tous les problèmes en matière de production et de gestion des connaissances.

Le triangle magique est effectivement une figure de style, une métaphore qui représente davantage une aspiration qu'un véritable processus permanent. Si vous entreprenez une analyse réaliste, vous vous rendrez bien vite compte que le présumé triangle peut avoir plus de trois angles, et également plus ou moins de trois côtés. C'est une tâche complexe, inscrite dans une longue évolution, que de faciliter et de promouvoir l'échange, le dialogue et le réseautage entre les acteurs du domaine de la jeunesse pour faire en sorte que les connaissances dans ce domaine soient utiles et permettent d'anticiper les besoins futurs. La conférence de Luxembourg a mis au grand jour le fait qu'il ne s'agit pas d'un problème technologique, pouvant être réglé par de simples mesures de gestion ou des solutions technologiques. Nous avons besoin d'une stratégie à long terme.

Il existe déjà des instruments importants. L'un d'eux est évidemment le réseau de correspondants de recherche sur la jeunesse du

Conseil de l'Europe, né au début des années 90. La Méthode ouverte de coordination, adoptée par l'Union européenne comme mécanisme de suivi dans le cadre du processus du Livre blanc en est un deuxième. Les conférences européennes des directeurs généraux donnent aussi régulièrement la possibilité de lancer des débats, d'échanger des pratiques et de se soutenir mutuellement. S'agissant des objectifs communs concernant l'information et la participation, des groupes de travail ont été constitués dans différents États membres. Leurs rapports concourront sans nul doute à alimenter également le débat. Du point de vue de la dynamique de l'évolution de la politique jeunesse dans l'espace européen, la conférence de Luxembourg, bien qu'elle ait été l'événement concluant de la présidence luxembourgeoise, ne constitue pas un point final, mais un point de départ. Plusieurs rapports sur la conférence ont été remis à l'automne 2005 lors des réunions d'experts, ainsi qu'à la conférence des directeurs généraux, sous la présidence britannique de l'UE ; nous sommes ravis de voir que, lors de ces deux occasions, nous avons eu le sentiment que la conférence de Luxembourg était l'une des pièces d'un casse-tête beaucoup plus important ayant pour sujet les jeunes en Europe.

Nous souhaitons mettre en évidence deux résultats implicites : le premier a trait aux convergences en matière de gestion du savoir qui ont été réalisées dans le domaine de la jeunesse, le second à la modification du rôle de l'analyse scientifique à l'égard de la jeunesse et de la politique jeunesse.

La convergence que nous avons décelée lors de la conférence de Luxembourg est triple : le premier niveau est représenté par une convergence entre la préoccupation pour la recherche et le réseautage en recherche jeunesse, tous deux favorisés par le Conseil de l'Europe et dans le cadre du processus du Livre blanc de l'Union européenne. Le résultat tangible qui en émane est la collaboration entre les deux institutions européennes pour appuyer un éventail de dialogues et de réseaux, notamment le Réseau d'experts en recherche jeunesse, le « Knowledge Centre », les examens internationaux des politiques jeunesse nationales, les séminaires de formation de jeunes spécialistes en sciences sociales et d'autres initiatives. Bien entendu, la conférence de Luxembourg a pris appui sur ce qui a été réalisé grâce à la collaboration européenne, mais nous osons également espérer qu'elle a été en mesure d'alimenter le processus d'adaptation de la politique jeunesse et de la recherche jeunesse à la société de la connaissance.

On pourrait appeler le deuxième niveau une convergence subsectorielle. À Luxembourg, nous avons en fait décelé des problèmes et des risques semblables en matière de gestion du savoir dans différents domaines, notamment l'apprentissage informel et l'élaboration des politiques jeunesse. L'une de nos principales responsabilités, après la conférence de Luxembourg, sera de déterminer précisément les racines et les difficultés communes dominantes, ainsi que la parenté structurelle de la gestion du savoir dans le domaine de la jeunesse.

Le troisième niveau de convergence est lié au fait que l'échange de connaissances et le réseautage entre les acteurs du domaine de la jeunesse ne sont pas l'apanage du niveau européen. Le processus se déroule également, comme nous l'a clairement montré le maire de Trèves, Georg Bernarding, au niveau local. Or, la majorité d'entre nous est parfaitement consciente qu'il est pertinent de différencier les rôles et de les relier entre eux dans le cadre d'un travail structuré entrepris pour élaborer une politique jeunesse démocratique, reposant sur des données probantes et permettant de relever les défis de l'avenir.

L'ensemble du processus comportera également une modification en profondeur du rôle de l'analyse scientifique. La conférence de Luxembourg a révélé que des sources hétérogènes de connaissance sont disponibles et que certaines d'entre elles sont plus difficiles d'accès aux chercheurs jeunesse qu'à d'autres praticiens du domaine. Il s'ensuit que si les chercheurs souhaitent accéder à la connaissance disponible, ils n'ont d'autre choix que de collaborer. Qui plus est, la hiérarchie des types de connaissance n'est qu'un mythe. La connaissance pratique, la connaissance narrative, la connaissance dynamique, par exemple, ne sont pas des formes secondaires de la connaissance ; elles doivent être considérées comme des éléments constitutifs valides de la preuve. Enfin, les experts scientifiques et les spécialistes en sciences sociales ne peuvent prétendre occuper une position dominante. Ils ont néanmoins une fonction à remplir, s'ils sont capables d'adopter une attitude d'optimisme épistémologique et d'admettre les éléments suivants : en règle générale, les acteurs sociaux suivent d'une part une logique sociale, qui s'appuie sur la connaissance, sur des interprétations cohérentes ainsi que sur des choix rationnels. Ils s'efforcent, d'autre part, d'améliorer leur compréhension des situations auxquelles ils doivent s'accommoder. Ils n'ont donc, en général, pas besoin d'experts pour les conseiller sur ce qu'ils ont à faire. La tâche des spécialistes en sciences sociales consiste à refléter et à cartographier les processus pratiques et théoriques permanents, à fournir des explications, à évaluer, à élaborer des visions à partir de ce qui existe et à être ainsi des partenaires dignes de confiance, des courtiers en connaissances équitables dans la construction, menée en commun et basée sur le savoir, d'un programme politique.

Considérée sous cet angle, la qualité de la gestion du savoir fera naître la confiance à l'égard de l'expertise que le système universitaire ne parvient plus à produire automatiquement de nos jours. Par ailleurs, la recherche jeunesse en tant que science sociale interdisciplinaire, qui était habituellement alimentée par des catégories de l'extérieur, peut trouver de nouvelles assises grâce à un processus d'échange systématique. Cette évolution aura bien entendu un prix. Nous devons en premier lieu faire en sorte que les spécialistes en sciences sociales soient conscients de l'enjeu épistémologique dans le domaine de l'échange des connaissances ; il faut ensuite que les universités soient engagées dans le développement pérenne de leur environnement social ; et nous avons enfin besoin de formats d'interaction étayés à la fois par la recherche et les politiques, qui encouragent l'échange entre les partenaires de divers milieux.

Nous ne terminerons pas cet épilogue sans exprimer notre profonde gratitude à tous ceux qui nous ont apporté leur secours pour la tenue de cette conférence : le Ministère luxembourgeois de la Jeunesse, le rectorat de l'Université, le groupe directeur international, le personnel du Ministère de la Jeunesse, le personnel du CESIJE, les présidents, les adjoints, les personnes qui ont apporté leur contribution intellectuelle, les rapporteurs des groupes de travail, les conférenciers principaux et le rapporteur général, et enfin les collaborateurs et le comité de lecture de cette publication.

Bibliographie

Argyris, C. (1993). *Knowledge for action. A guide to overcoming barriers to organizational change.* San Francisco: Jossey-Bass.

Beck, U. (1986). *Risikogesellschaft. Auf dem Weg in eine andere Moderne.* Frankfurt am Main: Suhrkamp.

Bendit, R. (2004). Jugend und Jugendpolitik in Europa: Welchen Beitrag leistet die europäisch vergleichende Jugendforschung? In: Hering, S., Urban, U. (Hrsg.): *"Liebe allein genügt nicht." Historische und systematische Dimensionen der Sozialpädagogik.* Opladen: Leske+Budrich, S. 271-295.

Berg, C., Milmeister, M., Schoos, J. (2005). *Stadtraum – Jugendraum? Vom professionellen Diskurs über Gefährdete zu multimodalen Hilfestellungen in einer vernetzten Jugendsozialarbeit.* Esch/Alzette und Luxemburg: Editions PHI. [=ScientiPHIc, Schriften zur Jugendforschung, Bd. 1]

Berg, C., Wirtgen, G. (1999). An experiment in youth research going European: The case of Luxembourg. In: CYRCE (Circle for Youth Research Cooperation in Europe e.V.) (Ed.): *Intercultural reconstruction: Trends and challenges.* Berlin, New York: Walter de Gruyter, pp. 195-204. [=European Yearbook on Youth Policy and Research, Vol. 2]

Berg-Schlosser, D., Müller-Rommel, F.(Hrsg.) (1987). *Vergleichende Politikwissenschaft: Ein einführendes Handbuch.* Opladen: Leske+Budrich.

Broady, D. (1985). *Kultur och utbildning. Om Pierre Bourdieus sociologi.* [Culture ou formation. De la sociologie de Pierre Bourdieu.] Stockholm: UHÄ FoU-Skriftserie. 1985, 4, 1-26.

Bruner, C., Winklhofer, U., Zinser, C. (1999). *Beteiligung von Kindern und Jugendlichen in der Kommune. Ergebnisse einer bundesweiten Erhebung.* München: Deutsches Jugendinstitut e.V.

Buchmann, M. (1989). *The script of life in modern society: Entry into adulthood in a changing world.* Chicago: The University of Chicago Press.

Cavalli, A., Galland, O. (Dir.) (1993). *L´allongement de la jeunesse.* Arles: Editions Actes-Sud.

Cederlöf, P. (2004). *Nuorisotyö ja sen haasteet pienissä kunnissa.* [Défis du travail jeunesse dans les petites localités.] Helsinki: Nuorisotutkimusverkosto/Nuorisotutkimusseura julkaisuja.

Chisholm, L. (1995a), La Recherche sur la jeunesse en Europe. Redéfinitions et perspectives. In : *AGORA*. Débats Jeunesse, 1, 1995, p. 92-106

Chisholm, L. (1995b). Problems and challenges in developing European youth policies. In: Chisholm, L. et al. (Eds.): *Growing up in Europe*. Walter de Gruyter: Berlin/New York, pp. 283-286.

Chisholm, L. (1995c). Up the creek without a paddle? Exploring the terrain for European youth research in policy context. In: CYRCE (Circle for Youth Research Cooperation in Europe e.V.) (Ed.): *The puzzle of integration*. Berlin, New York: Walter de Gruyter, pp. 237-251. [=European Yearbook on Youth Policy and Research, Vol. 1]

Chisholm, L. (2001). Youth in knowledge societies. Challenges for research and policy. In : *Young*. Vol. 9, No 1 (2001), pp. 61-72.

Chisholm, L. (2004). Die Förderung bürgergesellschaftlichen Engagements in Europa: Politische Bildung im Spagat zwischen Wünschen und Wirklichkeiten. In: Otten, H., Lauritzen, P. (Hrsg.): *Jugendarbeit und Jugendpolitik in Europa*. Wiesbaden: VS Verlag für Sozialwissenschaften, S. 75-84. [=Schriften des Instituts für angewandte Kommunikationsforschung, Bd. 6]

Chisholm, L. et al. (2004). *Advanced training for trainers in Europe (ATTE) Pilot course under the Council of Europe and the European Commission youth worker training partnership programme 2001-2003*. External evaluation. Final report.

Chisholm, L. et al. (2005). *Advanced training for trainers in Europe. Curriculum description*. Vol. 1. Strasbourg: Council of Europe Publishing.

Chisholm, L. et al. (2006). *At the end is the beginning: Training the trainers in the youth field*. Vol. 2. Strasbourg: Council of Europe Publishing.

Chisholm, L., Bergeret, J.-M. (1991). *Young people in the European Community: Towards an agenda for research and policy*. Report for the Task Force Human Resources, Education, Training and Youth. Brussels: Commission of the European Communities.

Chisholm, L., Hoskins, B. with Glahn, C. (2005). *Trading up – Potential and performance in non-formal learning*. Strasbourg: Council of Europe Publishing.

Chisholm, L., Kovatcheva, S. (2002). *Explorer la mosaïque de la jeunesse européenne. La situation sociale des jeunes en Europe*. Strasbourg: Éditions du Conseil de l'Europe.

Circle for Youth Research Cooperation in Europe e.V. (CYRCE) (Ed.) (1995). *The puzzle of integration*. Berlin, New York: Walter de Gruyter. [=European Yearbook on Youth Policy and Research, Vol. 1]

Circle for Youth Research Cooperation in Europe e.V. (CYRCE) (Ed.) (1999). *Intercultural reconstruction: Trends and challenges*. Berlin, New York: Walter de Gruyter. [=European Yearbook on Youth Policy and Research, Vol. 2]

Coles, B. (2000). *Joined-up youth research, policy and practice. A new agenda for change?* Leicester: Youth Work Press.

Colley, H., Hodkinson, P., Malcolm, J. (2002). *Non-formal learning: Mapping the conceptual terrain*. A consultation report. Leeds: University of Leeds Lifelong Learning Institute.

Commission des Communautés Européennes (2000). *Communication de la Commission au Conseil, au Parlement européen, au Comité économique et social et au Comité des régions. Vers un espace européen de la recherche*. Bruxelles 18-01-2000, COM (2000) 6 final.

Commission des Communautés Européennes (2001). *Livre blanc de la Commission Européenne. Un nouvel élan pour la jeunesse européenne*. Bruxelles 21-11-2001, COM (2001) 681 final.

Commission des Communautés Européennes (2003a). *Document de travail des services de la Commission. Rapport d'analyse des réponses des États membres aux questionnaires de la Commission sur la participation et l'information des jeunes*. Bruxelles 11-04-2003, SEC (2003) 465.

Commission des Communautés Européennes (2003b). *Communication de la Commission au Conseil. Suivi du Livre blanc "Un nouvel élan pour la jeunesse européenne" - Proposition d'objectifs communs en matière de participation et d'information des jeunes suite à la Résolution du Conseil du 27 juin 2002 relative au cadre de la coopération européenne dans le domaine de la jeunesse*. Bruxelles 11-04-2003, COM (2003) 184 final.

Commission des Communautés Européennes (2004b). *Communication de la Commission au Conseil. Suivi du Livre blanc "Un nouvel élan pour la jeunesse européenne" : Bilan des actions menées dans le cadre de la coopération européenne dans le domaine de la jeunesse*. Bruxelles 22-10-2004, COM (2004) 694 final.

Commission des Communautés Européennes (2004c). *Communication de la Commission au Conseil. Suivi du Livre blanc "Un nouvel élan pour la jeunesse européenne". Proposition d'objectifs communs pour une meilleure compréhension et connaissance de la jeunesse suite à la Résolution du Conseil du 27 juin 2002 relative au cadre de la coopération européenne dans le domaine de la jeunesse.* Bruxelles 30-04-2004, COM (2004) 336 final.

Commission des Communautés Européennes (2004d). *Communication de la Commission au Conseil. Suivi du Livre blanc "Un nouvel élan pour la jeunesse européenne". Proposition d'objectifs communs pour les activités volontaires des jeunes suite à la résolution du Conseil du 27 juin 2002 relative au cadre de la coopération européenne dans le domaine de la jeunesse.* Bruxelles 30-04-2004, COM (2004) 337 final.

Commission des Communautés Européennes (2005a). *Communication de la Commission au Conseil sur les politiques européennes de la jeunesse. Répondre aux préoccupations des jeunes Européens – Mise en oeuvre du Pacte européen pour la jeunesse et promotion de la citoyenneté active.* Bruxelles 30-05-2005, COM (2005) 206 final.

Commission des Communautés Européennes (2005b). *Communication de la Commission. Livre vert "Face aux changements démographiques, une nouvelle solidarité entre générations".* Bruxelles 16-03-2005, COM (2005) 94 final.

Commission of the European Communities (2004a). *Commission staff working paper. Analysis of Member States' and acceding countries' replies to the Commission questionnaire on a greater understanding and knowledge of youth.* Brussels 14-05-2004, SEC (2004) 627.

Conseil de l'Europe (2002). *La jeunesse construit l'Europe – 6e Conférence des Ministres européens responsables de la Jeunesse.* Thessalonique, Grèce – 7-9 novembre 2002.

Conseil de l'Europe (2003b). *Charte européenne révisée sur la participation des jeunes à la vie locale et régionale.* Congrès des pouvoirs locaux et régionaux de l'Europe, 21 mai 2003.

Conseil de l'Europe (2000). *Annuaire de recherche sur la jeunesse en Europe 1998.* Direction de la jeunesse. Strasbourg: Éditions du Conseil de l'Europe.

Conseil européen de Lisbonne: *Conclusions de la présidence.* 23 et 24 mars 2000.

Council of Europe (1998). *European youth trends 1998*. Report by the national youth research correspondents. Youth Directorate. Strasbourg: Council of Europe Publishing.

Council of Europe (2001). *Youth research in Europe: The next generation – Perspectives on transitions, identities and citizenship*. Directorate of Youth and Sport. Strasbourg: Council of Europe Publishing.

Council of Europe (2003a). *Experts on youth policy indicators*. Strasbourg: March 2003, DJS/YR/YPI (2003) 1.

Council of Europe and European Commission (2004). *Pathways towards validation and recognition of education, training and learning in the youth field*. Working paper by the Youth Unit of the Directorate "Youth, Civil Society, Communication" in the Directorate General "Education and Culture" of the European Commission and the Youth Department of the Directorate "Youth and Sport" in the Directorate General "Education, Culture and Heritage, Youth and Sport" of the Council of Europe. Strasbourg and Brussels, February 2004.

Davenport, T., Prusak, L. (1998). *Working knowledge. How organizations manage what they know*. Cambridge, MA: Harvard Business School Press.

Demanuele, J. et al. (2002). *La politique de la jeunesse au Luxembourg. Rapport d'un groupe d'experts commis par le Conseil de l'Europe*. Strasbourg : Éditions du Conseil de l'Europe.

Deutsche Shell (Hrsg.) (2002). *Jugend 2002. Zwischen pragmatischem Idealismus und robustem Materialismus*. Frankfurt am Main: S. Fischer Verlag.

du Bois-Reymond, M. (1998). "I don't want to commit myself yet." Young people's life concepts. In: *Journal of Youth Studies*. 1, 1, pp. 63-79.

du Bois-Reymond, M. (2003). *Study on the links between formal and non-formal education*. Council of Europe - Directorate of Youth and Sport.

du Bois-Reymond, M. et al. (2002). *How to avoid cooling out. Experiences of young people in their transition to work across Europe*. Research project YOYO "Youth policy and participation. Potentials of participation and informal learning for the transition of young people to the labour market. A comparison in ten European regions" funded under key action "Improving the socio-economic knowledge base". [Working paper 2]

Eberhard, L. (2002). *Le Conseil de l'Europe et la jeunesse : Trente années d'expérience.* Strasbourg : Éditions du Conseil de l'Europe.

Eckert, R., Reis, C., Wetzstein, T. (2000). *"Ich will halt anders sein wie die anderen." Abgrenzung, Gewalt und Kreativität bei Gruppen Jugendlicher.* Opladen: Leske+Budrich.

Eckert, R., Willems, H. (2002). Gewaltforschung und Politikberatung. Die Kommissionen. In: Heitmeyer, W., Soeffner, H.G. (Hrsg.): *Gewalt.* Frankfurt: Suhrkamp, S. 525-544.

European Commission – Directorate General for Education and Culture (2004). *Common European principles for validation of non-formal and informal learning. Final proposal from "Working Group H" (Making learning attractive and strengthening links between education, work and society) of the objectives process.* Brussels 03-03-2004, DG EAC B/1 JBJ D(2004).

European Commission – Directorate General for Research (2004). *FP6: Specific programme "Integrating and strengthening the European Research Area". Priority 7: Citizens and governance in a knowledge based society.* Work Programme 2004-2006.

European Youth Forum (2000). *Staying alive. Le domaine de l'éducation non formelle en Europe.* Octobre 2000, 0793-2Kf Education.

European Youth Forum (2003). *Policy paper on youth organisations as non-formal educators – Recognising our role.* November 2003, COMEM 0618-03 final.

Fend, H. (1988). *Sozialgeschichte des Aufwachsens. Bedingungen des Aufwachsens und Jugendgestalten im zwanzigsten Jahrhundert.* Frankfurt am Main: Suhrkamp.

Freire, P., Shor, I. (1987). *A pedagogy for liberation: Dialogues on transforming education.* South Hadley, Mass.: Bergin & Garvey Publishers.

Furlong, A., Guidikova, I. (Eds) (2001). *Transitions of youth citizenship in Europe: Culture, and subculture and identity.* Strasbourg: Council of Europe Publishing.

Furlong, A., Stadler, B., Azzopardi, A. (2000). *European youth trends 2000. Vulnerable youth: Perspectives on vulnerability in eductaion, employment and leisure in Europe.* International expert report. Strasbourg: Council of Europe Publishing.

Gee, J. P. (2003). *What video games have to teach us about learning and literacy.* Palgrave Macmillan.

Giddens, A. (1990). *The consequences of modernity.* Cambridge: University Press.

Giroux, H. (2000). *Impure acts. The practical politics of cultural studies.* New York: Routledge.

Grossegger, B., Heinzlmaier, B., Zentner, M. (2001). Youth scenes in Austria. In: Furlong, A., Guidikova, I. (Eds.): *Transitions of youth citizenship in Europe: Culture, subculture and identity.* Strasbourg: Council of Europe Publishing, pp. 193-216.

Habermas, J. (1988). *Theorie des kommunikativen Handelns.* Frankfurt am Main: Suhrkamp.

Hackauf, H., Winzen, G. (2004). *Gesundheit und soziale Lage von jungen Menschen in Europa.* Wiesbaden: VS Verlag für Sozialwissenschaften.

Hoikkala, T., Suurpää, L. (2005). Finnish youth cultural research and its relevance to youth policy. In: *Young Nordic Journal of Youth Research.* 13, 3, pp. 285-312.

Hübner-Funk, S., du Bois-Reymond, M. (1995). Youth research in a changing Europe. In: CYRCE (Circle for Youth Research Cooperation in Europe e.V.) (Ed.): *The puzzle of integration.* Berlin, New York: Walter de Gruyter, pp. 253-268. [=European Yearbook on Youth Policy and Research, Vol. 1]

Hurrelmann, K. (1999). *Lebensphase Jugend. Eine Einführung in die sozialwissenschaftliche Forschung.* Weinheim, München: Juventa.

IARD (2001). *Study on the state of young people and youth policy in Europe.* Report for the European Commission DG for Education and Culture. Contract n. 1999-1734/001-001.

Joachim, P. et al. (2004). *Soziale Räume und soziale Welten. Analyse der sozialräumlichen Struktur der Stadt Luxemburg und der Veränderungen sozialer Milieus aus der Perspektive von Bewohnern.* Endbericht des CESIJE im Rahmen des "Plan communal jeunesse" der Stadt Luxemburg. Luxemburg: CESIJE.

Kommission der Europäischen Gemeinschaften (1990). *Jugendliche in der Europäischen Gemeinschaft.* Memorandum der Kommission an den Rat und das Europäische Parlament. Brüssel 15-10-1990, KOM (90) 469 endg.

Lagrée, J.C. (2004). Pauvreté, exclusion sociale, désaffiliation, underclass. In: Milmeister, M. (Dir.): *Aspects de la recherche jeunesse: Risques, désavantages, opportunités.* Documents de la Journée CESIJE du 28 janvier 2004. Luxembourg: CESIJE, p. 123-134.

Lauritzen, P. (2004). Die europäische Bürgergesellschaft – Geschlossene Gesellschaft oder offener Zukunftsentwurf für Jugendliche in Europa. In: Otten, H., Lauritzen, P. (Hrsg.): *Jugendarbeit und Jugendpolitik in Europa.* Wiesbaden: VS Verlag für Sozialwissenschaften, S. 37-44. [=Schriften des Instituts für angewandte Kommunikationsforschung, Bd. 6]

Luhmann, N. (1993). *Legitimation durch Verfahren.* Frankfurt am Main: Suhrkamp.

Meisch, N. (2004). Wissen und Handeln in der Jugendpolitik stärker verzahnen – Beispiel Jugendpartizipation. In: Otten, H., Lauritzen, P. (Hrsg.): *Jugendarbeit und Jugendpolitik in Europa.* Wiesbaden: VS Verlag für Sozialwissenschaften, S. 213-224. [=Schriften des Instituts für angewandte Kommunikationsforschung, Bd. 6]

Meyer, J.L. (2000). L'insertion dans l'emploi: Questions épistémologiques et méthodologiques. In: *L'Orientation scolaire et professionnelle.* 29, 4, p. 599-614.

Meyers, C., Willems, H. (2004). *Die Jugend der Stadt Luxemburg. Lebenslagen, Wertorientierungen, Freizeitmuster und Probleme. Analyse einer quantitativen Umfrage der 12-25-jährigen Jugendlichen.* Endbericht des CESIJE im Rahmen des "Plan communal jeunesse" der Stadt Luxemburg. Luxemburg: CESIJE.

Milmeister, M. (Dir.) (2004). *Aspects de la recherche jeunesse: Risques, désavantages, opportunités.* Documents de la Journée CESIJE du 28 janvier 2004. Luxembourg: CESIJE.

Ministère de la Famille, de la Solidarité Sociale et de la Jeunesse, Service National de la Jeunesse (2004). *Jeunesse et société. Deuxièmes lignes directrices pour la politique de la jeunesse.*

Münchmeier, R. (1992). Die unterschiedlichen Jugenden in Europa. In: Lenz, W. (Hrsg.): *Jugend 2000: Trends, Analysen, Perspektiven.* Bielefeld: Bertelsmann, S. 215-230.

Orr, K., Camara, J. (Eds.) (2004). *Education, employment and young people in Europe.* European Youth Forum Youth Report. Brussels.

Otten, H., Lauritzen, P. (Hrsg.) (2004). *Jugendarbeit und Jugendpolitik in Europa*. Wiesbaden: VS Verlag für Sozialwissenschaften. [=Schriften des Instituts für angewandte Kommunikationsforschung, Bd. 6]

Paakkunainen, K. (2004a). Johdanto: Kohtaavatko nuorten odotukset ja perinteiset poliittiset instituutiot paikallistasolla? [Introduction: affaiblissement des attentes dans les institutions de jeunesse et les institutions politiques locales traditionnelles.] In: Paakkunainen, K. (toim.): *Nuorten ääni ja kunnantalon heikko kaiku. Nuoret kunnallisesssa demokratiassa ja paikallisissa vaikuttajaryhmissä.* [Les voix de la jeunesse dans les communes. Démocratie locale et les groupes d'influence de jeunes.] Helsinki: Nuorisotutkimusverkosto julkaisuja. 46, 2004, 6.

Paakkunainen, K. (toim.) (2004b). *Nuorten ääni ja kunnantalon heikko kaiku. Nuoret kunnallisesssa demokratiassa ja paikallisissa vaikuttajaryhmissä.* [Les voix de la jeunesse dans les communes. Démocratie locale et les groupes d'influence de jeunes.] Helsinki: Nuorisotutkimusverkosto julkaisuja. 46, 2004.

Pohl, A., Walther, A. (o.J.). *Bildungsprozesse in der Jugendarbeit im europäischen Kontext.* Expertise im Rahmen der "Konzeption Bildungsbericht: vor- und außerschulische Bildung" am Deutschen Jugendinstitut, München. IRIS e.V., Institut für regionale Innovation und Sozialforschung Tübingen.

Postman, N. (1987). *Das Verschwinden der Kindheit.* Frankfurt am Main: S. Fischer Verlag.

Résolution du Conseil et des représentants des gouvernements des États membres, réunis au sein du Conseil, du 27 juin 2002 relative au cadre de la coopération européenne dans le domaine de la jeunesse. Journal officiel des Communautés européennes C 168/2, 13.07.2002.

Rhodes, C.P., Avis, J., Somervell, H. (1999). The record of achievement, higher education and work: Passport of passenger? In: *Research in Post-compulsory Education.* 4, 3, pp. 321-330.

Sahlberg, P. (1999). *Créer des passerelles pour l'apprentissage - La reconnaissance et la valeur de l'éducation non formelle dans les activités de jeunesse.* Bruxelles: Forum européen de la jeunesse.

Sander, U., Vollbrecht, R. (Hrsg.) (2000). *Jugend im 20. Jahrhundert. Sichtweisen – Orientierungen – Risiken.* Neuwied: Luchterhand.

Savisaari, L. (2003). Recreational activity study book system as a tool for certification of youth non-formal and informal learning in Finland. In: Straka, G.A. (Hrsg.): *Zertifizierung non-formell und informell erworbener beruflicher Kompetenzen*. Münster: Waxmann.

Schild, H.J. (2005). *European framework: Milestones in formal and social recognition of non-formal and informal learning in youth work*. Presentation at the conference "Bridges for Recognition. Promoting Recognition of Youth Work Across Europe." Leuven, 19-23 January 2005.

Schneider, W. (2003). Diskurse zum "Wandel von Jugend" in Deutschland. Konzepte, Leitbegriffe und Veränderungen in der Jugendphase. In: *Diskurs*. 2003, 3, S. 54-61.

Schön, D.A. (1983). *The reflective practitioner: How professionals think in action*. Cambridge: Basic books.

Schuh, H. (2002). Wer hat da am Rat gedreht? In: *Die Zeit*. 35/2002.

Sellin, B. (1995). Structural conditions for the education, training and employment of young Europeans. In: CYRCE (Circle for Youth Research Cooperation in Europe e.V.) (Ed.): *The puzzle of integration*. Berlin, New York: Walter de Gruyter, pp. 187-195. [=European Yearbook on Youth Policy and Research, Vol. 1]

Sennett, R. (2000). *Der flexible Mensch. Die Kultur des neuen Kapitalismus*. München: Goldmann.

Sennett, R. (2004). *Respekt im Zeitalter der Ungleichheit*. Berlin: Berliner Taschenbuchverlag.

Siisiäinen, M. (2004). Kanslais- ja järjestötoiminta. [Organisations et activité civique.] In: Borg, S. (toim.): *Mahdollisuuksien maa. Kartoitusta ja puheenvuoroja suomalaisen kansalaisvaikuttamisen tutkimuksesta*. [Le paysage des possibilités. Perspectives sur la recherche jeunesse finlandaise sur l'activité civique.] Helsinki: Oikeusministeriön julkaisu 10, 2004, 122.

Siurala, L. (2002). *Can youth make a difference? Youth policy facing diversity and change*. Strasbourg: Council of Europe Publishing.

Siurala, L. (2004). *European framework of youth policy*. Strasbourg 17-09-2004, CDEJ (2004) 13.

Tapscott, D. (1997). *Growing up digital: The rise of net generation*. New York: McGraw Hill.

UNICEF (2000). *Young people in changing societies*. The MONEE Project CEE/CIS/Baltics. Regional monitoring report 7. UNICEF Innocenti Research Centre, Florence.

Vanandruel, M. et al. (1995). *Les jeunes et la vie associative en Europe*. Strasbourg: Éditions du Conseil de l'Europe.

Wallace, C., Kovatcheva, S. (1998). *Youth in society: The construction and deconstruction of youth in East and West Europe*. London: Macmillan.

Walther, A. et al. (1999). New trajectories of young adults in Europe. A research outline. In: CYRCE (Circle for Youth Research Cooperation in Europe e.V.) (Ed.): *Intercultural reconstruction: Trends and challenges*. Berlin, New York: Walter de Gruyter, pp. 61-87. [=European Yearbook on Youth Policy and Research, Vol. 2]

Walther, A., Blasco, A., McNeish, W. (Eds.) (2003). *Young people and contradictions of inclusion. Towards integrated transition policies in Europe*. Bristol: Policy Press.

Weingart, P. (2001). *Die Stunde der Wahrheit. Zum Verhältnis der Wissenschaft zu Politik, Wirtschaft und Medien in der Wissensgesellschaft*. Weilerswist: Velbrück Wissenschaft.

Weis, C., Milmeister, M., Willems, H. (2004). *Aspekte jugendlicher Freizeitwelten in der Stadt Luxemburg. Eine qualitative Analyse auf der Basis von Gruppendiskussionen*. Endbericht des CESIJE im Rahmen des "Plan communal jeunesse" der Stadt Luxemburg. Luxemburg: CESIJE.

Wells, H.G. (1938). *World Brain*. Garden City, NY, Doubleday, Doran.

Wicke, H.G. (2004). Mehr Jugendpolitik in Europa! Der Weißbuch Prozess und seine langfristigen Wirkungen. In: Otten, H., Lauritzen, P. (Hrsg.): *Jugendarbeit und Jugendpolitik in Europa*. Wiesbaden: VS Verlag für Sozialwissenschaften, S. 195-212. [=Schriften des Instituts für angewandte Kommunikationsforschung, Bd. 6]

Willems, H. (1997). Politische Orientierungen, Werthaltungen und Partizipation Jugendlicher. In: Palentien, C., Hurrelmann, K. (Hrsg.): *Jugend und Politik. Ein Handbuch für Forschung, Lehre und Praxis*. Neuwied: Luchterhand, S. 148-177.

Willems, H. et al. (2004). *Zusammenfassung der Ergebnisse und Schlussfolgerungen für die Praxis der Jugendpolitik und Jugendarbeit*. Endbericht des CESIJE im Rahmen des "Plan communal jeunesse" der Stadt Luxemburg. Luxemburg: CESIJE.

Willems, H., Wolf, M., Eckert, R. (1993). *Soziale Unruhen und Politikberatung. Funktion, Arbeitsweise, Ergebnisse und Auswirkungen von Untersuchungs-kommissionen in den USA, Großbritannien und der Bundesrepublik.* Opladen: Westdeutscher Verlag.

Williamson, H. (2002). *Soutenir les jeunes en Europe. Principes, politiques et pratique. Les analyses internationales des politiques nationales de jeunesse par le Conseil de l'Europe 1997-2001. Rapport de synthèse.* Strasbourg: Éditions du Conseil de l'Europe.

Ziehe, T. (2000). School and youth – A differential relation. Reflections on some blank areas in the current reform discussion. In: *Young Nordic Journal of Youth Research.* 2000, 1, pp. 54-63.

Ziehe, T., Stubenrauch, H. (1982). *Plädoyer für ungewöhnliches Lernen. Ideen zur Jugendsituation.* Reinbek: Rowohlt Taschenbuch.

Collaborateurs

Azzopardi, Anthony E., Dr., enseignant-chercheur et fondateur/coordonnateur du *Youth Studies Programme* à l'Université de Malte, président des correspondants nationaux pour la recherche de la Direction de la jeunesse du Conseil de l'Europe ; il travaille à l'élaboration et à la promotion d'une politique jeunesse transsectorielle et sur l'apprentissage non-formel.

Bendit, René, Dr. Phil., psychologue et sociologue, chercheur à l'Institut allemand de la jeunesse (DJI – *Deutsches Jugendinstitut e.V.*) et chargé de l'*International Research Cooperation.* Domaines de travail : recherche comparative européenne sur les transitions des jeunes vers l'âge adulte, les politiques jeunesse européennes, les jeunes migrants et les membres des minorités ethniques en Europe.

Berg, Charles, Dipl.-Päd., assistant professeur à l'Université du Luxembourg, président du conseil d'administration du CESIJE, cofondateur et actuellement codirecteur du *Kannertheateratelier* (théâtre des enfants de l'Université du Luxembourg). Domaines de recherche : études sur la jeunesse et l'enfance, méthodes de recherche, littératies polyglottes. Domaines de travail: formation des enseignants et théorie de l'éducation.

Bernarding, Georg, a étudié le droit. Carrière dans l'administration locale de Trèves (Allemagne). Depuis 2002, maire de Trèves, fortement engagé dans la vie associative locale.

Carmo, Joao Salviano, membre du Bureau du Forum européen de la jeunesse, chargé du développement du travail jeunesse mondial et régional en Asie, en Amérique du Nord et en Amérique latine. Collaboration avec les Nations Unies dans le domaine de la santé.

Chisholm, Lynne, Univ.-Prof. Dr., professeur d'éducation, directrice de l'Institut des sciences de l'éducation, Université Leopold-Franzens d'Innsbruck (Autriche). Domaines de travail : éducation, formation, recherche et politique jeunesse dans une perspective comparative et interculturelle.

Ehmke, Adelheid, Dr. rer. nat., vice-rectrice de l'Université du Luxembourg, domaine de travail : gestion de la recherche.

Hoikkala, Tommi, Dr., professeur associé en sociologie. Directeur de recherche dans le Réseau finlandais de recherche sur la jeunesse, membre du comité de lecture du *Young Nordic Journal of Youth Research* et des

European Cultural Studies (tous deux publiés par Sage). Projets de recherche : cultures de la jeunesse, entrées à l'âge adulte, santé, masculinités, questions méthodologiques et générations.

Hoskins, Bryony, Ph.D. en sociologie à l'Université Brunel (Royaume-Uni). Travaille pour le Centre commun de recherche de la Commission européenne dans le nouveau Centre de recherche pour l'éducation et la formation tout au long de la vie, *Centre for REsearch on Lifelong Learning (CRELL)*. Employée auparavant par le Conseil de l'Europe comme agent de recherche chargé de la coordination de la recherche jeunesse dans le cadre du partenariat entre la Commission européenne et le Conseil de l'Europe sur la jeunesse. A créé le système de gestion du savoir du « *European Knowledge Centre for Youth Policy* (EKCYP) ».

Jacobs, Marie-Josée, membre du gouvernement luxembourgeois depuis 1992. Ministre de la Famille et de l'Intégration et Ministre de l'Égalité des Chances du Luxembourg.

Lauritzen, Peter, directeur de la Direction Jeunesse et Sports, Conseil de l'Europe. Chargé de l'élaboration de la politique jeunesse et de la recherche en la matière. Collaboration avec l'Union européenne et l'accord de partenariat, éducation et formation, communication, etc.

Masson, Alix, antécédents universitaires en droit et journalisme. Membre du Secrétariat du Forum européen de la jeunesse, chargée de la politique jeunesse en Europe, du Programme jeunesse et des domaines de l'éducation formelle et non-formelle, plus particulièrement du secteur de la recherche sur la jeunesse et les politiques jeunesse.

Meisch, Nicolas, Dr. Phil., pédagogue, chef du Service jeunesse du Ministère luxembourgeois de la Famille et de l'Intégration.

Meyer, Jean-Louis, Dr., professeur de sociologie à l'Université Nancy 2, membre du laboratoire lorrain des sciences sociales (2L2s), expert auprès du CESIJE (Luxembourg). Domaines de travail : emploi et formation, insertion et exclusion dans une optique de comparaisons internationales.

Milmeister, Marianne, M.A. en sociologie, chercheur au CESIJE (Luxembourg). Principaux domaines de travail : gestion de la recherche, recherche sur la jeunesse défavorisée et la santé des jeunes.

Oldfield, Carolyn, chef adjoint des services d'information, *The National Youth Agency* à Leicester (Royaume-Uni), membre de l'équipe des services d'information de la NYA. S'intéresse particulièrement à la participation et le volontariat des jeunes.

Stockwell, Nathalie, administratrice de l'Unité des politiques jeunesse de la Commission européenne.

Torp Madsen, Peter, licence en science politique, actuellement en maîtrise. Membre du Bureau du Forum européen de la jeunesse, chargé du développement du travail jeunesse, de la formation, des partenariats UE-Conseil de l'Europe (conventions), éducation et communication interne et développement de l'organisation.

Turcan, Mariana, licence en langues étrangères et littérature, traduction anglais-espagnol et maîtrise en études américaines. Membre du Bureau du Forum européen de la jeunesse, chargée de l'élaboration des politiques jeunesse nationales en Europe et du développement du travail jeunesse en Europe et dans la CEE.

Vaisbrodas, Renaldas, licence en relations internationales et science politique et maîtrise en communication à l'Université de Vilnius (Lituanie). Président du Forum européen de la jeunesse.

Weuro, Jaakko, membre du Bureau du Forum européen de la jeunesse, responsable politique du suivi des questions de participation, de volontariat et de recherche ainsi que du processus de la Méthode ouverte de coordination dans le domaine de la jeunesse.

Willems, Helmut, Prof. Dr., sociologue, chercheur à l'Université du Luxembourg et membre du comité d'administration du CESIJE. Principaux domaines de recherche : sociologie de la jeunesse, école et violence.

Williamson, Howard, Dr., professeur de politique jeunesse européenne à l'Université de Glamorgan, Pays de Galles (Royaume-Uni).

Zentner, Manfred, MA, MA, chercheur, chef du service formation de « jugendkultur.at » à Vienne (Autriche). Principaux domaines de recherche : cultures de la jeunesse, modes de vie, participation et implication politiques des jeunes, valeurs et attitudes, prévention en travail jeunesse et évaluation du travail jeunesse.

Abréviations

ACE – *Adult and Community Education* [enseignement adulte et communautaire]

AES – Association européenne de sociologie

AIS – Association internationale de sociologie

ATTE – *Advanced Training for Trainers in Europe* [formation avancée des formateurs en Europe]

CAHJE – Comité ad hoc pour les questions de jeunesse

CATEWE – *Comparative Analysis of Transitions from Education to Work in Europe* [analyse comparative de l'insertion professionnelle des jeunes en Europe]

CDEJ – Comité directeur européen pour la jeunesse

CE – Conseil de l'Europe

CEDEFOP – Centre européen pour le développement de la formation professionnelle

CESIJE – Centre d'études sur la situation des jeunes en Europe

CGJL – Conférence générale de la jeunesse luxembourgeoise

CRELL – *Centre for REsearch on Lifelong Learning* [centre de recherche sur l'apprentissage tout au long de la vie]

CYRCE – *Circle for Youth Research Cooperation in Europe* [cercle pour la collaboration en recherche sur la jeunesse en Europe]

DJI – *Deutsches Jugendinstitut* [institut allemand de la jeunesse]

EB – *Eurobarometer*, Eurobaromètre

ECTS – *European Credit Transfer System for Recognising Course Results*, Système européen de transfert et d'accumulation de crédits

EKCYP – *European Knowledge Centre for Youth Policy* [centre européen de connaissances pour la politique jeunesse]

ESS – *European Social Survey* [enquête sociale européenne]

Euromed – Partenariat euro-méditerranéen

Eurostat – Office statistique des Communautés européennes

IARD ou Istituto IARD Franco Brambilla – *Cooperativa di Ricerca e Formazione* [association de recherche et de formation] (institut de recherche italien spécialisé notamment en recherche jeunesse)

ICNYP – *International Council for National Youth Policy,* Conseil international sur les Politiques nationales de Jeunesse

INRA – *International Research Associates* [associés internationaux pour la recherche]

MOC – Méthode ouverte de coordination

NEFIKS – Nefiks est un projet pour la promotion de l'apprentissage non-formel en Slovénie

NYA – *National Youth Agency* [agence nationale de la jeunesse]

NYRI – *Nordic Youth Research Information* [information nordique sur la recherche jeunesse]

ONG – Organisation non-gouvernementale

RC34 – Comité de recherche 34 de l'AIS (Sociologie de la jeunesse)

RoAs – *Records of Achievement* [dossiers des réalisations]

SALTO-YOUTH Resource Centres – SALTO-YOUTH est l'acronyme pour *Support and Advanced Learning and Training Opportunities within the European YOUTH programme* [soutien et apprentissage continué et opportunités de formation dans le cadre du Programme européen de la jeunesse]

SCRIPT – Service de coordination de la recherche et de l'innovation pédagogiques et technologiques du Ministère de l'Education nationale et de la Formation professionnelle

SNJ – Service national de la jeunesse

TI – Technologie(s) de l'information

TIC – Technique(s) d'information et de communication

TREU – *Task Force for Research in Europe* [groupe de travail pour la recherche en Europe]

YUSEDER – *Youth Unemployment and Risk of Social Exclusion* [chômage et risque d'exclusion sociale des jeunes]

Notes

1 Commission des Communautés Européennes (2004c), p. 6.

2 Commission des Communautés Européennes (2001).

3 Toutes les abréviations se trouvent à la fin du volume.

4 Commission des Communautés Européennes (2004c), p. 5-6.

5 Présidence luxembourgeoise du Conseil de l'Union européenne.

6 Vanandruel, M. et al. (1995).

7 On trouvera un exemple du secteur de la jeunesse dans : Chisholm, L. et al. (2006).

8 Voir http://www.youth-knowledge.net pour avoir accès à toutes les activités du Partenariat, http://www.coe.int/T/E/Cultural_Co-operation/Youth/ pour toutes les activités et la documentation du Conseil de l'Europe et http://europa.eu.int/comm/youth/index_en.html pour toutes les activités et documentation de la Commission européenne.

9 http://euroopa.noored.ee; ully@noored.ee.

10 Pour un résumé, voir Chisholm, L. (1995b) et Chisholm, L. (1995c).

11 Chisholm, L., Bergeret, J.-M. (1991); IARD (2001); Chisholm, L., Kovatcheva, S. (2002).

12 « Young Europeans 1990 » (Special Survey 51), « Young Europeans 1997 » (EB 47.2), « Young Europeans 2001 » (EB 55.1), effectuées par l'INRA au nom de la Commission européenne; les deux premiers Eurobaromètres ont été réalisés en 1982 (EB 17) et 1987 (Special Survey 38). Les questions du sondage de 1987 et de 1990 étaient en grande partie comparables, tout comme l'étaient celles de 1997 et 2001. Les rapports de l'enquête sont disponibles à l'adresse http://europa.eu.int/comm/public_opinion/archives/eb_special_en.htm.

13 Commission des Communautés Européennes (2001).

14 Les projets sont accessibles à l'adresse suivante http://europa.eu.int/comm/research/social-sciences/index_en.html.

15 Voir les programmes et mesures à l'adresse suivante http://europa.eu.int/comm/education/index_en.html.

16 Un bref compte rendu de la MOC et de son utilité pour la collaboration stratégique dans l'enseignement, la formation et la jeunesse peut être consulté à l'adresse suivante: http://europa.eu.int/comm/education/policies/pol/policy_en.html#methode; ses applications particulières dans le secteur de la jeunesse sont décrites à l'adresse suivante: http://europa.eu.int/scadplus/leg/en/cha/c11059.htm.

17 http://www.salto-youth.net.

18 Voir par exemple: Orr, K., Camara, J. (2004) (disponible à l'adresse: http://www.youthforum.org/en/publications/index.html); UNICEF (2000); Sahlberg, P. (1999).

19 Commission des Communautés Européennes (2004c).

20 Chisholm, L., Hoskins, B. with Glahn, C. (2005).

21 Les collectivités virtuelles CEDEFOP sont accessibles à l'adresse http://www.trainingvillage.gr et http://www.cedefop.eu.int et comprennent deux volets : une plate-forme virtuelle pour les jeunes chercheurs, ainsi qu'une plate-forme facilitant la formation avancée des formateurs en Europe (« Advanced Training for Trainers in Europe – ATTE »), un projet mené en commun par le Conseil de l'Europe et l'UE.

22 À ce sujet, voir : Council of Europe and European Commission (2004).

23 Voir: http://www.cordis.lu/fp7/.

24 Entre autres Hurrelmann, K. (1999) ; Sander, U., Vollbrecht, R. (2000) ; Commission des Communautés Européennes (2001).

25 Pour le Luxembourg, comparer le rapport de recherche du CESIJE : Joachim, P. et al. (2004) et Meyers, C., Willems, H. (2004).

26 Comparer entre autres Fend, H. (1988) ; Schneider, W. (2003).

27 Williamson, H. (2002).

28 Postman, N. (1987).

29 Comparer à ce propos les travaux sociologiques sur la culture et la jeunesse de Roland Eckert : Eckert R., Reis, C., Wetzstein, T. (2000) ; on en trouve également des exemples dans : Weis, C., Milmeister, M., Willems, H. (2004).

30 Pohl, A., Walther, A. (o.J.).

31 Pohl, A., Walther, A. (o.J.), p. 30-31.

32 Meyer, J.L. (2000).

33 Walther, A., Blasco, A., McNeish, W. (2003) ; du Bois-Reymond, M. et al. (2002).

34 Comparer pour l'Allemagne l'étude Deutsche Shell (2002).

35 Voir à ce sujet Sennett, R. (2000) et Sennett, R. (2004).

36 Otten, H., Lauritzen, P. (2004).

37 Lauritzen, P. (2004), p. 38.

38 Voir à ce sujet les différentes données de l'Eurobaromètre.

39 Voir Chisholm, L. (2004) ; Meisch, N. (2004) ; Bruner, C., Winklhofer, U., Zinser, C. (1999) ; Willems, H. (1997).

40 Commission des Communautés Européennes (2001).

41 Wicke, H.G. (2004), p. 197.

42 Comparer le document de synthèse : Commission des Communautés Européennes (2003a) ; Commission des Communautés Européennes (2003b).

43 Protagoras et Antiphos font partie des sophistes.

44 Habermas, J. (1988).

45 Luhmann, N. (1993).

46 Ministère de la Famille, de la Solidarité Sociale et de la Jeunesse, Service National de la Jeunesse (2004).

47 Le CESIJE (H. Willems, C. Meyers, C. Weis, P. Joachim and M. Milmeister) a rédigé trois rapports de recherche différents pour la Ville de Luxembourg : le premier s'intitule « Soziale Räume und soziale Welten. Analyse der sozialräumlichen Struktur der Stadt Luxemburg und der Veränderungen sozialer Milieus aus der Perspektive von Bewohnern. »; le deuxième « Aspekte jugendlicher Freizeitwelten in der Stadt Luxemburg. Eine qualitative Analyse auf der Basis von Gruppendiskussionen. » et le troisième « Die Jugend der Stadt Luxemburg. Lebenslagen, Wertorientierungen, Freizeitmuster und Probleme. Analyse einer quantitativen Umfrage der 12-25-jährigen Jugendlichen. » Les rapports peuvent être téléchargés sur le site Internet du CESIJE (http://www.cesije.lu).

48 Voir à ce propos : Berg, C., Milmeister, M., Schoos, J. (2005).

49 Voir Schuh, H. (2002).

50 Voir Weingart, P. (2001).

51 Willems, H., Wolf, M., Eckert, R. (1993) ; Eckert, R., Willems, H. (2002).

52 Tapscott, D. (1997).

53 Gee, J.P. (2003).

54 Ziehe, T., Stubenrauch, H. (1982); voir aussi Ziehe, T. (2000).

55 Siurala, L. (2002).

56 Giroux, H.(2000), p. 32.

57 http://ue.eu.int/Newsroom/LoadDoc.asp?BID=76&DID=60917&from=&LANG=1%20.

58 Council of Europe and European Commission (2004).

59 Council of Europe and European Commission (2004), p. 3.

60 http://europa.eu.int/comm/education/policies/lll/life/index_en.html.

61 Le document « Pathways » (Council of Europe and European Commission (2004), p. 3) en donne la description suivante : « Toutes les initiatives en matière d'éducation et de formation sous-tendent le rôle toujours plus important de l'apprentissage tout au long de la vie et dans tous les aspects de la vie. Elles mettent en évidence que l'apprentissage doit englober la totalité de l'apprentissage formel, non formel et informel afin de favoriser l'épanouissement personnel, la citoyenneté active, l'inclusion sociale et l'employabilité. Par conséquent, elles plaident pour une meilleure validation de l'apprentissage formel, non formel et informel et énoncent particulièrement le besoin d'une meilleure reconnaissance sociale et formelle de l'apprentissage non formel et informel. »

62 Citons seulement les « scènes culturelles jeunesse » qui sont des formes urbaines modernes récentes consistant en combinaisons changeantes uniques de temps et d'espace pour la sociabilité des jeunes (sans attaches solides, permettant ainsi d'adopter de nombreuses positions individualisées), mais dans lesquelles les participants partagent certaines préoccupations ou intérêts centraux, articulés ou non. Cette définition est inspirée par l'article de Grossegger, B., Heinzlmaier, B., Zentner, M. (2001).

63 Council of Europe and European Commission (2004), p. 5.

64 Council of Europe and European Commission (2004), p. 5.

65 Colley, H., Hodkinson, P., Malcolm, J. (2002). Également disponible à l'adresse des « informal education archives »: http://www.infed.org/archives/e-texts/colley_informal_learning.htm [consulté le 12 mai 2005].

66 Colley, H., Hodkinson, P., Malcolm, J. (2002), p. 4.

67 Colley, H., Hodkinson, P., Malcolm, J. (2002), p. 4.

68 Voir note de bas de page 13 dans Colley, H., Hodkinson, P., Malcolm, J. (2002), p. 7.

69 Colley, H., Hodkinson, P., Malcolm, J. (2002), p. 28. Colley et al. écrivent au sujet de l'enseignement adulte et communautaire (« Adult and community education – ACE »): « Passé ce point, il devient plus problématique de déterminer les hypothèses communes, ne serait-ce qu'en raison de la diversité des contextes et des fins que présente l'ACE. Il est en particulier impossible de dégager une théorie unifiée de l'apprentissage non formel et informel à laquelle l'ensemble du milieu de la pratique pourrait souscrire. En fait, on trouve un vaste éventail d'orientations communes à l'égard de l'apprentissage dans le domaine. »

70 Colley, H., Hodkinson, P., Malcolm, J. (2002), p. 31.

71 Cederlöf, P. (2004).

72 « Nous avons examiné certaines dimensions informelles de l'apprentissage dans des milieux principalement formels, et les dimensions formelles de l'apprentissage dans des milieux principalement informels. Il est logiquement possible de considérer ces processus comme étant distincts et parallèles : de voir la division entre apprentissage formel et informel se répéter encore dans les milieux formel et informel. Si nous agissons ainsi, nous peignons le tableau d'une sorte de progression imbriquée de réduction d'échelle, semblable peut-être au phénomène des fractales dans la théorie du chaos. » Colley, H., Hodkinson, P., Malcolm, J. (2002), p. 39.

73 Colley, H., Hodkinson, P., Malcolm, J. (2002), p. 39.

74 Colley, H., Hodkinson, P., Malcolm, J. (2002), p. 39.

75 Il a conféré un profil et renforcé les identités des acteurs qui recherchent leur propre espace et établissent des distinctions par rapport au système d'enseignement institutionnalisé, par exemple.

76 Colley, H., Hodkinson, P., Malcolm, J. (2002).

77 Savisaari, L. (2003).

78 Donald Broady parle du capital organisationnel comme d'un type de capital spécifiquement scandinave. La forte tradition associative caractérise depuis longtemps les pays nordiques en tant que sociétés civiles, et s'étend même aux entreprises. Voir Broady, D. (1985).

79 Le document « Pathways », Council of Europe and European Commission (2004), prend peut-être cette possibilité en compte car il y est dit : « La Commission et le Conseil de l'Europe s'appuient sur la diversité des systèmes existants et ne cherchent pas à normaliser et à surformaliser l'apprentissage non-formel. C'est une tâche délicate que de trouver le bon équilibre entre un ensemble d'outils qui garantit des solutions appropriées et satisfaisantes à l'égard de la validation, de l'accréditation et de la reconnaissance de l'apprentissage non-formel, conformément aux procédure d'élaboration de normes de qualité, d'accès ouvert, d'(auto)évaluation et d'appréciation de l'apprentissage non-formel. L'apprentissage non-formel dans le secteur de la jeunesse doit conserver son caractère non-conventionnel, novateur et attrayant. »

80 European Commission – Directorate General for Education and Culture (2004). Je dois beaucoup à Lauri Savisaari pour cette observation et pour toute l'aide qu'il m'a apportée lorsque j'ai rédigé ce document. Sans cette aide, je n'aurais pas été capable de travailler avec une documentation aussi fournie. Naturellement, je suis seul responsable du contenu du présent ouvrage. Les observations et les critiques peuvent être envoyées à : tommi.hoikkala@youthresearch.fi.

81 Council of Europe and European Commission (2004), p. 2.

82 http://www.salto-youth.net/about/ [consulté le 29 mai 2005].

83 « Bridges for Recognition. Promoting Recognition of Youth Work Across Europe. »

84 http://www.salto-youth.net/bridgesday1/ [consulté le 29 mai 2005].

85 Savisaari, L. (2003).

86 Savisaari, L. (2003), p. 3.

87 Voir l'exposé de Lauri Savisaari sur le manuel des activités de loisirs à l'adresse http://www.salto-youth.net/bridgesday1/ [consulté le 29 mai 2005].

88 Cette description est également empruntée au site « Bridges », exposé présenté par Hazel Patterson (http://www.salto-youth.net/bridgesday1/) [consulté le 29 mai 2005].

89 Rhodes, C.P., Avis, J., Somervell, H. (1999), p. 322 : « Donner du poids aux individus dans un marché de travail des diplômés universitaires turbulent et fragile. »

90 Rhodes, C.P., Avis, J., Somervell, H. (1999) décrivent le système comme suit : « Certaines universités modernes cherchent à perfectionner les compétences clés transférables et préconisent le recours aux RoAs pour que l'étudiant puisse continuer d'établir un document récapitulatif après les études. La mise au point d'un tel document se déroule dans le contexte où certains employeurs misent sur le capital social et culturel qu'on attribue aux personnes ayant fréquenté des universités reconnues. »

91 Rhodes, C.P., Avis, J., Somervell, H. (1999), p. 321.

92 Siurala, L. (2004).

93 Hoikkala, T., Suurpää, L. (2005).

94 Paakkunainen, K. (2004b).

95 Paakkunainen, K. (2004a).

96 Siisiäinen, M. (2004).

97 Siisiäinen, M. (2004). Siisiäinen déclare qu'en Finlande, en 1996-1998, 10 000 nouvelles organisations ont été fondées. Quelque 40 000 parmi toutes les organisations finlandaises ont été fondées l'année dernière.

98 Schild, H.J. (2005).

99 L'étude du Forum européen de la jeunesse, Sahlberg, P. (1999), qui examine les façons dont les organisations de jeunesse contribuent à l'éducation non formelle en est un bon exemple et ressortit à ce sujet. On peut télécharger l'étude à l'adresse http://www.youthforum.org ou en contactant alix.masson@youthforum.org.

100 European Youth Forum (2003).

101 Voir European Youth Forum (2000) et European Youth Forum (2003).

102 Voir la Méthode ouverte de coordination de l'UE dans le domaine de la jeunesse.

103 « Center for Ungdomsforskning », le centre danois de recherche jeunesse (http://www.cefu.dk).

104 du Bois-Reymond, M. (1998).

105 Freire, P., Shor, I. (1987), p. 18.

106 Commission des Communautés Européennes (2001), p. 5.

107 Council of Europe (2003a), p. 7.

108 Council of Europe (2003a), p. 7.

109 Chisholm, L. et al. (2004).

110 Des études économiques en partenariat sur l'apprentissage non formel dans le secteur de la jeunesse de la Commission européenne et du Conseil de l'Europe sont d'autres initiatives en matière de collecte de données sur l'apprentissage non formel des jeunes.

111 Argyris, C. (1993).

112 Davenport, T., Prusak, L. (1998), p. 5.

113 http://naticent02.uuhost.uk.uu.net/index.htm.

114 Lynne Chisholm: « La recherche sur la jeunesse et le secteur de la jeunesse en Europe : Perspectives, partenariats et promesses. » Allocution-cadre à la conférence « Organiser des dialogues entre les acteurs du domaine de la jeunesse au moyen du réseautage et de la collaboration transsectorielle » (résumé de la séance-cadre). Luxembourg, du 16 au 18 juin – voir aussi le chapitre de ce livre.

115 Idem.

116 Idem.

117 J'aimerais à ce point avancer l'idée que le genre d'informations et d'explications devant être produites dans le contexte d'une coproduction sociale des connaissances ne renvoie pas seulement à l'analyse et à la comparaison des conditions de vie des jeunes, de leurs attitudes et de leur orientation en matière de valeur, mais également aux différentes significations que les jeunes eux-mêmes ainsi que d'autres acteurs sociaux (notamment les travailleurs jeunesse) donnent à certaines évolutions de la société et, bien entendu, du domaine de la jeunesse, par exemple, les façons dont les différents acteurs sociaux « reconstruisent » les « réalités » des jeunes dans leur complexité propre et fortement différenciée sont également pertinentes, de même que le savoir émanant du travail pratique et de son évaluation.

118 Beck, U. (1986); Giddens, A. (1990).

119 Münchmeier, R. (1992).

120 Hübner-Funk, S., du Bois-Reymond, M. (1995) ; Sellin, B. (1995) ; Walther, A. et al. (1999).

121 Commission des Communautés Européennes (2001).

122 Voir Kommission der Europäischen Gemeinschaften (1990).

123 Voir Bendit, R. (2004) ; Berg-Schlosser, D., Müller-Rommel, F. (1987).

124 C. Wallace: « Perspectives on youth research in the New Europe » [Perspectives sur la recherche jeunesse dans une nouvelle Europe]. Allocution-cadre au 18ᵉ symposium du DJI, le 24 juin 2003.

125 http://www.nyri.org/.

126 Quelque 1 700 chercheurs, documentalistes, utilisateurs de savoir issu de la recherche, etc. sont reliés par ce réseau. Cette collaboration a été mise en œuvre en 1985 et dans le cadre actuel, le NYRI existe depuis 1992. Le Secrétariat du NYRI est le coordonnateur, le producteur et l'organisateur d'une variété d'activités.

127 Voici certaines de ces revues: *Young*, publiée par le NYRI depuis 1993 ; *Journal of Youth Studies (JYS)*, publiée à l'*University of Glasgow* et par Carfax Ltd ; *Journal of European Social Policy*, publiée à l'*University of Bath* (Department of Social and Policy Sciences) et par Sage Publications Ltd. ; *Journal of Education Policy*, éditée par Taylor & Francis à Londres et Washington DC; et de nombreuses autres revues spécialisées et trimestrielles européennes qui publient périodiquement des articles sur la recherche et la politique jeunesse qui ne peuvent toutes êtres citées. La plupart d'entre elles axent leur éditoriaux sur des sujets tels l'adolescence, l'éducation, l'emploi, la transition des jeunes vers le marché du travail, la santé et les politiques sociales relatives aux enfants et aux jeunes.

128 IARD (2001).

129 Voir Bendit, R. (2004).

130 Des spécialistes en sciences sociales d'Europe, mais également d'autres régions du monde, peuvent avoir accès aux ensembles de données produites dans le contexte des enquêtes mentionnées ci-dessus, qui sont entreposées dans différentes archives sociologiques comme Eurostat ; les archives centrales de Cologne ; les bases de données de l'Université d'Essex ; les archives de données sociologiques de l'Université de Mannheim ; les bases de données de l'institut allemand de la jeunesse DJI.

131 Ce réseau est constitué de « correspondants nationaux » désignés par les différents gouvernements afin de soutenir et de coordonner la recherche jeunesse en Europe. Ils concentrent de nos jours leur travail sur la constitution d'une base de données européenne sur la jeunesse et les politiques jeunesse en Europe (http://www.coe.int/youth).

132 Chisholm, L., Kovatcheva, S. (2002). Le Conseil de l'Europe a également été impliqué dans des campagnes contre le racisme, l'antisémitisme, l'intolérance et la xénophobie. Il s'est préoccupé de promouvoir la démocratie, la tolérance et les droits de la personne humaine. Cependant, tout comme la Direction générale « Éducation et Culture » de la Commission européenne, il s'est principalement occupé du financement des projets d'échange de jeunes plutôt que de projets de recherche jeunesse.

133 http://www.iris-egris.de/egris.

134 http://www.ed.ac.uk/ces/tiy/summary.htm.

135 http://www.istitutoiard.it.

136 http://www.valt.helsinki.fi/esa/youth.htm.

137 European Commission – Directorate General for Research (2004).

138 Voir European Commission – Directorate General for Research (2004). Sous d'autres aspects, ce programme se concentre également sur les enjeux touchant les relations entre générations, ainsi que les attitudes, modes de vie et formes de participation des jeunes et leurs conséquences pour la société et l'économie européennes.

139 Rappelons que, selon les spécificités territoriales, il pourrait s'agir de centres régionaux, inter- ou subrégionaux, nationaux.